NEW
서울대 선정
인문고전
60선

20

유성룡 **징비록**

NEW 서울대 선정 인문 고전 ⑳
만화 유성룡 징비록

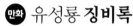

개정 1판 1쇄 발행 | 2019. 8. 21
개정 1판 2쇄 발행 | 2021. 9. 27

박교영 글 | 이동철 그림 | 손영운 기획

발행처 김영사 | 발행인 고세규
등록번호 제 406-2003-036호 | 등록일자 1979. 5. 17.
주소 경기도 파주시 문발로 197 (우10881)
전화 마케팅부 031-955-3100 | 편집부 031-955-3113~20 | 팩스 031-955-3111

값은 표지에 있습니다.
ISBN 978-89-349-9445-9
ISBN 978-89-349-9425-1(세트)

좋은 독자가 좋은 책을 만듭니다. 김영사는 독자 여러분의 의견에 항상 귀 기울이고 있습니다.
전자우편 book@gimmyoung.com | 홈페이지 www.gimmyoungjr.com

이 도서의 국립중앙도서관 출판예정도서목록(CIP)은 서지정보유통지원시스템 홈페이지(http://seoji.nl.go.kr)와
국가자료종합목록시스템(http://www.nl.go.kr/kolisnet)에서 이용하실 수 있습니다. (CIP제어번호 : CIP2018042492)

어린이제품 안전특별법에 의한 표시사항
제품명 도서 제조년월일 2021년 9월 27일 제조사명 김영사 주소 10881 경기도 파주시 문발로 197
전화번호 031-955-3100 제조국명 대한민국 ⚠주의 책 모서리에 찍히거나 책장에 베이지 않게 조심하세요.

미래의 글로벌 리더들이 꼭 읽어야 할 인문고전을 만화로 만나다

NEW

서울대 선정 인문고전 60선

20

유성룡 징비록

박교영 글 · 이동철 그림

주니어김영사

| 기획에 부쳐 |

〈NEW 서울대 선정 인문고전60〉이 국민 만화책이 되기를 바라며

제가 대여섯 살 때 동네 골목 어귀에 어린이들에게 만화책을 빌려주는 좌판 만화 대여소가 있었습니다. 땅바닥에 두터운 검정 비닐을 깔고 그 위에 아이들이 좋아하는 만화책을 늘어놓았는데, 1원을 내면 낡은 만화책 한 권을 빌릴 수 있었지요. 저는 그곳에서 만화책을 보면서 한글을 깨쳤고 책과의 인연을 맺었습니다.

초등학교 때는 용돈을 아껴서 책을 사서 읽었고, 중학교 때는 학교 도서 반장을 맡아 도서관에서 매일 밤 10시까지 있으면서 참 많은 책을 읽었습니다. 그 무렵 헤밍웨이의 《노인과 바다》를 손에 땀을 쥐며 읽으면서 인생에 대해 고민했고, 헤르만 헤세의 《수레바퀴 아래서》를 읽으며 사춘기의 심란한 마음을 달랬습니다. 김래성의 《청춘 극장》을 밤새워 읽는 바람에 다음 날 치르는 중간고사를 망치기도 했습니다.

당시 저의 꿈은 아주 큰 도서관을 운영하는 사람이 되어 온종일 책을 보면서 책을 쓰는 작가가 되는 것이었습니다. 나이가 들고 어느 정도 바라는 꿈을 이루었습니다. 큰 도서관은 아니지만 적당한 크기의 서점을 운영하고, 글을 쓰는 작가가 되었거든요. 저는 여기에 새로운 꿈을 하나 더 보탰습니다. 그것은 즐거운 마음과 힘찬 꿈을 가지게 해 주고, 나아가 자기 성찰을 도와주는 좋은 만화책을 만드는 일이었습니다. 이렇게 해서 만든 책이 바로 〈서울대 선정 인문고전〉입니다. 서울대학교 교수님들이 신입생과 청소년들이 꼭 읽어야 할 책으로 추천한 도서들 중에서 따로 60권을 골라 만화로 만든 것입니다. 인류 지성사의 금자탑이라고 할 수 있는 고전을 보기 편하고 이해하기 쉽도록 만화책으로 만드는 일은 쉬운 일은 아니었습니다. 약 4년 동안에 수십 명의 학교 선생님들과 전공 학자들이 원서의 내용을 정확하게 전달할 수 있도록 밑글을 쓰고, 수십 명의 만화가들이 고민에 고민을 거듭하면서 만화를 그려 60권의 책을 만들었습니다.

〈서울대 선정 인문고전〉이 완간되었을 무렵에 우리나라에 인문학 읽기 열풍이 불기 시작했습니다. 〈서울대 선정 인문고전〉은 인문학 열풍을 널리 퍼뜨리는 데 한몫을 하면서 독자들의 뜨거운 사랑과 관심을 받았습니다. 덕분에 지금까지 수백만 권이 팔리는 베스트셀러가 되었습니다. 그 사랑에 조금이나마 보답을 하기 위해 《칸트의 실천이성 비판》, 《미셸 푸코의 지식의 고고학》, 《이이의 성학집요》 등 우리가 꼭 읽어야 할 동서양의 고전 10권을 추가하여 만화로 만들었습니다.

〈서울대 선정 인문고전〉은 어린이와 청소년이 부모님과 함께 봐도 좋을 만화책입니다. 국민 배우, 국민 가수가 있듯이 〈서울대 선정 인문고전〉이 '국민 만화책'이 되길 큰마음으로 바랍니다.

손영운

| 글작가 머리말 |

역사에 대한 처절한 반성

처음 《서울대 선정 인문고전 50선》 시리즈를 써보지 않겠냐는 얘기를 듣고 무척 망설였는데, 학교에서 열심히 공부하는 학생들을 떠올리면서 한 번 써보는 것도 좋겠다는 생각이 들었습니다. 많은 학생들이 논술의 필요성을 인식하며 인문고전을 읽어야 한다는 압박감에 시달리고 있는데, 막상 어디서부터 어떻게 읽어야 하는지 답답해 하고 막막해 하는 것이 현실입니다. 그런 학생들에게 《서울대 선정 인문고전 50선》 시리즈는 '단비와 같은 존재가 되겠구나!' 하는 생각이 들었습니다. 어렵게만 느껴지는 고전을 재미있고 멋진 만화와 쉬운 설명을 곁들여 보여준다면 학생들이 얼마나 좋아할까 생각하니, '한번 써보는 것도 좋겠다.' 는 단순한 생각에서 '꼭 써줘야겠다.' 는 사명감으로 바뀌었습니다.

'임진왜란' 하면, 이순신의 《난중일기》를 가장 많이 떠올리지만, 임진왜란을 기록한 《징비록》은 우리가 반드시 봐야 하는 중요한 책이자 과거 극비 문서입니다. 이 책에는 우리가 왜 전쟁 초반에 일본에 처참하게 무너질 수밖에 없었는가, 민족의 문제를 자주적으로 해결하지 못하면 어떤 일이 벌어지는가, 우리 군사와 정치의 문제는 무엇이었는가, 앞으로는 무엇을 어떻게 준비해야 하고 또 어떻게 해야 이렇듯 참혹한 역사를 반복하지 않을 수 있는가 하는 등 여러 문제에 대한 해답이 나와 있습니다.

책에는 피란 가는 임금의 뒤를 따르는 조정 대신들과 궁녀들의 통곡하는 모습과 각지에서 벌어졌던 처절하고 참혹한 전투 상황, 풍전등화인 나라의 운명을 바라보며 발

빠르게 움직이고 애썼던 저자인 유성룡을 비롯한 많은 문무 대신들의 긴박한 상황 등이 마치 한 편의 블록버스터 영화를 연상하게 할 만큼 생생하게 펼쳐져 있기도 합니다. 특히 《징비록》의 가치는 한반도라는 지정학적 위치로 인해 늘 전쟁의 소용돌이 속을 살아야 했고 지금도 주변 강대국의 영향을 받는 우리 민족에게 있어, 언제나 새롭게 재해석되고 살아 숨쉬며 현재적 의미로 다가오는 – 그야말로 진정한 古典이라는 데 있습니다. 환란에 대비하는 유비무환의 자세와 국난을 이겨내기 위한 지도자의 결단력과 지도력은 오늘날 우리에게도 그 시사하는 바가 무척이나 큽니다.

이 책을 읽으며 제가 그랬듯이, 여러분들 또한 한 장 한 장 페이지를 넘길 때마다 함께 통곡하고 안타까워하게 될 것입니다. 여러분도 저처럼 '왜 우리가 이 책을 진작 보지 않고서 또다시 뼈아픈 역사를 되풀이했나.' 하는 처절한 반성과 함께 주먹을 불끈 쥐게 되었으면…… 하는 바람입니다.

집필의 기회를 주신 기획자 손영운 선생님과, 너무나 멋지고 재미있는 만화로 부족한 저의 글을 살려주신 만화가 님께 깊은 감사를 드립니다. 그리고 마지막으로 집필하는 동안 여러 날 밤새우는 저를 안타까운 마음으로 바라보시며 격려해주신, 사랑하는 저의 어머니 박인숙 님께 감사의 마음과 함께 이 책을 바칩니다.

박교영

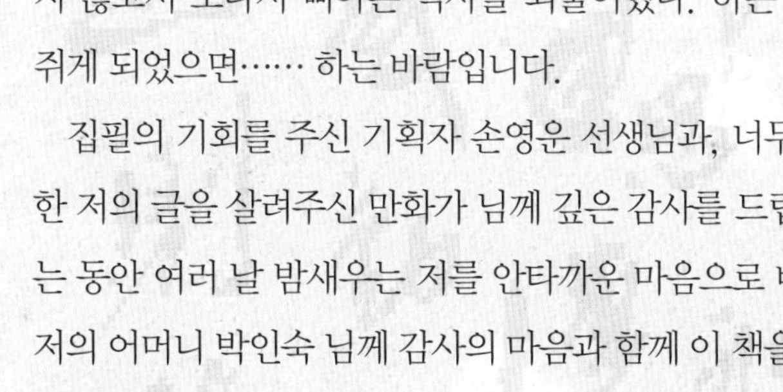

〈징비록〉을 통해 조상의 교훈을 배우다

《징비록》이란 책을 만화로 만들기 위해 처음 접했을때 다소 낯선 느낌이었습니다. 유성룡이란 이름은 들어봤으나 《징비록》이란 책은 잘 알지 못했기 때문이죠. 만화 작업을 위해 이것저것 자료를 찾고 책을 뒤져보며 아~! 왜 이 책이 국보인지 새삼 깨닫는 계기가 되었습니다.

책의 내용이 쉽지 않아 꽤나 긴 시간과 힘든 작업을 하였으나 한편 보람 있는 작업이기도 했습니다. 흔히 임진왜란은 누구나 알고 있고 나 또한 하나의 전쟁쯤으로 알고 있었지만 그 전쟁 속에는 그동안 알지 못했던 의미와 꼭 알아야 하는 내용들이 있었습니다.

왜 우리는 왜적의 침략을 받을 수밖에 없었나, 또 전쟁에서 그토록 무참히 짓밟힐 수밖에 없었나 그리고 그런 힘든 상황에서 끝내 승리할 수 있었던 모든 이유와 내용이 자세히 들어가 있었고 단지 전쟁의 아픔과 승리로 끝나지 않고 그 전쟁에서 우리가 잊지 말아야 하는 것들이 고스란히 들어 있습니다.

한마디로 이 책을 읽고 느낀 것은 깊은 반성입니다.

우리는 살면서 인간이기에 누구나 실수와 잘못을 저지를 수 있습니다. 사소한 것부터 큰 것까지…. 그렇기에 실수나 잘못은 용서할 수 있고 용서받을 수 있습니다. 하지

만 실수나 잘못 뒤에도 반성하고 고치지 않는다면 똑같은 실수를 저지를 테고 그건 아마 용서 받기 힘들겁니다.

바로 이 책은 이런 반성하고 대비하는 자세를 옛 선조가 우리에게 가르쳐주는 책입니다. 요즘은 잘못을 하고도 반성할 줄 모르는 사람들이 너무 많아 안타깝지만 이 책을 읽는 어린이와 청소년 중 단 몇 명이라도 유성룡의 뜻과 이 책의 가르침을 이해해 바른 사람으로 성장하고 자신의 인생을 대비하는 데 작게나마 도움이 되길 바랍니다.

그림을 다 그리고 나니 과연 나의 이런 느낌과 바람이 잘 들어갔는지, 보시는 분들이 혹시 재미없거나 이해하기 힘들게 잘못 그린 건 아닌지, 원작에 폐 끼치는 것은 아닌지 걱정도 됩니다. 부디 모자란 부분이 있더라도 재밌게 읽어주시고 너그럽게 양해 바랍니다. 저도 반성하고 대비하는 마음으로 더 나은 작품을 만들 수 있도록 노력하겠습니다.

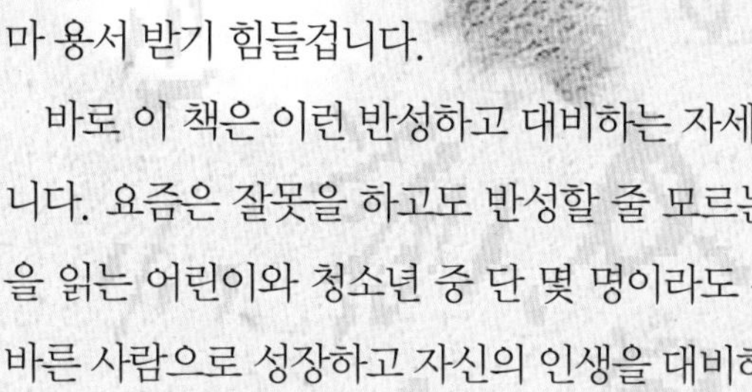

이동철

| 차 례 |

통신사

평양성

제1장 유성룡은 누구인가?
- 나라를 위기에서 구한 재상

얘들아! 안녕~.
만나서 반가워.
너희들 혹시 유성룡
이라고 들어 봤니?
난 성룡
잘 모르는 친구들도
있겠지만, 임진왜란에 대한
이야기를 관심 있게 본
친구라면 유성룡의
이름을 한두 번쯤은
들을 수 있었을
텐데?
나
아냐?
그럼 혹시 이순신은 들어봤겠지?
나 이순신은
대한민국 사람
누구나 다 알고
말고!
그럼, 이순신이 나오는 이야기를
접해 본 친구라면 유성룡의 이름은
꼭 한번 들어봤을 법도 한데…
정말?
그렇다면 유성룡이 아니었다면
이순신은 역사 속에 묻혔을지도
모른다는 사실은 알까?
고마워~
유성룡.
덥썩

어쩌면 권율이 이끈 행주대첩도 아예 일어나지 않았을 거야.
나 권율이야.
임진왜란을 일으켰던 도요토미 히데요시는 "바다에 이순신, 육지에 유성룡만 없었다면 조선을 무너뜨릴 수 있었을 텐데…" 하고 아쉬워 했다고 전해져.
뚝
유성룡 짜증 나.
이순신과 권율을 추천해 전쟁에서 큰 활약을 하게 만들어 도요토미 히데요시를 울고 가게 만든 유성룡은 과연 어떤 사람일까?
유성룡은 지금으로부터 약 500년 전인 1542년 경상도 의성현 사촌리에서 태어났어.
응애 응애
자는 이현(而見), 호는 서애(西厓), 시호는 문충(文忠)이야.
다 내 거야.
이현
서애
문충
문충의 뜻은 나라에 충성한 문신이라는 이야기지. 그만큼 나라에 큰 공을 세웠고 유성룡에 대한 임금의 평가가 높았다는 이야기겠지.
자네 뿐이야.
그의 아버지 유중영은 황해도 관찰사(지금의 도지사)였고
험.
황해도
어머니는 진사 김광수의 딸인 안동 김씨로 알려져 있어.
유명하지.
안동 김씨
그의 형 유운룡은 여러 시험을 거쳐 벼슬에 올라 원주목사*를 지냈지.
제 형이에요.
게다가 유성룡의 집안은 명문가로 손꼽히는 안동의 풍산 유씨 집안이라 가문의 이력이 정말 대단하지.
우리 집안이 이런 집안이야.
한 집안이지.
유성룡은 정말 뼈대 있는 가문의 아들이었네.
부럽지?

***목사** – 관찰사 밑에 있는 지방 관리직. 현재의 군수에 해당됨.

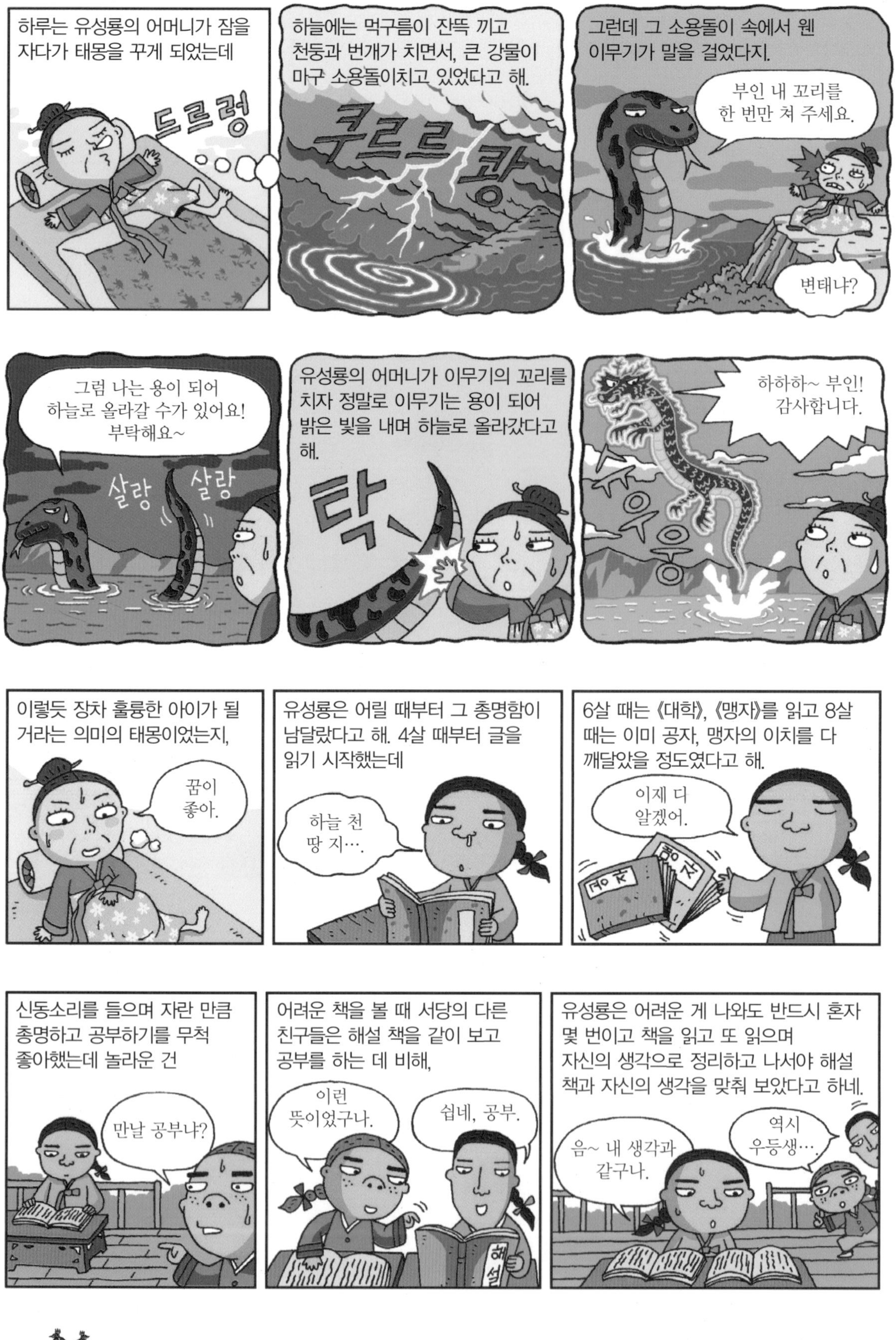
하루는 유성룡의 어머니가 잠을 자다가 태몽을 꾸게 되었는데
드르렁
하늘에는 먹구름이 잔뜩 끼고 천둥과 번개가 치면서, 큰 강물이 마구 소용돌이치고 있었다고 해.
쿠르르
쾅
그런데 그 소용돌이 속에서 웬 이무기가 말을 걸었다지.
부인 내 꼬리를 한 번만 쳐 주세요.
변태냐?
그럼 나는 용이 되어 하늘로 올라갈 수가 있어요! 부탁해요~
살랑
살랑
유성룡의 어머니가 이무기의 꼬리를 치자 정말로 이무기는 용이 되어 밝은 빛을 내며 하늘로 올라갔다고 해.
탁
하하하~ 부인! 감사합니다.
우웅
이렇듯 장차 훌륭한 아이가 될 거라는 의미의 태몽이었는지,
꿈이 좋아.
유성룡은 어릴 때부터 그 총명함이 남달랐다고 해. 4살 때부터 글을 읽기 시작했는데
하늘 천 땅 지….
6살 때는 《대학》, 《맹자》를 읽고 8살 때는 이미 공자, 맹자의 이치를 다 깨달았을 정도였다고 해.
이제 다 알겠어.
대학
맹자
신동소리를 들으며 자란 만큼 총명하고 공부하기를 무척 좋아했는데 놀라운 건
만날 공부냐?
어려운 책을 볼 때 서당의 다른 친구들은 해설 책을 같이 보고 공부를 하는 데 비해,
이런 뜻이었구나.
쉽네, 공부.
해설
유성룡은 어려운 게 나와도 반드시 혼자 몇 번이고 책을 읽고 또 읽으며 자신의 생각으로 정리하고 나서야 해설 책과 자신의 생각을 맞춰 보았다고 하네.
음~ 내 생각과 같구나.
역시 우등생….

이렇게 잘 자라던 유성룡이 한번은 죽을 뻔한 적이 있었어. 강에서 놀다 그만 물에 빠져 버린 거야.
어푸 어푸
그런데 어린 유성룡은 '사람 살려!' 하며 크게 소리 지르거나 허우적대며 당황하지 않았다고 해. 오히려 친구들이 소란을 피웠다지.
성룡아 죽으면 안 돼!
누가 좀 도와 줘요!
엉엉엉
왜 자기들이 더 난리야?
유성룡은 당황하지 않고 침착하게 강물의 흐름을 파악했어.
음~ 물이 저쪽으로 흐르는구나!
둥 둥
그래서 그는 강물의 물살을 따라 강의 가장자리로 나올 수 있었어.
성룡이 살았다
하마터면 죽을 뻔했네.
어린 시절의 일화이지만 이것만 봐도 유성룡의 침착함과 위기해결 능력에 감탄해 하지 않을 수가 없지.
이런 성품을 지닌 그였으니 나라 전체가 위기에 빠진 임진왜란 때도 침착하게 맡은 임무를 해결해 나갔는지도 몰라.
당황하지 마라.
전쟁이다
유성룡은 1562년에 퇴계 이황의 문하로 들어가 안동의 도산 서원에서 공부하게 되었고 1566년에 문과시험에 급제했어.
도산서원
나 이황은 모두 알겠지? 성리학의 양대 산맥 이황과 이이 할 때 그 이황이야. 1,000원 지폐에도 모델로 등장하지.
말하자면 당대 최고의 스승에게 학문을 배운 거야.
존경합니다.
영광으로 알아라.
이황은 유성룡이 학문하는 자세가 매우 바르고 모르는 것이 있으면 의문이 풀릴 때까지 물어보며 배운 것을 통해 자신의 생활을 반성하며 실천하고 노력하는 모습을 보고 이렇게 말했다고 해.
과연 하늘이 내린 인물이로다.
아~

이황의 문하에서 같이 공부했던 친구 김성일도 그 말을 듣고 이렇게 말했지.
스승님을 우리가 계속 모셔 왔는데 그런 말씀을 하신 적이 한번도 없으셨어.
왜 난 칭찬 안 해 주시지?
이황은 아무나 칭찬하는 스타일이 아닌데 그런 분이 유성룡을 극찬하셨으니 과연 유성룡이 얼마나 뛰어난 인물이었는지 짐작할 수 있겠지.
우리도 칭찬 받고 싶어!
흑흑
유성룡이 퇴계 이황을 만난 지 7년 만에 이황은 세상을 떠났어.
나 먼저 간다.
스승님
좀 더 많은 것을 스승님께 배우고 싶었을 텐데 너무나 안타까웠지. 그래서 유성룡은 그 이듬해인 서른 살에 안동의 하회라는 곳 '서쪽 언덕' 밑에 스승님의 학문을 전수하기 위한 서당을 지으려고 했어.
여기야?
그 뜻을 이루지 못한 채 벼슬길로 나가게 되었지만 마음만은 스승과 함께 하고 싶었어.
스승님, 보고 싶어요.
그래서 그 마음을 담아 '서애'를 자신의 호로 정했어.
서쪽 언덕이란 뜻이지.
서애
유성룡은 언제나 학문에 열심이었는데 그가 얼마나 열심이었는지 알 수 있는 또다른 일화가 있어.
I ♡
청년이 된 유성룡은 공부를 더 열심히 하기 위해 관악산에 있는 암자에 들어가 책을 읽었다고 해.
그날도 날이 새는 줄 모르고 열심히 독서하다가 새벽이 가까운 시간이 되었지.
공자 왈~ 맹자 왈~
그런데 그때 어두운 그림자가 방문 앞에 어른거리는 거야.
으르릉
짐승소리도 나고 방문을 드르륵 드르륵 긁는 소리가 나기도 했지.
드르륵 드르륵
워~우~

그러나 유성룡은 개의치 않고 그저 책만 열심히 봤어.
반응이 없으니 재미없네.
다음 날 스님이 물었어.
지난 밤에 별일 없었습니까?
그런데 유성룡은 태연하게 답했지.
소리가 나서 밖에 누군가 와 있다고 생각했지만 책 읽는 시간이 아까워서 그냥 밖을 내다보지 않았습니다.
이 말을 들은 스님은
허허… 제가 실은 선비님을 시험해 보기 위해 장난을 쳐 본 것입니다.
허허
선비님의 뜻이 그토록 곧으시니 반드시 유능한 인재가 되실 것입니다.
장난꾸러기…
이렇게 유성룡의 학문은 날로 높아갔고 성품 또한 뛰어나니 자연스레 그 이름이 세상에 널리 알려지게 되었어.
유성룡
팔랑 팔랑
1564년 생원시 급제를 시작으로 그의 승승장구는 계속 되었지.
이제 시작이라구.
이듬해에 당시 최고의 학교라 할 수 있는 성균관에 입학했고
우리 학교 최고!
성균관
드디어 1566년에는 문과에 급제하여 승문원 권지부정자가 되어 관직에 첫발을 들여 놓게 되었지.
첫 출근인데 일찍 가야지.
승문원
승문원은 요즘으로 말하자면 외교부에 해당해. 외교부에서 문서를 관리하는 벼슬에 처음 몸담게 된 거야.
많다….
이후 1569년에는 명나라에 사신으로 파견되기도 해서 외교 분야에서 경험을 더 쌓게 되는데 이때 또 유명한 이야기가 있지.
사신으로 갔을 때 명나라 수도에 도착하니 그곳의 많은 학생들이 유성룡의 이름을 익히 듣고 만나고 싶은 마음에 구름처럼 몰려왔어.
유성룡
유성룡
유성룡
?

유성룡은 이미 학문이 상당한 경지에 이르렀기 때문에 그들과 자유롭게 학문에 대해 토론했는데
그의 명쾌하고 논리적인 설명에 모두들 감탄하느라 정신이 없었다고 해.
오~ 대단하시오.
그들 학문의 잘못된 부분은 콕찍어 알려주기도 하고 말이야.
그건 잘못 알고 계시오.
앗, 창피해.
그 후로도 그는 정말 많은 관직을 거치고 승진을 거듭했는데 어떤 관직에 올랐나 한번 봐.
공조좌랑
사간원정언
홍문관직제학
부제학
대사헌
…등 요직을 거쳐 갔고 예조판서 형조판서 대제학 등등, 나중에 좌의정, 우의정, 영의정까지 지낸다고.
정말 많지? 사실 이것보다 훨씬 더 많은데 중요한 것만 추린 거야.
이거 알아? 그는 조선을 통틀어 가장 많은 관직에 오른 사람이기도 해.
너무 많나?
그는 무려 30년 동안 관직에 있었고 차례차례 승진을 거듭해 국정의 거의 모든 분야의 실무를 밟아 나갔어.
안 해본 게 없네.
사실 유성룡은 처음부터 관직에 뜻이 있어 벼슬길에 나온 것은 아니었어. 그는 학문하기를 너무 좋아했고 문장도 뛰어나 학자로 나갔어도 크게 이름을 떨쳤을 거야.
책이 좋아~
그는 학자가 되고 싶었지만 아버지와 형의 강한 권유에 못 이겨 벼슬을 시작한 것이고, 관직에는 욕심이 없는 사람이었다고 전해져.
관직으로 나가줘
애비 소원이다
컥!

그러니 관직에서 물러나 고향에 돌아간 후 조정에서 다시 불러도 응하지 않았겠지.
제발 돌아와
싫어.
그는 임금이 여러 번 벼슬을 내려 서울로 제발 올라오라 명을 해도 상소를 올려 명을 거두어달라 청한 적이 아주 많아.
또 거절이야 아이고, 혈압….
왜냐하면 그에게는 모셔야 할 늙은 어머니가 계셨기 때문이야.
어머니, 약 드세요.
언제나 고향집을 그리워 했고 어머니에 대한 효심에 벼슬도 마다하는 효자였어.
진정 효자로다.
쑥스럽게…
오죽하면 임금께서 조금이라도 어머니와 가까운 곳에서 일하며 어머니를 모시라고 상주목사 벼슬을 주어 그 지방으로 내려 보내기도 했고
어머니
상주
그의 지극한 효심에 감동해 호피로 만든 귀한 이불을 하사하기도 했을 정도야.
임금님이 주신 거예요.
촌스럽다
이렇듯 유성룡은 여러 관직을 두루 거치며 정치권의 중심으로 점차 부상하게 되고 임금의 신임도 얻었지.
쪽
자네 뿐이야.
부러워
부러워
임금의 신임이 얼마나 두터웠으면 유성룡이 우의정을 지내던 시절, 임금께서 이조판서를 겸하라 명을 내려 그 명을 거두어 달란 글을 올렸지만 임금의 한 마디….
그냥 네가 다해.
전하
그리하여 1590년에 우의정을 시작으로 좌의정, 영의정을 거쳐 삼정승이라 하는 관직을 모두 거쳤고
영의정
우의정
좌의정
이 관직은 요즘으로 말하면 국가의 모든 정책을 최종적으로 결정하는 국무총리 정도에 해당해.
I ♥
이후 약 10년 동안 정승의 자리에 있게 되지. 그런데 임진왜란은 1592년 4월에 일어났어.
왜적이다!

나라가 전란으로 인해 위태롭고 어려운 시기에 딱 맞춰 그 중심에 서서 정치, 외교, 군사 등 모든 일을 담당해 나갔던 거야.
정치
외교
군사
그래서 임진왜란 당시의 자료들을 보면 유성룡의 이름은 절대 빠지지 않지. 많은 일을 결정하고 처리한 사람이니까.
유성룡
그런데 말이야. 유성룡의 관직 이력에서 우리는 중요한 점을 발견할 수 있는데 그게 뭔지 알겠니?
넌 아냐?
전쟁이라 하면 보통 무신들이 더 많은 활약과 공을 세우잖아.
우리 아니야?
그런데 유성룡은 어떻게 문신이면서도 임진왜란의 총 책임자였고 커다란 임무를 완수할 수 있었을까?
생각해 봐!
그 이유는 바로 그의 외교능력이 아주 뛰어났기 때문이야.
처음 벼슬에 들어와 시작한 일이 외교 분야의 일이었고 그와 관련된 일들을 차근차근 익혀나간 덕분에
외교관으로 승진을 해 많은 일을 처리했어. 한마디로 외교에 잔뼈가 굵은 사람이었던 거지.
뼈가 굵어졌어.
외교
그는 외교 전문가였어. 그래서 조선-일본-명이라는 아시아의 상극이 만난 큰 전쟁에서도 막힘 없이 외교와 관련된 일을 해결할 수 있었던 거야.
다 풀었다.
명
일본
특히 명나라와 관련된 일은 유성룡만한 인물이 없어서 그가 모든 일을 도맡아 처리했다고 해.
띵호아
알아 알아
유성룡이 남긴 《징비록》에는 그가 썼던 각종 문서들이 부록으로 담겨 있어. 거기에 그는 "보잘 것 없는 것이지만"이라고 겸손하게 말하지만 문서를 관리하는 관리의 자세에 대해서 교훈을 주기도 해.
징비록
보잘것 없는

그는 문관이고 처음부터 외교문서를 관리해 문서 관리의 중요함을 알고 있었지.
이거 중요한 거니 만지지 마라.
왜란이 시작되어 임금이 도성을 버리고 피난을 떠날 때 한 사관이 궁궐 안에 있던 사료들을 모두 불태우고 달아난 적이 있었어.
활활
일단 살고 보자.
나중에 명나라에 사신을 보낼 일이 생겼을 때 그 달아난 자가 추천자 이름에 올라와 있는 것을 보고는 호통쳤어.
이 자는 지난 번에 중요한 문서들을 불태우고 도망간 자다. 나라를 태워먹은 자에게 사신의 자격을 줄 수는 없다!
그리고 사신 명단에서 빡빡 지웠을 정도로 그는 문서를 중요하게 여겼어.
잘못했어요.
닥쳐!
박박
그는 문서를 만드는 데 정말 탁월한 능력을 갖추었단다.
내가 썼지만 훌륭해~
문서
그의 빼어난 문장은 당연히 뛰어난 학문에서 비롯된 거겠지?
그가 수많은 일을 처리하는 광경을 묘사한 내용을 보면 왜 그토록 임금이 유성룡을 믿고 일을 맡겼는지 고개를 끄덕이게 돼.
유성룡 최고!
함께 일했던 관리들 대부분이 유성룡의 일처리하는 모습을 이렇게 기억하고 있어.
한 말씀!
그는 글을 미리 만들어 놓은 게 아닌가 싶을 정도로 즉석에서 문장을 쉬지 않고 불러요.
빨리 하고 나와. 나도 할 말 많아.

그리고 또 어떻게 기억하시죠?
빠르기가 폭풍과 같고 쓰기를 모두 마친 후 글을 돌아보면 점 하나 고칠 것이 없는 빛나는 문장으로 가득하죠.
나라 일을 볼 때 해결해야 할 일이 산더미 같이 쌓여도 물 흐르듯 처리하여 언제나 책상 위에는 미해결 문서 하나 남아 있지 않았어요.
이렇듯 뛰어난 일처리 능력은 과연 감탄할 만하지. 그러니 임금이 여러 번 부르신 것일 테고.
다시 유성룡의 이력으로 돌아가서, 임진왜란이 일어나기 1년 전인 1591년 아무래도 왜적의 상황이 수상해 변란이 있을 것을 예상한 유성룡의 건의가 일부 받아들여졌지.
우리도 준비를 해야 합니다.
그럴까, 그럼?
조정에서도 마냥 손 놓고 있을 수 없다는 생각에 몇 가지 대비를 했지. 그중 하나가 장수를 뽑는 일이었어.
장수를 뽑죠?
그럴까?
임금이 누구를 추천해야 하는지 물었는데 당시 정읍현감 이순신을 전라좌수사로
이순신이오.
그게 누구?
형조정랑이던 권율을 의주목사로 추천했지.
권율….
그건 또 누구?
컥
그런데 훗날 이들은 각각 해전과 행주산성에서 승리를 이끌어 낸 역사적 인물이 되지.
아싸!
만약 이순신이 없었다고 해봐. 물론 당장 서울 광화문 사거리 이순신 동상부터 사라졌겠지.
지금 장난해?

그보다 우리가 왜적과의 싸움에서 수도 없이 졌어도 바다에서의 싸움 만큼은 강해서 진 적이 거의 없다고 보면 되거든.
이순신 짜증 나무니다.
펑 펑
해전에서 왜적을 물리칠 수 있었기에 왜적의 강한 공격의 끈을 잘라 놓을 수 있었고
바다는 걱정 말라구.
계속 지고만 있던 전쟁을 우리 쪽에 유리하도록 역전시킬 수가 있었어.
보급품이 끊기니 싸울 힘이 없네.
꼬르륵
그러니 이들이 없었다면 왜적에게 우리는 계속 패하기만 했을 거야.
다~ 우리 덕이야.
짜잔
이렇게 될 줄 어떻게 알고 두 사람을 추천했는지 정말 신기하다니까.
어찌 알았지? 신들렸나?
이순신은 대한민국 사람이라면 누구나 알겠지만, 성품이 강직하고 언제나 맡은 일에 열심이며 나라를 위해 헌신한 인물이었어.
나를 따르라.
와 와
유성룡이 생각하기에 이순신은 능력이 뛰어난데도 운이 없어 관직도 겨우 말단만 얻고 아무도 그를 추천하지 않는 것이 무척 안타까웠지.
안타깝다!
관심 좀 가져 줘!

그래서 임금이 누구를 추천 하겠느냐 물었을 때 주저없이 "이순신을 추천합니다."라고 말했고
이 순신!
고마워!
나중에 이순신이 모함을 받아 관직을 삭탈당해 백의 종군하게 되어
난 억울하다고!
원균이 그 자릴 대신 맡았다가 그의 수군이 해전에서 처음으로 왜적에게 무너져 버리자
이순신이 없으니 너무 쉽군.
막막한 상황에서도 역시 "이순신을 다시 써야 합니다." 라고 했던 사람이야.
이순신 뿐입니다.
그는 이순신에게 믿음이 있었어.
난 널 믿어.
전쟁터에 나가 직접 싸우는 장수도 중요하지만 전쟁이라는 전체 상황을 놓고 볼 때 전략을 짜는 것도 무척 중요하지. 그 역할을 유성룡이 제대로 해낸 셈이야.
오늘은 이런 전략을 써 볼까?
그는 인재를 알아보는 탁월한 안목이 있었고 이순신은 그 기대에 충분히 보답한 사람이야.
어디 보자.
특히 이순신과는 어려서부터 동네에서 함께 자란 절친한 사이로 매일 이순신을 칭찬하며 그를 돕는 데 적극적이었다고 해.
역시 순신이 넌 최고야.
정말?
물론 유성룡이 항상 감싸줄 수는 없었지. 그의 추천으로 하루 아침에 관직이 급상승한 이순신은 조정 대신들의 질투의 대상이 되었고
이글 이글
낙하산?
그가 전투에서 조금이라도 좋은 결과를 이끌어 내지 못하면 바로 반대파의 거센 공격을 받기도 했으니까
당신이 뽑았지! 이순신! 책임져!
유성룡이 평한 이순신의 인품과 두 사람의 관계에 대해서는 나중에 자세히 이야기해 줄게.
유성룡은 그 밖에도 성곽을 수리하고 군사를 뽑고 무기를 조사하는 등 여러 가지 건의를 통해 대비책을 내놓게 되지.

그런데 이러한 전쟁 대비책들은 크고 작은 반발에 부딪히기도 했어.
아… 바쁜데 무슨 성곽을 수리하래?
궁시렁
궁시렁
조선은 개국 이래 이렇다 할 큰 전쟁을 겪지 않았기에
고~요
불만
불만
"어디 전쟁이라도 난대냐?"
조선 건국 초기의 그나마 튼튼했던 군사 제도도
든 든
평화로운 시절이 이어지자 차츰 변하기 시작했지.
멍~
특히, 방어 체계도 전면전보다 국지전에 대비하는 제승방략으로 바뀌었고
평화로울 때에는 우리도 좀 쉬자고~.
군역을 면제받으려는 부정한 방법들이 나왔어.
흐흐흐…
군면제
이러고 보니 무기고의 각종 무기 또한 관리가 제대로 되지 않은 것은 당연한 일!
헉
무기고
하지만 지금이 바로 전쟁을 준비해야 할 때!
바쁘다
무기고
바빠
유성룡은 이렇듯 전쟁에 대비했고, 1592년 4월 결국은 임진왜란이 일어났어.

유성룡은 임금을 모시고 피난을 떠나는 한편 전쟁 중에 도체찰사가 되는데 이는 전쟁의 총책임관이라 보면 돼.
사실 우리만 아무런 준비를 안 했지. 왜적은 조선에 대해 많은 조사를 한 후 쳐들어 온 거였어.
당시 일본인들은 3포에 사는 것만 허락되었는데 이곳에 사는 일본인을 통해 조선에 대한 정보를 사전에 수집했고
염포
울산
동래
제포
웅천
부산포
따라서 그들은 조선의 지리에 매우 밝았기 때문에 군사를 여러 경로로 나눠 서울로 진격했어.
난 이쪽.
난 저쪽.
전쟁 준비를 거의 하지 않았던 조선은 거침없이 밀려오는 왜적에 속수무책으로 당할 수밖에 없었지.
꺅
꺅
샤
샤
왜적은 파죽지세로 여러 지역을 점령하여 부산에서 서울로 그리고 평양까지 계속 밀고 올라오고 있었어.
평양
크크크.
부산
여러분은 전쟁이라는 것이 피부에 잘 와닿지 않겠지만 임진왜란은 유래없는 잔인하고도 처절한 전쟁으로 기록되고 있어.
I♥
전쟁으로 모든 것이 불타 없어지고 빼앗기니 백성의 삶은 송두리째 뿌리 뽑혔고
약 7년간의 전쟁으로 인해 조선은 황폐한 땅으로 뒤바뀌고 말았어.
휘~잉
나중에 다시 말하겠지만 책에서는 다음과 같이 전쟁의 처절함을 묘사하고 있어.
"성 안에 많은 사람들이 죽임을 당해서 말과 사람의 썩은 냄새 때문에 거리를 걸을 때는 코를 막지 않고는 걸어갈 수 없다. 정말 슬프고 끔찍한 일이로다."

이렇게 나라 밖으로는 왜적 때문에 혼란스러운데 나라 안은 더 어지러웠지.
왁자 지껄
당시 조정은 당쟁 때문에 여러 파로 나누어져 서로 싸우고 있었거든.
너 조심해.
누가 할 소리.
이럴 때 전쟁의 총책임을 맡은 사람이 흔들리지 않는 신념과 판단으로 어려움을 헤쳐 나가기가 그리 쉬운 일이 아니었겠지.
힘들다.
너 죽어!
까불지마
그런데 바로 그 역할을 유성룡이 해냈다는 거지. 거친 당쟁 속에서도 늘 화해의 방법을 찾고자 노력했고 부드럽고 온화한 태도를 항상 유지했어.
그만 화해해.
그래서 일부 그를 나쁘게 평가하는 사람들은 대신으로서 너무 우유부단했다고 하기도 해.
저건 우유부단한 거야.
하지만 다음 이야기를 들으면 생각이 달라질 거야.
전쟁 초기 왜적의 공격이 너무 강해 서울과 평양이 차례로 함락되자 그는 왕을 모시고 피난을 갔어.
왜적이 점점 밀려오자 일부 신하들과 임금은 아예 압록강 건너 중국으로 피난을 가야 한다고 주장했는데
갈까?
중국
유성룡은 이를 강하게 반대했어. 임금이 탄 수레를 막아서며
이 수레가 압록강을 건너가면 이제 이 나라를 영원히 잃게 될 것입니다.
끝까지 싸워 봐야 하는 겁니다. 임금이 나라를 떠나면 백성들은 불안해서 도망을 갈 테고 결국 이 나라를 지킬 수 없게 됩니다.
컥~
단호한 그의 말에 임금은 압록강을 건너지 않기로 결정했단다.
알았어! 여기 남도록 하지.
덜덜덜
대신 명나라에 도움을 요청하지.
좀 도와줘.
왜?

나중에 설명하겠지만 유성룡은 명나라를 치러 가는 길을 내달라는* 일본의 요구를 조선이 들어주지 않아 전쟁이 일어난 것으로 보았거든.
일본이 그랬다구.
정말?

따라서 여기서 더 피난을 가는 대신 명나라에 구원병을 요청하는 것이 옳다고 생각했어. 조선이 명나라에 대한 의리를 지켰으니 명나라는 당연히 조선을 도와줘야 한다는 명분을 내세운 거야.
일본! 가만두지 않겠다!
~훗

*정명가도(征明假道)는 당시 왜군이 내세운 목표였다.

만약 그때 압록강을 건넜더라면 그의 말대로 다시는 우리나라를 되찾지 못했을지도 몰라.
압록강

이것도 유성룡의 현명한 대처로 볼 수 있지. 그의 판단은 적절했고 결국 명의 도움으로 전쟁을 이겨낼 수 있었어.

이렇게 해서 임진왜란은 조선-일본-명 세 나라의 국제적인 전쟁으로 확대되었어.
명
조선
일본
두~둥

전쟁 발발 다음 해인 1593년에는 명나라 장수 이여송의 도움으로 빼앗겼던 평양을 되찾았고
고맙지?
이여송
평양

이어서 파주까지 진격하게 되지. 그리고 이때 유성룡은 일본의 침략을 근본적으로 막기 위해 국방을 제대로 하지 않으면 안 된다 주장했어.
국방을 정비해야 해.

그래서 그는 훈련도감을 설치했고 화기를 제조하거나 성곽을 수축하고 병사를 훈련시키는 등 군사 제도를 더욱 정비했지.
이얍!
훈련 도감

비록 그는 문신이었지만 《기효신서》**와 같은 군사 관련책을 열심히 보고 연구하여 나중에는 뛰어난 전략가로도 활약한단다.
음.

실제로 그는 강 위에 임시 다리를 만들게 해서 군사와 말들이 건널 수 있게 한 적이 있는데

그렇게 다리를 만드는 방법이 병법책에 나와 있는 것을 나중에야 비로소 알았대.
정말 몰랐나?
네.

**《기효신서》 명나라 때 무장 척계광이 쓴 군사서적. 《기효신서》에는 군사 모집, 진의 배치, 무기, 군략과 훈련 등등 매우 구체적인 내용이 실려 있다.

그 사실을 알고 그는 자신의 아이디어에 놀란 것이 아니라 옛 사람들의 지혜에 감탄할 정도로 겸손했어.
오~ 놀라워라.
병법
한편 계속해서 이어지는 전쟁 중에도 그는 굶주리고 상처 입어 황폐해진 백성들을 돌보았어.
내 백성들.
그는 민심 수습에 노력했고 소금 생산이나 농사를 짓게 하는 등 백성이 굶지 않게 도와 그들이 나라를 지키는 데 힘을 쏟게 했지.
특히 그는 흩어진 민심을 수습하는 데 탁월했는데 농민들의 부담이 컸던 세금을 덜어 주기도 했고
가볍네.
세금
일본군이 무서워 도망가려는 백성들은 그들의 신분과 관계없이 공을 세우면 보상해 주겠다 약속해 설득했지.
그래서 백성의 힘으로 성을 지킬 수 있었고 더 나아가 많은 백성들이 의병에 참가해 전세를 역전시키는 데 힘이 되기도 했지.
와 와 와
그는 의병의 힘으로 나라를 되찾을 것이라 굳게 믿었고 과연 그렇게 되었어.
역시 백성들 뿐이오.
그리고 그는 군량을 조달하는 데 많은 노력을 했어. 전쟁이 나면 군량을 조달하는 게 가장 힘들거든.
식량이 부족하네….
많은 군사들이 밥을 먹어야 힘을 내서 전투를 할 텐데
밥 줘.
꼬르륵
먹을 것을 구하러 가는 길이 적군에 의해 가로막혀 있다면 아마 군사들은 굶어 죽거나 겁에 질리거나 기운이 없어 싸워 보기도 전에 도망칠 거야.
목구멍이 포도청!
유성룡은 군량 조달에 많은 노력을 했고 군사뿐 아니라 백성들도 굶어죽지 않게 때로는 군량을 풀어 백성을 먹이기도 했어.
줄을 서시오~
배고픈 백성들이 나가서 싸울 수도 없는 노릇이고 백성들이 안심을 해야 나라를 지킬 수 있다는 것을 알았기 때문이지.
아~ 배부르니 힘이 솟는구만.
꺼억~

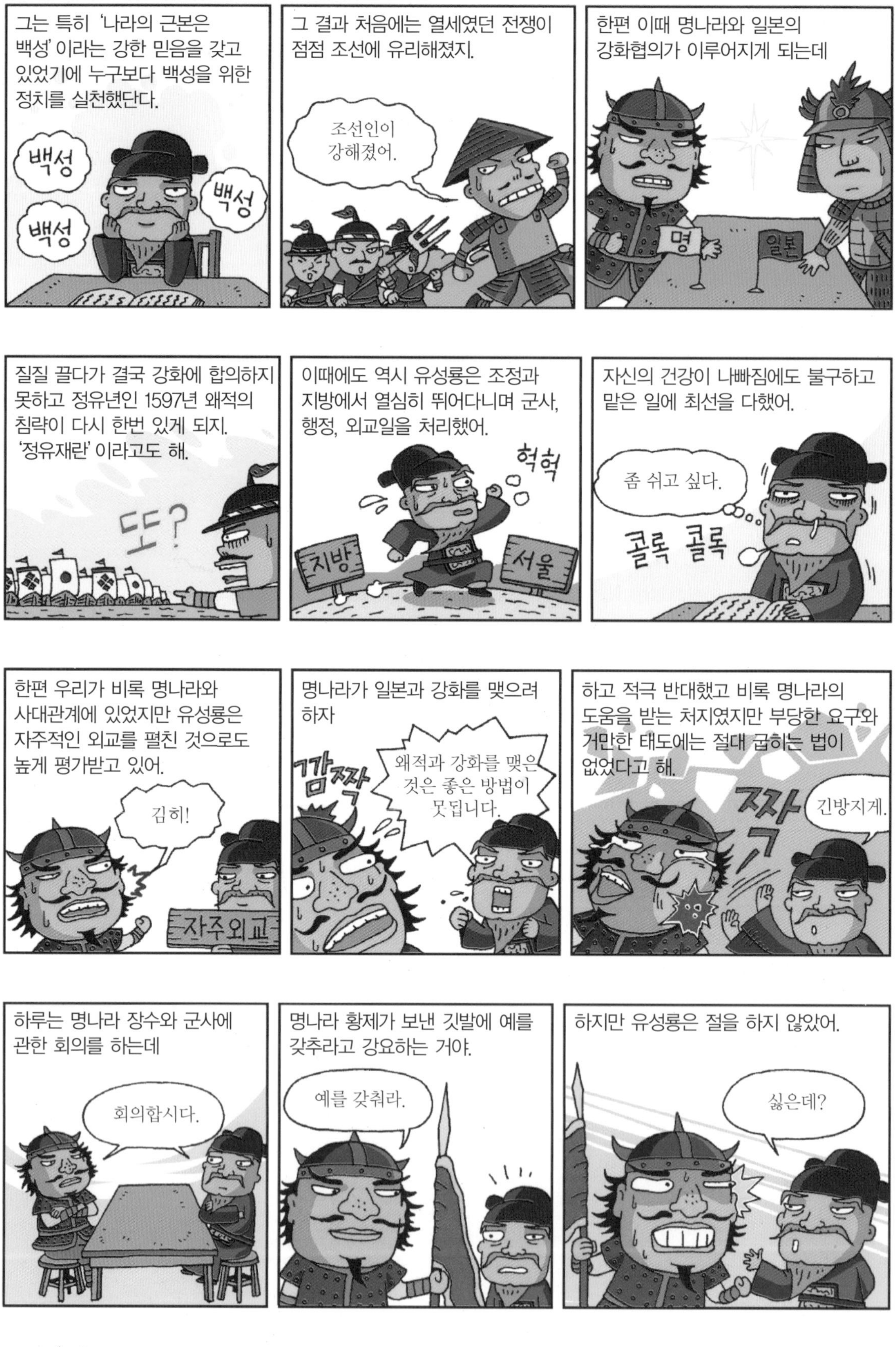
그는 특히 '나라의 근본은 백성'이라는 강한 믿음을 갖고 있었기에 누구보다 백성을 위한 정치를 실천했단다.
백성
백성
백성
그 결과 처음에는 열세였던 전쟁이 점점 조선에 유리해졌지.
조선인이 강해졌어.
한편 이때 명나라와 일본의 강화협의가 이루어지게 되는데
명
일본
질질 끌다가 결국 강화에 합의하지 못하고 정유년인 1597년 왜적의 침략이 다시 한번 있게 되지. '정유재란'이라고도 해.
또?
이때에도 역시 유성룡은 조정과 지방에서 열심히 뛰어다니며 군사, 행정, 외교일을 처리했어.
헉헉
지방
서울
자신의 건강이 나빠짐에도 불구하고 맡은 일에 최선을 다했어.
좀 쉬고 싶다.
콜록 콜록
한편 우리가 비록 명나라와 사대관계에 있었지만 유성룡은 자주적인 외교를 펼친 것으로도 높게 평가받고 있어.
감히!
자주외교
명나라가 일본과 강화를 맺으려 하자
깜짝
왜적과 강화를 맺은 것은 좋은 방법이 못됩니다.
하고 적극 반대했고 비록 명나라의 도움을 받는 처지였지만 부당한 요구와 거만한 태도에는 절대 굽히는 법이 없었다고 해.
짝
건방지게.
하루는 명나라 장수와 군사에 관한 회의를 하는데
회의합시다.
명나라 황제가 보낸 깃발에 예를 갖추라고 강요하는 거야.
예를 갖춰라.
하지만 유성룡은 절을 하지 않았어.
싫은데?

그 이유는 왜적에게 조선인이 복수하지 못하게 하란 내용이 적혀 있었기 때문이야.
쫙 쫙
말도 안 된다고 생각한 그는 절하지 않은 이유를 또박또박 설명을 했지.
네 말이 맞는 거 같아.
중얼 중얼
또한 그는 융통성 있는 재상이기도 했어. 선조가 어느 날 대신들에게 이렇게 물었어.
과인이 성군 요순*과 폭군 걸주**에 비긴다면 어느 쪽인가?

*요순 고대 중국의 요임금과 순임금을 합쳐 부르는 말로 성군을 의미. **걸주 하나라의 걸왕과 은나라의 주왕을 합해 부르는 말로 폭군을 의미.

그랬더니 어떤 신하는 요순, 어떤 신하는 걸주와 같다고 해 선조의 안색이 확 변했지.
걸주요!
저걸 확.
이에 유성룡은
둘 다 바른 말입니다. 요순과 같다함은 장차 전하의 성덕을 바라는 뜻이고 걸주와 같다함은 전하께 경계를 드리는 말인 줄 압니다.
씨익
이 말에 임금은 웃으며 술을 하사했다고 해.
말 참 잘해~ 한 잔 해~
쪼르륵
이렇듯 그의 사고 방식은 고정 관념이나 편견에 얽매이지 않아 융통성이 있고 그 태도가 매우 사려 깊었다고 해.
자넨 융통성 좀 길러.
전쟁 중에 한 관리가 임금의 명령이 담긴 급한 문서를 갖고 말을 달리던 도중에 말이 더는 달리지 못하게 되자
헉 헉
급히 가야 한다는 사명감에 유성룡의 종이 몰던 말을 빼앗아 그대로 달려간 일이 있어.
두두두두
어떤 놈이 감히 도체찰사의 말을…?
그런데 유성룡은 허허 웃으며 "아니다. 너희들이 틀렸다. 지금처럼 나라가 위급한 상황에 이같이 담력이 크고 충성스런 위인이 아니고서야 나의 말을 뺏을 순 없을 것이다."
하하하
라고 하며 나중에 누구인지 알아내어 특별히 승진시켰다고 해.
멍~
잘했어.
이런 융통성을 가진 그였기에 전쟁 중 겁에 질려 도망가는 백성들에게 빈 공책을 펼쳐 보이며 그곳에 이름을 적게 해서 신분에 관계없이 누구든 공을 세운 자는 나중에 상을 내리겠다고 했겠지.
최 이 김
고 사 대
야 공

그렇게 해서 백성들을 한데 모아 성을 지킬 수 있는 방법을 생각해 냈고
와 와 와
이어서 많은 의병들이 전국 각지에서 일어나게 만드는 데 영향을 줄 수 있었던 거야.
우~와
그러니 자신들을 살려 준 유성룡을 백성들은 매우 존경했을 것이고.
흥, 이놈의 인기란….
유성룡 유성룡
유성룡의 관직 생활은 화려했을지는 몰라도 당쟁의 여파로 언제나 평탄하기만 했던 것은 아니었어.
전쟁 중에 그는 개성까지 피난 가서는 당시 영의정이던 이산해가 난리의 책임을 지고 파면되면서 그를 대신해 영의정에 올랐거든.
이산해
안녕!
영의정
하지만 피난을 오게 된 데에는 유성룡의 책임 또한 있다 하여 임명 받은 그날 저녁으로 파면되기도 했어.
이게 뭐야?
영의정
임명했다 취소했다 이렇게 전쟁 중 나라를 구할 방법을 의논하기보다 서로 공과 죄만 다투는 조정의 모습이란…
네 잘못이야.
너 때문야.
한편 전에 명나라 장수 정응태가 "조선이 일본을 끌어들여서 명나라를 공격하려 한다."고 명나라에 거짓 보고한 사건이 있었거든.
속닥 속닥
그런데 왜란이 끝나고 조정에서 공과 죄를 논하는 자리에서 유성룡이 사건의 진상을 변명하러 명나라에 가지 않는다는 죄로 탄핵을 받게 되었어.
탄핵
전쟁 중 잠시 주춤했던 당쟁이 또 심해지는 거였지. 결국 자신과 뜻을 달리하는 반대파의 거센 탄핵을 받아 관직에서 물러나고 말았지.
안녕.
이제 전쟁이 끝나 왜군도 물러가고 그에 대한 탄핵이 일어나자 그는 미련없이 고향으로 돌아가 저술 활동에 몰두하게 되었어.
슥~슥~
그때 지은 저서 중 하나가 바로 이 《징비록》인 거야.
징비록

탄핵을 받은 지 2년만인 1600년에 그의 무죄가 밝혀져 벼슬이 회복되고 조정에서 다시 돌아와 달라 여러 번 불렀지.
돌아와줘
하지만 그는 다시 돌아가지 않았고 조정의 요청에도 절대 응하지 않았다고 해.
~NO
너무해.
이렇듯 유성룡에 대해서는 좋은 평가가 많은 편인데 그가 단순히 전란 속에서 큰 역할을 해냈다는 점 때문만은 아니야.
그럼?
유성룡은 나라의 최고 관리직이라 할 수 있는 삼정승을 지내고 전쟁 중 도체찰사에 올라 전쟁을 총 관리한 사람이었어.
우의정
좌의정
영의정
도체찰사
그럼에도 불구하고 그의 생활은 언제나 가난했다는 사실!
난 왜 이리 가난한 거야?
그는 관직에서 물러나서는 머물 집이 없어서 아는 절에 부탁해서 숙식을 해결할 정도였다고 해.
신세 좀.
그러시죠.
또한 그가 1607년에 66세를 일기로 세상을 떠나자 1,000여 명의 사람들이 몰려와서 "유성룡이 아니면 우리들이 지금 이렇게 살아 있지 못할 것이다."하며 매우 슬퍼했다고 하지.
흑흑
엉엉
훌쩍
게다가 그는 생활이 너무나 청렴했던 나머지 장례비가 없었는데 이 소식을 듣고 사람들이 제수용품을 싸들고 와서 문상을 했다고 전해져.
그래서 오늘날 유성룡은 훌륭한 재상이자 청렴한 정치가로 존경을 받고 있는 거야.
유성룡
그후 조정에서는 그의 죽음을 애도해 문충이라는 시호를 내렸고, 영남지방의 선비들은 그를 병산서원에 모셨어.
문충
유성룡과 관련된 재미난 일화가 하나 있는데 알려줄까?

유성룡은 바둑을 매우 잘 뒀다고 해.
그런데 하루는 명나라의 장수 이여송이 바둑을 둘 줄 모르는 선조에게 바둑을 두자고 대국을 요청한 일이 있어.
한 판 둘까요?
그래도 임금이고 저쪽에서 대결을 청해왔는데 바둑을 못 둔다고 할 수도 그냥 두었다가 질 수도 없는 난감한 상황이었지.
이를 어쩐다.
후훗.
이때 유성룡은 임금이 쓰는 우산에 구멍을 내서 임금 옆에서 훈수를 뒀고
두 칸 옆으로요.
?
결국 유성룡의 도움으로 이여송을 이겼다는 이야기야.
못 둔다면서요?
내가 젤 못 두는데?
바둑과 관련된 다른 재미난 이야기도 있어. 이건 그가 성주목사로 있을 때의 이야기야.

그는 많은 일도 척척 물 흐르듯이 해내는 탁월한 능력을 가졌는데 하루는 한꺼번에 네 가지 일을 급하게 처리해야만 하는 상황에 놓이게 되었어. 우선 백성들끼리의 송사가 벌어져 그 일을 처리해야 했고, 또 급한 공문을 만들어야 했고 친구가 찾아와서 바둑도 두며 점심을 먹어야 하는 상황이었지. 유성룡은 이 네 가지 일을 그야말로 막힘없이 척척 해내는데, 우선 형방에게 송사의 판결문을 쓰게 했는데 그 말이 전혀 막힘이 없었고 이방에게 공문의 내용을 불러 주는데 이것 또한 청산유수였다네.

술술~
~술술
그러면서 친구와 바둑을 두고 점심으로는 쌈을 싸서 맛있게 먹었지. 한꺼번에 네 가지 일을 술술 처리하는 유성룡을 모두들 신기하게 쳐다봤다고 해. 유성룡은 한마디로 멀티플레이어였던 거야.
앙~
딱
대단해.
우와.

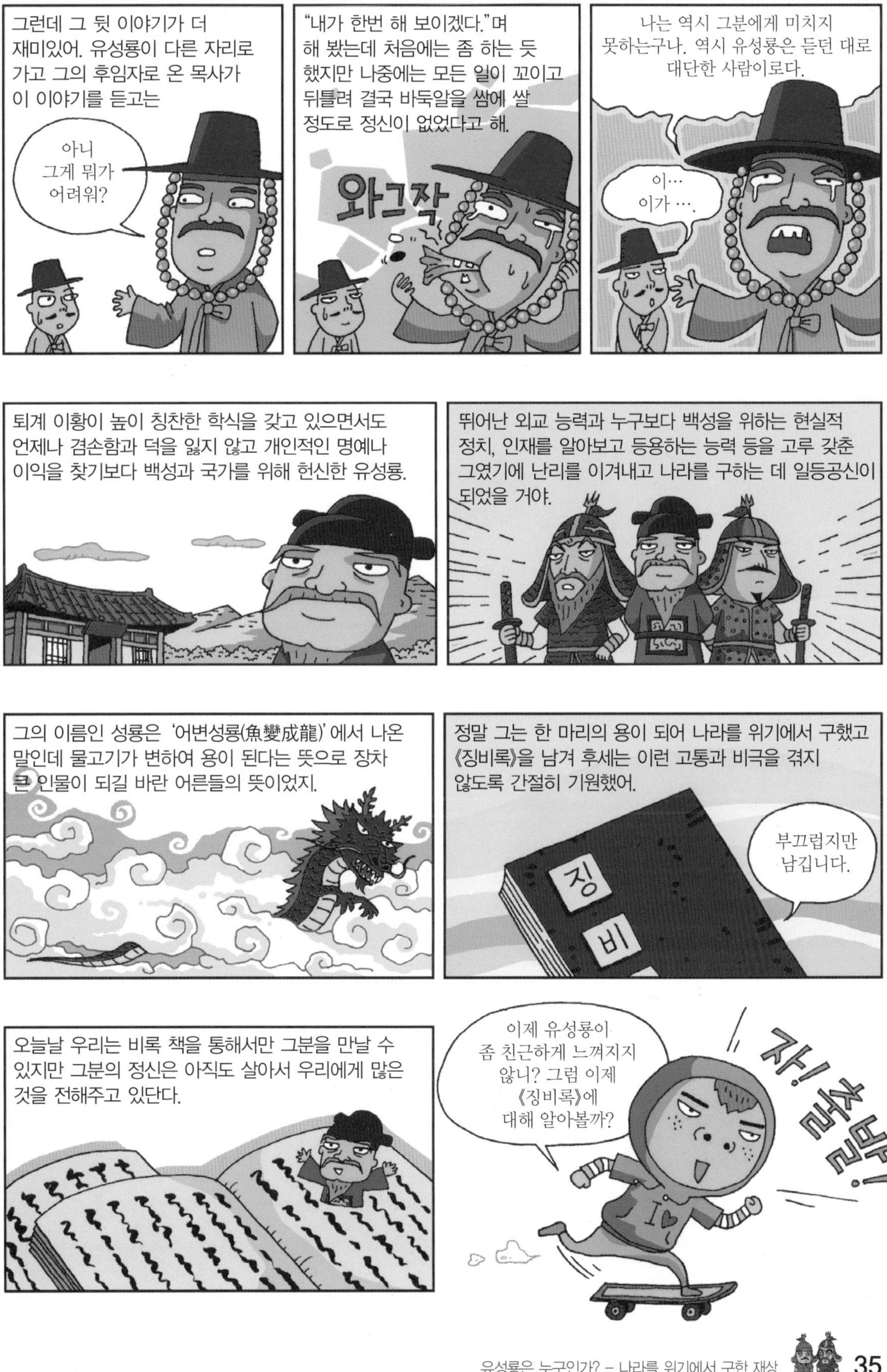

그런데 그 뒷 이야기가 더 재미있어. 유성룡이 다른 자리로 가고 그의 후임자로 온 목사가 이 이야기를 듣고는
아니 그게 뭐가 어려워?
"내가 한번 해 보이겠다."며 해 봤는데 처음에는 좀 하는 듯 했지만 나중에는 모든 일이 꼬이고 뒤틀려 결국 바둑알을 쌈에 쌀 정도로 정신이 없었다고 해.
와그작
나는 역시 그분에게 미치지 못하는구나. 역시 유성룡은 듣던 대로 대단한 사람이로다.
이… 이가 ….
퇴계 이황이 높이 칭찬한 학식을 갖고 있으면서도 언제나 겸손함과 덕을 잃지 않고 개인적인 명예나 이익을 찾기보다 백성과 국가를 위해 헌신한 유성룡.
뛰어난 외교 능력과 누구보다 백성을 위하는 현실적 정치, 인재를 알아보고 등용하는 능력 등을 고루 갖춘 그였기에 난리를 이겨내고 나라를 구하는 데 일등공신이 되었을 거야.
그의 이름인 성룡은 '어변성룡(魚變成龍)'에서 나온 말인데 물고기가 변하여 용이 된다는 뜻으로 장차 큰 인물이 되길 바란 어른들의 뜻이었지.
정말 그는 한 마리의 용이 되어 나라를 위기에서 구했고 《징비록》을 남겨 후세는 이런 고통과 비극을 겪지 않도록 간절히 기원했어.
징
비
부끄럽지만 남깁니다.
오늘날 우리는 비록 책을 통해서만 그분을 만날 수 있지만 그분의 정신은 아직도 살아서 우리에게 많은 것을 전해주고 있단다.
이제 유성룡이 좀 친근하게 느껴지지 않니? 그럼 이제 《징비록》에 대해 알아볼까?
자! 출발!

《징비록》은 어떤 책일까?
제2장
- 아픈 기억일수록 항상 기억해야 한다.
징비록
?
안녕~ 얘들아~ 방금 전에 봤지만 또 반가워~
히히
끼익
1장에서 유성룡에 대해서 재미있게 봤니? 자, 이제 이 책의 제목이자 유성룡이 집필한 《징비록》에 대해 본격적으로 알아볼 건데….
징비록
일단 제목부터가 조금 낯설지? 《징비록》이라… 어떤 친구는 처음에 글자를 잘못 보고 '장비록'으로 보기도 하더라구. 삼국지의 장비가 익숙해서 그런가?
나 불렀나?
장비
하하~ 농담이야. 농담! 그럼 본론으로 들어가서 '록'이라 하면 어떤 기록을 말할 텐데. 징비에 대한 기록이란 무얼 말하는 걸까?
? ?
《징비록》의 한자는 '懲毖錄'인데 이 세 글자로 된 제목에 그가 이 책을 쓰게 된 동기가 전부 나와 있다고 볼 수 있어.
懲毖錄
懲毖란 《시경》이라는 책의 소비(小毖)편에 나오는 문장 여기징이비후환(予其懲而毖後患), "나의 지난날을 징계하여 후환을 경계한다."는 구절에서 따온 거야.
오
시경

즉 "우리가 겪은 임진왜란이라는 커다란 환란을 기록함으로써 훗날에 다시 올지 모르는 우환을 경계한다."는 깊은 뜻이 담긴 것이지.
아하~
왜 우리가 잘못을 하면 반성문을 쓸 때가 있잖아! 그런데 만약 반성문을 쓰고 끝낼 정도가 아닌 정말 큰 잘못을 저질렀다고 해봐.
반성문
예를 들어 집에 도둑이 들었는데 그 원인이 내가 집안 문단속을 제대로 하지 않아서였다면?
그럼 나야 좋지~
아마도 다시는 그런 일이 없도록 깊이 반성을 할 테고 앞으로 문단속을 철저히 하자고 다짐하겠지.
휴~
그런데 말이야. 스스로 다짐도 하겠지만 만약에 자식이 있다면 자식에게도 교훈과 당부의 말을 전하고 싶을 거야. 미리 경계하고 대비하여 큰 재난을 막자는 내용의 교훈 말이야.
아들아, 잘 지켜다오.
찰랑 찰랑
우리집은 지킬 것도 없잖아요?
물론 전쟁을 단순히 집에 도둑이 드는 것과 비교할 수는 없겠지만
한 나라의 거의 모든 일을 맡은 책임자라면 정말 고통스럽고 끔찍한 전쟁을 겪은 뒤 어떤 생각이 들었을까?
?
일단 너무 괴롭고 힘들겠지. 물론 모든 사람이 다 슬프고 어려웠겠지만 특히 그는 더 큰 책임감을 느꼈을 거야.
으아아아
다 내 책임이야.
죽어간 수많은 사람들, 모두 불타 재만 남은 우리 땅, 피흘리며 쓰러지는 사람들, 불바다가 된 전쟁터 등 이런 지옥과도 같은 긴 시간이 모두 지나갔지만 전쟁의 후유증은 크다잖아….
아마 유성룡도 그 후유증에 힘들어 했을 거야.
하하하하!
미쳐가고 있어.

그는 전쟁이 끝난 후 관직에서 물러나 고향에 내려간 뒤에도 지난 7년간의 끔찍한 전쟁의 기억이 떠오를 때면 무척 괴로워했다고 전해져.
벌떡
으아아악
또 악몽을 꿨구나.
그리고 스스로 죄인이라 생각하여 자신의 잘못된 정치 지도로 나라를 그르쳤다는 깊은 후회와 반성을 했지. 그는 지난날의 기억을 책으로 남겨 조금이나마 죄를 씻고 후세들이 다시는 이와 같은 잘못을 저지르지 않도록 하는 데 도움이 되고자 했어.
척—
그래! 기록을 남기자.
그 후 그는 나라에서 아무리 불러도 뒤돌아 보지 않은 채 하루하루 책을 정리하고 글을 쓰며 살아갔어.
슥슥슥…
아픈 기억을 떠올리는 것은 누구에게나 힘든 일이야. 살다보면 다시는 기억하기 싫고 아예 일어나지 않은 일이라고 믿고 싶은 아픈 기억들이 누구에게나 있어.
나의 아픈 기억이야….
다신 연락하지 마!
욱신 욱신
그렇게 고향으로 돌아가 우리가 겪은 끔찍한 전쟁의 기억을 쓴 것이 바로 오늘 우리가 만날 《징비록》이야.
징비록
드디어 완성이다.
다 지나갔다고 완전히 잊은 사람도 있겠지만 유성룡은 기억하고 또 기억해냈지.
네 것도 기록해 줄게.
안돼!
유성룡이 책머리에도 분명히 밝히고 있고 글의 제목에도 분명히 나와 있지만 이 책을 쓴 목적은 단 하나.
Only One!
'징비(懲毖)'를 위해서야. 바로 다시는 이런 일이 일어나지 않기를 바라는 간절한 경계의 뜻을 담아 후세에 전해야겠다는 생각!
기록해 두면 나도 앞으로는 여자한테 안 차일까요?
~멍청이

가만 가만… 그런데 말이야. 국보라 하면 어떤 게 먼저 떠오르니? 숭례문? 진흥왕 순수비? 불국사의 다보탑? 왜 갑자기 국보 타령이냐고?
보~물
바로 이 《징비록》이 국보 제132호라는 거 아니겠니~. 정말 놀랍지? 책이 국보라니 말이야. 보통 국보는 어딘지 무게 있고 규모가 큰 경우가 많잖아.
너도 국보였어?
응.
긁적 긁적
징비록
그런 점에서 볼 때 《징비록》은 책이지만 국보로 지정된 아주 보기 드문 경우야. 본래 《징비록》은 풍산 유씨 가문 대대로 전해 내려오는 유성룡이 남긴 문전과 자료들인 '유성룡 종손 가문적'(보물 160호)에 포함되어 있었는데 그 중요성을 인정받아 나중에 따로 국보로 지정된 것이야.
와~
징비록
부럽다.
국보로 지정되었다는 것은 그만큼 책의 가치가 매우 높다는 뜻인 거는 다 알겠지?
징비록
실제로 《징비록》이 얼마나 중요했는지 그 가치를 일본에서도 인정할 정도여서 1695년 일본 교토의 야마토야라는 곳에서 책이 간행되기도 할 정도였어.
그래서 1712년의 기록을 보면 당시 왕이었던 숙종이 《징비록》이 일본으로 새어 나가는 것을 엄중히 금지했다고 전해져. 그만큼 책 내용이 우리나라에 매우 중요한 것이었다는 사실!
새나가면 모두 절단낼껴!
숙종
무슨 내용이기에 그렇게도 중요했냐고? 흠~ 여러분들이 이 책의 마지막 장까지 읽고 나면 모두 알게 되겠지만 한마디로 말해 이 책에 담겨 있는 내용은 임진왜란과 관계된 깊은 사실들이야.
징

그 중에서도 특히 전쟁에 패한 이유와 전쟁에서 이기려면 어떻게 해야 하는지 그 비법이 하나하나 기록되어 있으니 이 책은 당시 군사 기밀과 깊이 관계된 것… 한 마디로 극비문서였다는 거야. 그래서 특히 일본에 알려지는 것에 민감했지.
징비록
안 보여 줄 거야.
궁금해~ 궁금해~
그리고 지금은 임진왜란과 그 전후의 역사적 사실을 연구하는 데 기본이 되는 중요한 자료로서 매우 가치가 있는 거고.
징비록
우리가 오늘 만나는 《징비록》은 100% 실제 이야기야. 이 책을 쓴 유성룡이 자신이 겪은 임진왜란 전후의 기억을 그대로 기록한 거야.
징비록
오~ 리얼해.
그런데 말이야, 역사적인 사실을 기록할 때에 후세의 심판을 생각하지 않을 수 없었을 텐데 유성룡은 어땠을까?
심판
징비
혹시 자신에게 유리한 말만 잔뜩 쓰고 욕 먹을까봐 "나는 다 잘했다."고 쓸 수도 있었을 텐데 말이야. 안 그럴까?
이런 뻥쟁이
난 다 잘했단 말야.
그렇지만 유성룡은 그러지 않았어.
나 이렇게 솔직해도 되나?
징비록
오히려 그 반대의 길을 택했지. 조선은 건국 후 약 200여 년간 외적의 큰 침입이 없이 태평한 세월을 보내고 있었거든. 그러다 보니 관리들은 나태하고 무능했으며 조정에서는 적의 공격이 있을 거라는 생각도 못했고 심지어 왜적이 쳐들어오는 상황에서도 서로 그게 누구 잘못인지 따지며 다투기 바빴어.
이렇게 태평할 수가 있나.
하하
하하
술이나 한잔 하러 갈까?
멍청한 조선인들.
살금 살금

위기에 처한 조선의 운명을 손에 쥐고 있던 임금조차도 현명한 판단을 내리지 못하고 갈팡질팡하고
흔들 흔들
조선
왜적이 밀려오니 아예 명나라로 가야 하지 않을까 고민하기도 하고
갈까? 말까?
명
항상 대신들의 공과 죄를 논하기에 바빠서 유성룡에게 하루아침에 벼슬을 주었다가 바로 취소하기도 했어.
메롱~
샥
벼슬
당시 우리가 하는 일이 얼마나 한심했나 하면 임진왜란이 일어난 후 처음으로 왜적을 무찌른 장수에게 상을 주는 대신 무참히 죽이는 바보 같은 짓을 저지르기도 하고
사형!
확
컥!
임금을 모시고 뒤따라 피난가던 관리들이 하나둘 몰래 도망치기 시작하더니 결국 도착하고 보니 사람 수가 확 줄어 조정을 꾸릴 수조차 없는 비참한 모습을 보이기도 해.
다 어디 갔냐?
하나!
둘!
셋, 번호 끝!
살금 살금
또 왜적을 무찌르라고 보낸 장수가 중간에 도망가고, 장수가 없으니 군사들도 모두 도망치는 암담한 상황이 곳곳에서 벌어졌어. 뛰어난 장수도 전략이 없어 쉽게 지킬 수 있던 천혜의 요새를 순순히 넘겨주기도 했어.
야! 그냥 도망가냐?
그 성 너희 가져.
임진왜란 당시의 참혹한 실상을 《징비록》으로 낱낱이 보여줄게.
이렇게 한 사회의 지배층이고 나라를 책임지는 최고 관리라 할 수 있는 그가 당시 있었던 사실에 거짓을 보태거나 혹은 빼지 않으려 애쓰고 일어났던 사실 그대로를 당당하게 드러낸 의도는 과연 무엇이었을까?

그건 바로 역사의 진실을 밝히고 심판을 받겠다는 겸손한 자세 때문이지.
저를 욕해 주세요.
정말요?
이런 개나리
만약 반성문을 쓸 때 솔직하게 쓰지 않고 꾸미거나 사실을 숨긴다면 진짜 반성은 되지 않을 테니까.
뒤에 숨긴 게 뭐냐?
깜짝
반성문
진실
자신은 물론 조선이란 나라 전체가 잘못한 내용을 가감없이 가능한 사실대로 기록할 테니 그 역사적 평가는 후세인 너희들이 하라는 것이고
덜덜덜
어떻게 평가할까?
징비록
우리의 잘못을 거울 삼아 다시는 똑같은 잘못을 저지르지 말아 달라는 당부의 뜻을 보여 주고자 한 것이라 하겠어.
'잘못된 경우' 도 훌륭한 본보기가 될 수 있는 법!
자~ 그럼 이번에는 《징비록》의 구성을 한번 살펴볼까? 《징비록》은 구성에 따라 세 종류가 있어. 《초본 징비록》과 간행으로 나온 《16권본》 그리고 《2권본》이 있지. 이 중 원천이 되는 것은 당연히 국보인 《초본 징비록》이겠지? 보통 1, 2권과 잡록으로 구성된 《징비록》을 가장 많이 보는데 우리도 이 책을 보도록 하자.
징비록
초본
《징비록》이 처음 출간된 것은 1633년의 일로 그의 아들 유진이 유성룡 문집인 《서애집》을 낼 때 그 안에 함께 수록해서 만들었다고 해.
서애집
유진
그 후 1642년에 경상도 의성 현령 엄정구가 16권의 《징비록》을 처음으로 간행했어.
조수익
《징비록》의 내용을 간략히 살펴볼까?
《징비록》의 첫 페이지를 열면 자서(自序)가 나오고 여기에 그 책을 쓰게 된 동기를 담았어. 알지? 징비!
懲毖
그리고 이어지는 1권에서는 먼저 전쟁 전의 일본과의 외교 관계 및 당시 조선의 정치 상황에 대한 설명을 시작으로 전쟁의 발단을 보여 주고 있어.

이어서 왜적이 침입해 오고 조선이 왜적에게 밀리는 상황, 그리고 왜적이 서울을 점령하고 임금은 피난길에 오르고, 전투에서 계속 지고 있다가 명나라의 구원을 받게 되는 과정, 그러다 평양을 빼앗겼지만 이순신이 바다에서 왜적을 물리치게 된 이야기와 경주를 되찾은 이야기가 수록되어 있고.
2권은 평양성을 되찾은 이야기로 시작해. 그리고 임진왜란의 또 하나의 명장 권율의 행주대첩이 잠시 나오고 이후 서울을 되찾는 이야기, 강화를 맺으려던 명나라의 상황, 강화협상이 이루어지지 않자 왜적이 다시 침입해 온 이야기가 이어지지. 정유재란 때 우리의 피해는 더욱 컸는데 진주성에서 지난 날 패한 데 대한 복수를 한 왜적의 잔인한 모습, 왜적 계략에 말려 수군이 패하자 파직당한 이순신을 다시 등용해 승리를 거둔 극적인 이야기.
평양
행주산성

그리고 전쟁이 어떻게 마무리되었는지 등의 이야기가 비교적 자세히 나와 있어. 특히 이 부분에서 이순신의 활약이 아주 돋보이지.
기대들 하라구.
개봉 박두
잡록 부분의 이야기는 특별한 순서나 형식없이 자유롭게 이어지고 임진왜란의 조짐, 전쟁 중에 느낀 왜적을 막을 방법, 훈련도감을 설치한 일 등 다양한 내용이 실려 있어.
잡록
이렇듯 《징비록》에는 임진왜란과 관련된 거의 모든 일들이 기록되어 있어. 평소 글 쓰는 일이라면 따를 자가 없다던 유성룡인 만큼 과연 《징비록》 전체의 구성은 매우 탄탄하지.
글이라면 자신 있지.
그런데 유성룡이 이렇게 자세히 기록으로 남길 수 있었던 것은 무엇 때문일까?
바로 전쟁의 시작부터 끝까지 그가 정승의 자리에 있었고 전쟁의 모든 상황을 지켜볼 수 있었기 때문이야.
음.
쾅 쾅
조선
전쟁
《징비록》에는 전쟁이 어떻게 일어나게 되었는지 전쟁 전의 상황도 비교적 상세히 기록되어 있어. 그래야 왜 전쟁이 일어났는지 잘 이해하겠지.
너무 자세히 적지 마~! 창피해.
슥슥
정말 친절하셔.
여러 상황을 보니 틀림없이 전쟁이 일어날 것이라 판단한 유성룡은 성곽을 수리하거나 무기를 조사하는 등 전쟁 준비에 노력을 기울이지. 하지만 조정 대신들 중 이렇게 걱정하며 준비하는 사람은 없었어.
성곽을 고쳐라.
유성룡 왜 저래?
혼자 유난을 떠는구먼.
당시 조정 대부분의 대신들이 일본의 상황에 별다른 관심이 없을 때 유성룡은 사신을 보내 일본의 상황을 알아보는 게 좋겠다고 건의하지.
일본의 상황을 자세히 알아보고 와~.
저기… 차비 좀….

《징비록》 내용 전체에 걸쳐 유성룡은 당시 있었던 사실들을 비교적 객관적으로 기록했는데 특히 이 부분에서는 백 가지 중 어느 한 가지도 제대로 되어 있는 게 없었다고 솔직히 말하고 잘못을 강력히 비판하고 있어.
엉망이야.
아~ 졸려
비둥
빈둥
그는 당시 우리가 겪었던 수많은 어려움과 고통에 한탄스러워하고 슬퍼하는 목소리를 내기도 하지만 이렇듯 잘못된 사실에 관해서는 비판의 목소리를 아끼지 않았어.
《징비록》을 가만히 보고 있으면 마치 한 편의 전쟁 영화를 보는 듯한 착각이 일어나기도 하는데 이건 아마도 작가인 유성룡의 글솜씨 덕분이기도 할 거야.
와
챙
와
촤르르르…
오~ 훌륭한 작품이야.
팝콘
왜적은 오랜 기간 조선에 첩자를 보내 우리나라의 지리를 훤히 알고 있던 터라 일단 부산에 상륙한 후 군대를 좌, 우, 중앙의 세 방향으로 나누어 진격을 했어. 그렇게 각 지역을 점령한 후 수도인 한양에서 만나기로 한 거지.
이따 봐.
이렇듯 왜적은 치밀한 계획 아래 움직였고 우리는 아무 대책 없이 있다가 당하는 상황이었기에 모든 일이 아주 긴박하게 돌아갔겠지?
엄마야!
훗.
유성룡은 그렇게 긴박하게 돌아가는 각 지역의 전후 상황을 빠른 전개의 글에 담아 정말 생생하게 들려주고 있단다.
샤샤샥
집중
집중

그리고 전후 상황 뿐만 아니라 왜적을 피해 임금이 서울을 떠나고 많은 사람이 울면서 임금을 따라 피난을 가는 모습 또한 생생하게 전해 주는데 이 부분을 읽다보면 유성룡의 말대로 '어쩌다 우리가 이렇게 되었나.' 하고 마음 아파하게 될 거야.
어여~ 영~
또 계속해서 피난을 가자던 주장을 막고 명나라에 군사를 보내 달란 부탁부터 장수를 맞이하는 일 등 유성룡이 해야 했던 많은 일들에 놀라게 될 거야.
방가 방가!
어서 오세요.
명
임진왜란이 일어난 1592년 유성룡의 나이 50세가 넘었을 때인데 전쟁을 총괄하면서 많은 일들을 처리하자니 얼마나 힘들었겠니.
끙끙
그런 그가 모든 일을 해낼 수 있었던 것은 나라를 걱정하는 마음에서였겠지. 과연 우국충신이라 고개를 끄덕이게 되지.
흠.
끄덕 끄덕
우리가 《징비록》에서 발견할 수 있는 한 가지 중요한 사실은 군사에 관한 많은 정보를 담고 있다는 점이야.
이런 군사와 관련된 정보들이 《징비록》의 가치를 더욱 높여주지.
오~
오~
징비록
패전의 원인을 찾아내는 일은 곧 또다시 그런 상황에 놓였을 때 절대 지지 않을 수 있는 방법을 찾아내는 일이 돼.
앗!
샥
콕
두 번 당하지 않아.
《징비록》에서는 지형을 잘 파악하여 그것을 이용하는 것,
으악!
풍덩!
요건 몰랐지?

우수한 장수를 뽑아 필요한 곳에 보내고
역시 난 전방 체질이야….
군사를 뽑아 훈련시켜 장수의 명령에 잘 따르도록 하는 것
이 산을 저 쪽으로 옮겨라. 명령이다!
낑낑
그리고 훌륭한 무기를 가지는 것이 전쟁에서 이기는 가장 중요한 기본 요소라고 알려주고 있어.
번쩍
번쩍
이 말은 곧 우리가 이런 것들을 모두 갖추지 못했기에 전쟁에서 패할 수밖에 없었다는 이야기이기도 해. 그 외에도 그는 많은 군사적 정보들을 담아 놨는데
성을 지키는 방법,
오~ 빈틈이 없는데…?
군사를 뽑아 훈련시키는 방법,
음~ 점점 빨라지고 있어 좋아~.
으아아아
딸깍
난리를 만나 백성을 다스리는 방법,
떨 거 없어. 내가 지켜줄게.
덜덜덜덜
화약을 만들게 한 일, 성을 쌓는 방법,
펑
응~ 잘 터지는구먼.
그 밖에도 싸움에서 이기는 다양한 전술과 전략 등을 곳곳에 기록해 두었지.
책 읽고 나니 왠지 너도 이길 수 있을 거 같아.
미쳤구나!
훗~
징비록

그럼 본격적으로 《징비록》을 펼치기에 앞서 우선 서장을 살펴봤으면 해. 《징비록》의 서장은 유성룡이 책을 쓰게 된 동기를 밝히고 있는 중요한 부분인데 일단 《징비록》이 임진왜란 전후의 사실을 기록한 것이라고 하며 이야기는 시작되지. 그리고 "슬프다."라고 통곡하고 있어. 무엇이 그토록 슬픈지 여기서 잠깐 유성룡의 목소리로 들어 보자.
한 말씀만 해주시죠?
수십 일 만에 서울과 개성, 평양이 무너졌고 전국토가 부서졌으며 임금은 피난길에 올라 고생하셨다.
그럼에도 오늘날 우리가 살아가는 이유는 모두 하늘의 도움이 있었기 때문이야.
나같은 보잘 것 없는 사람이 어지러운 난리를 겪을 때 중요한 책임을 맡아서 나라가 위태롭게 넘어지는 꼴을 막지 못했으니 너무나 죄스럽다.
조선
이런데도 목숨을 부지하고 시골에서 글을 쓸 수 있는 것이 모두 임금의 덕이라 매우 감사할 따름이다.
꾸벅
쑥스럽네….
이제 상황이 조금 안정이 되어 지난 날을 떠올리니 너무나 황송하고 죄스럽기만 하다. 내가 임진년(1592년)부터 무술년(1598년)에 이르기까지 대략 정리하였으니 이것으로 나라에 충성하는 뜻을 표하고 또 어리석은 신하로서 나라에 보답 못한 죄를 드러 내고자 한다.
꾸벅
징비
아참, 유성룡은 이따가 또 만날 테니 너무 아쉬워 말고 그보다 서장의 내용을 보니 느낌이 어때? 그가 《징비록》을 쓴 목적도 확실히 알겠지만 유성룡의 겸손함과 나라에 대한 충성심도 엿볼 수 있다고?
자~ 그럼 마지막으로 여기 《초본 징비록》의 원본 사진을 함께 볼까?
현재 국보인 《초본 징비록》의 소재지는 경북 안동이야. 안동에 가면 실제 《징비록》을 볼 수 있는데 지금은 아쉽지만 일단 사진으로 먼저 봐 두자.

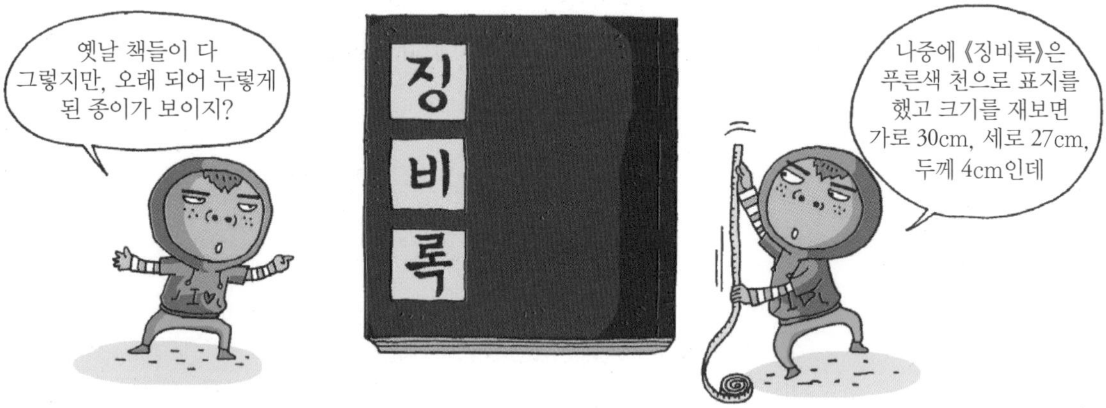
옛날 책들이 다 그렇지만, 오래 되어 누렇게 된 종이가 보이지?
징비록
나중에 《징비록》은 푸른색 천으로 표지를 했고 크기를 재보면 가로 30cm, 세로 27cm, 두께 4cm인데

이렇게 작은 한 권의 책 안에 임진왜란 전후의 많은 내용이 담겨 있다는 게 정말 놀랍지 않니?
임진왜란
게다가 이것이 많은 전란에도 없어지지 않고 우리에게 전해지고 있다는 게 한편으로는 신기하고 또 다행스럽기도 하고 말이야.
펑 콰 쾅
징비록

유성룡이 안동의 풍산 유씨라고 1장에서 소개한 바 있지? 안동에 국보가 5점*이 있는데 그 중에 2점이 안동의 하회마을에 있어.
하회마을
天下大
바로 이 《징비록》이 그 중 하나인데 유성룡의 후손들이 《징비록》을 소중히 보관해 왔기에 오늘날 우리가 직접 만나볼 수 있는 거란다.
고맙지?
징비록

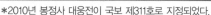

*2010년 봉정사 대웅전이 국보 제311호로 지정되었다.

그런데 《징비록》의 또 한가지 놀라운 점은 이면지에다가 당시로서는 고급 종이가 아닌 일반 종이에 쓴 책이란 사실이야. 유성룡은 근검하기로 소문난 청백리였는데, 책을 쓴 종이조차 아꼈구나~ 생각하니 더 고개가 숙여져.
종이도 아껴야 해. 헌종이에다 쓰자.
저기… 종이 한 장만 주시면….
뻐직

아참! 최근에는 《징비록》의 영어판 책이 나왔다고 해. 이제 세계 속에 우리 국보 《징비록》을 알릴 수 있다는 거! 영어판 제목은 '잘못을 고치는 책'이라고 해.
The Book of Corrections
뿌듯~
자~ 이제 3장부터 본격적으로 유성룡을 만나 《징비록》의 이야기를 전해 들을 텐데 조금 마음의 준비를 해 두는 게 좋아. 전쟁의 실상을 기록하고 있어. 조금 잔인하고 슬픈 장면이 나오기도 해.
어머~
두근
두근
하지만 그것도 우리 역사의 한 부분이고 사실이므로 우리가 꼭 알아야 하겠지.
역사
잔인하고 아픈 기억이지만 우리가 그 뼈아픈 지난 역사를 확인하고 다시는 그런 일이 없게 경계한다면 그것이 바로 유성룡의 뜻일 거야!
고마워. 내 맘을 알아줘서~
한 가지 안타까운 사실! 《징비록》을 쓰면서 유성룡이 다시는 이런 환란을 겪지 않도록 경계하라고 했건만 임진왜란 후 또다시 병자호란이란 큰 화를 입고 이후 일제에 의해 조선 왕조는 막을 내리게 되었지.
쿵
병자호란
조선
게다가 근대에 와서는 남과 북의 대립 속에 한국 전쟁이 일어나게 되고.
북
38선
남
지난 날의 역사를 교훈 삼아 다시는 잘못을 저지르지 않도록 유성룡이 바랐건만.
꼬르륵~
어우 답답해.
하지만 역사는 우리에게 언제나 반성의 기회를 주는 법이야.
또 기회를 주지!
역사
미안.
우리가 지금 겪고 있는 북한과의 문제와 주변국과의 관계들을 생각해 볼 때
우리가 왜?

이 책이 오늘날 우리에게 주는 교훈은 여전히 큰 거야.
징비록
제발 잊지 좀 마!
《징비록》에 대해서 내가 이것저것 설명을 해 주었는데 어때? 새로운 사실을 많이 알게 되었니?
왜 《징비록》을 고전이라 부르며 모두가 읽고 교훈을 새겨야 하는지 알겠지?
가슴에 새기라구.
교훈
고전이란 과거에 그대로 묻혀 있는 것이나 사라진 것이 아니라 언제나 현재에 살아 숨쉬고 있는 것이야.
흔들 흔들
고전 씨, 숨 좀 쉬어봐요.
고전
무슨 말인고 하니 과거의 것이지만 언제나 현재에도 그 뜻을 새길 수 있는 것이어야 한다는 이야기야. 《징비록》은 과거–조선 시대에 일어난 사건을 기록한 책이지만 그 의미는 오늘날에도 끊임없이 되새겨지고 늘 살아 있는 거야.
징비록
슈우웅
의미
현재
과거
자, 그럼 《징비록》에 대해서 반드시 기억해야 할 점을 다시 한번 정리해 볼까?
좌~~락
《징비록》은 임진왜란의 역사를 연구하는 데 있어서 가장 기본이 되는 역사 자료이기도 하고, 뼈아픈 역사의 교훈을 담고 있는 책이다.
이제 기억할 수 있겠지? 자~ 그럼 아쉽지만 나랑은 여기서 인사하고
안녕~
이제 유성룡을 만나러 떠나 볼까?
야! 같이 가!
자~출발~!!

제3장
조선, 바람 앞의 등불
- 밀려오는 전쟁의 검은 구름
조선

안녕! 여러분~
나는 유성룡이라고 해. 지금부터 내가 쓴 책 《징비록》의 내용을 소개할까 해.
우선, 임진왜란이 일어나기 전의 사정을 이야기할게. 그래야 이 전쟁이 어떻게 일어나게 되었는지 알 수 있을 테니까.
1586년에 일본의 사신 다치바나 야스히로라는 사람이 당시 일본의 왕*이었던 도요토미 히데요시의 편지를 가지고 왔어.
편지 전하고 와라.
네.
다치바나 야스히로
히데요시

*당시 일본은 유명무실한 천왕 아래 막부가 실권을 행사했는데 막부의 최고 통치자가 쇼군(장군)이며, 도요토미 히데요시는 낮은 신분 출신이라 쇼군 칭호를 쓰지 못하고 간바쿠(관백)이라는 칭호를 썼다.

일본의 국왕은 본래 '겐지'라는 사람이었는데, 일본과 조선은 겐지 왕**이 나라를 세운 후 약 200년 동안 좋은 관계를 유지해.
난 조선을 좋아해.
서로 사신을 교환한다거나 나라 안에 경사가 있거나 애도할 일이 있을 때 모든 예의를 갖추어서 대했었지.
축하합니다.
땡큐
특히 당시 관리였던 신숙주가 서장관***으로 일본에 다녀오기도 했고 말이야.
신숙주
나 일본 물 좀 먹고 왔지.

** '겐지'는 특정인의 이름이 아니라 '가마쿠라 막부'를 연 '미나모토' 가문을 의미하는 말로 이 막부의 최고 우두머리 중 한 명이었던 아시카가 요시미츠가 명나라 황제로부터 '일본 국왕'이라는 칭호를 받아서 유성룡 역시 '겐지 국왕'이라 칭하는 것으로 보인다.

***서장관 – 조선 시대 외국에 보내는 사신 중 기록을 맡아보던 임시 벼슬.

신숙주가 죽을 때 유언으로 왕에게 일본과는 앞으로도 좋은 관계를 유지해 달라고 부탁을 드려서, 왕은 일본에 사신을 파견하기로 했어.
일본과 좋은 관계를….
그런데 일본으로 가는 길에 사신들이 풍토병을 얻는 바람에 우리나라의 편지와 선물만을 대마도에 전해주고 돌아왔지.
이 편지와 선물을 전해줘~
조선
대마도
일본
대마도는 우리나라와 일본 사이에 있는 섬으로 대대로 두 나라의 다리 역할을 했지.
그 이후로 비록 우리가 사신을 파견하지 않았지만, 일본에서 사신이 오면 예의를 다해 극진히 대접했지.
어서옵쇼~
왜 먼 데서 온 손님이 우리집에 묵게 되면 정성껏 맛있는 음식도 대접하고 편한 잠자리도 마련하고 하듯이 말이야.
우린 친구 아이가.
마셔! 마셔!
그런데 도요토미 히데요시가 겐지 왕조를 무너뜨리고 새로운 나라를 세우면서 상황은 달라졌어.
이제 나의 세상이다.
하이
두 나라의 평화가 깨지기 시작했지.
쩌적
평화
그는 우선 조선에 사신을 파견했어. 당연히 자신이 새로운 왕이 된 걸 알리기 위함이었겠지?
내가 왕이다
네가 누군데?
당시 도요토미 히데요시에 대해서는 여러 말들이 있는데 이런 이야기가 떠돌았어.

도요토미 히데요시는 본래 중국 사람인데* 일본으로 건너가 어렵게 생활하다 어느 날 길에서 만난 성주**의 눈에 들어 관직에 올랐다.
내 밑에서 일하거라.

그리고 서서히 권력을 잡아 마침내 왕을 몰아내고 스스로 새로운 왕이 되었다는 식의 이야기.
네…네놈이

또 왕이 다른 사람에게 죽임을 당하자 그 사람을 도요토미가 죽여 복수하고 나라를 빼앗았다고 하는 이야기.
촤
악

*도요토미 히데요시는 '오와리번'(현재 아이치현) 출신으로 중국 사람이라는 것은 소문 중 하나이나 사실이 아니다.
**막부의 영주인 '다이묘'를 말하는 것으로 당시 유력한 영주였던 오다 노부나가를 의미한다.

아무튼 여러 능력을 갖춘 도요토미는 군사를 일으켜 당시 여러 나라로 흩어져 있던 일본을 하나로 통일했고, 이어 다른 나라를 침략하려는 야심에 활활 불타오르고 있었지. 그의 계획은 조선을 지나 명나라를 쳐 중국을 손에 넣는 것이었어.

도요토미 히데요시가 사신 '다치바나 야스히로' 편에 보낸 편지의 내용은 아주 거만하기 짝이 없었지. 그 내용을 한번 볼까?
일본의 사신은 항상 조선에 가는데 조선의 사신은 일본에 오지 않으니, 이것은 일본을 무시하는 일이다. 그러니까 너희 조선도 하루 빨리 일본에 통신사를 보내라!
- 도요토미 히데요시 -
여기서 통신사는 조선에서 일본에 파견하는 외교 사절단을 말해.

이게 뭐가 거만하냐고? 이 말은 너희 조선이 자신을 일본 국왕으로 인정하고 예의를 갖추라는 뜻이야. 그럼 이 다음 내용은 어때?
곧 천하가 내 손 안에 들어올 것이다.
음하하 하하
이제 거만하다고 한 이유를 알겠지?
우리나라는 다치바나 야스히로가 시신으로 온 이때 이미 겐지 왕국이 망한 지 10년이나 지났고 그 동안 많은 일본인들이 우리나라에 오고 갔었는데도 불구하고 일본 상황을 전혀 몰랐지.
겐지 왕은 잘 계신가?
겐지가 누구?
사정도 모르면서 토요토미 히데요시, 얘가 왜 이러나 하며 편지의 내용을 그저 황당하다고 여겼지.
이 자가 누군데 이런 편지를? 미친 자요?
컥
다치바나 야스히로는 나이가 50세쯤 되었는데 덩치가 컸고 흰 머리털과 수염을 길렀어.
와~ 크다.
그런데 그의 행동은 거만하여 지금까지 왔던 사신들과는 매우 달랐지.
예전의 사신으로 보면 안 돼!
건방진!
이를테면, 외국 사신을 맞이할 때에 우리나라에서는 장정들을 동원해서 길가에 일렬로 창을 들고 서서 멋있게 보이는 행사가 있었거든.
그런데, 그걸 본 그는….
차렷!

너희 창자루는 왜 그렇게 짧냐?
하하하하…
뭐? 비웃어? 이건 우리가 멋지다고 자신하는 행사인데!
또, 상주에 갔을 때는 기생들이 음악과 춤으로 대접을 했는데, 그는 그곳의 관리가 백발인 것을 보고,
응?
나는 여러 해 동안 전쟁터에 있었기에 머리털과 수염이 희어졌지만, 당신은 기생과 매일 근심 걱정 없이 놀았을 텐데 도대체 왜 머리가 흰 겁니까?
큭큭
이렇게 조롱의 말과 행동을 일삼았어. 이쪽에선 극진히 대접했는데 말이야.
먹은 거 다 토해, 짜샤!
왜 귀가 가렵지?
그의 거만한 행적은 계속되는데 한번은 그가 서울에 왔을 때, 예조판서가 그를 대접했어.
많이 드시오.
별로 먹을 것도 없구먼?
그런데 그는 술에 취해 후추 열매를 술자리에 마구 뿌려댔지.
휙
휙
그때는 고추가 없어서 매운 맛을 내는 후추는 정말 희귀한 열매였단다.
그러자 기생과 악공들이 모두들 그것을 주우려 난리가 났지. 술자리는 순식간에 난장판이 되었고,
하하하
주섬
주섬
이를 보고 다치바나 야스히로는 혀를 쯧쯧 차며 이렇게 말했다고 해.
너희 나라는 곧 망하겠다. 기강이 이렇게 다 무너졌는데, 어찌 망하지 않기를 기대할 수 있겠는가!
뭐라는겨?
일본말…
쯧쯧

그의 언행이 비록 거만하긴 했지만, 마지막에 한 말은 훗날 일을 볼 때 의미가 있는 말이지.
힌트다
??
훗~
물론 그의 말대로 나라가 망하지는 않았지만, 망하는 것만큼이나 무서운 전쟁이 일어나고 말았으니까.
내말이~
결국 그가 돌아갈 때 우리 조정은 통신사는 파견하지 않았고 "바닷길이 험해서 사신을 보낼 수가 없다."는 핑계의 편지만 들려 보냈어.
그가 일본에 돌아가 편지를 전하자, 도요토미 히데요시는 매우 화를 내며 그를 죽이고 말았지.
윽
멍청이.
그리고는 곧바로 다른 사신을 파견했어. 이번엔 더 센 사람으로! 바로 자신의 심복인 소오 요시토시.
요시토시, 네가 좀 다녀와야겠다.
소오 요시토시
네!
일본과 조선 사이 대마도의 원래 도주는 모리나가라는 사람으로 대대로 조선을 섬겼지.
모리나가
조선 좋아~
조선
대마도
그런데 도요토미 히데요시는 그를 없애고 대신 소오 요시토시를 그 자리에 앉혔어.
훗.
우리가 앞서 편지에 바닷길이 험해서 못 간다는 핑계를 적었잖아? 도요토미는 "요시토시가 길을 잘 아니, 그를 따라오면 무사히 올 수가 있을 것"이라고 했지.
난 인간 내비게이션~
이건 무슨 뜻이겠니? '요놈들아, 이번에는 어떤 핑계를 댈래? 이래도 안 올래?' 라는 뜻이야. 즉, 우리가 핑계를 더 이상 대지 못하도록 한 거야. 아주 고단수였던 거지.
삐질 삐질
난 머리가 너무 좋아….
소오 요시토시는 우리나라의 사정을 알아보기 위해 야나가와 시게노부라는 사람과 승려 겐소와 함께 조선에 왔어.
여기가 조선이군.
야나가와 시게노부
겐소
조선

소오 요시토시는 젊고 기운이 센 데다 성격도 사나워 일본 사람도 그를 무서워 할 정도였어.
덜덜덜
그는 사신이 머무는 숙소인 동평관에 머물면서 이번에는 반드시 사신을 데리고 돌아가겠다고 벼르고 있었어.
으드득
콱
하지만 조정에서는 아무런 결정을 내리지 못하고 있었지.
결정을 내리시오~
이에 여러 대신들은 또 하나의 핑계를 대며 일본의 성의를 살펴 보려 했는데 그 핑계란 바로 이거야.
속닥 속닥
몇 해 전에 전라도의 손죽도라는 섬에 왜적이 쳐들어와서 그 섬의 장수 이태원을 죽인 사건이 있었거든.
그때 붙잡힌 포로를 풀어 주고 사건의 진상을 조사한 후에 사건을 마무리 짓고, 그 후에 통신사에 대해 논의하자고 하며 시간을 벌었어.
오~ 괜찮은 핑계다. 역시 엘리트야.
소오 요시토시는 흔쾌히 알았다고 했고, 야나가와 시게노부를 일본으로 보내 사건의 진상을 파악하게 했지.
좋다! 다녀와!
네.
약 두 달쯤 지나자 일본에서 이 사건에 관련된 죄인 10여 명이 붙잡혀 왔고, 이에 임금이 직접 죄인을 심문하고 죄를 엄히 다스렸지.
네 이놈들~!
임금은 소오 요시토시에게는 사건을 해결한 상으로 왕실에서 키우는 말을 선물했고
선물이오.
일본에서 온 사신을 모두 궁으로 초대해 성대한 잔치를 베풀었어. 자~ 사건이 해결되었으니 이제는 통신사 파견을 거절할 핑계가 없어졌겠지?
많이 먹어
흐흐흐~
나는 이때 예조판서를 맡아 사신을 접대하고 있었는데, 조정에서는 일본에 통신사를 파견할 것인지에 대해서 여전히 결정짓지 못하고 있었어. 당쟁으로 말이지.
보내야 합니다.
보내긴 뭘 보내!
그럼 네가 가던가?

그래서 중요한 일은 뒷전이었지. 에고, 답답해.
휴~
그 후에 내가 대제학이 되어 일본에 보낼 국서를 만들어야 하므로 하루빨리 이 일을 결정해서 두 나라 사이에 나쁜 일이 생기지 않게 하자고 임금께 글을 올렸어.
슥
조정에서도 일부 뜻있는 대신들이 나의 말에 동의했고, 그에 따라 통신사를 파견하기로 결정했지.
좋아! 까짓 거 보내자고.
임금이 "그럼 사신으로 누구를 보냈으면 좋겠느냐?" 라고 해 대신들이 황윤길과 김성일을 추천했어.
너희가 가라.
황윤길
김성일
임금은 그들을 각각 상사와 부사로 임명했고, 허성이라는 사람을 서장관으로 임명했어. 쉽게 말해 각각 단장과 부단장 그리고 서기로 보면 된단다.
왠지 불길해~
허성
이들은 1590년 3월에 소오 요시토시 등과 함께 드디어 일본으로 향했지.
드디어 출발이다.
아참, 소오 요시토시가 떠날 때 공작새 두 마리와 조총, 창, 칼 등의 물건을 임금에게 선물로 바쳤는데, 우리나라에 조총이 들어온 것은 이때가 처음이었대.
조총은 왜적이 쓰던 총이야. 전쟁 때 우리가 가장 두려워했던 무기지.
1590년 3월에 떠난 통신사 황윤길, 김성일, 허성 일행은 1591년 봄에야 돌아왔어.
1590년 3월.
1591년 봄.
조선
일본
갔다 오는 데에만 거의 1년이 넘게 걸린 셈인데, 대체 무슨 일이 있었기에 이리 오래 걸렸을까? 그건 그들이 먼 길로 돌아가기도 했고, 또 사건이 많아서였어.
야! 꽃놀이 갔다 왔냐? 왜 이리 오래 걸렸어?
사건이 많아서

자, 이제 일본에서 그들에게 어떤 일이 있었는지 차근차근 이야기해 줄게.
통신사 일행은 부산포를 출발해서 대마도에서 한 달을 쉬었고,
부산포
대마도
그리고는 '일기도' 라는 섬에 도착했어. 그 후 일본의 박다*주 와 장문**주 등을 거쳐 7월 22일에야 일본의 수도에 도착할 수 있었어.
박다
수도
일기도
장문

*박다(博多) – 하카다. **장문(長門) – 나가토. 지금의 야마구치현 북서부 지방.

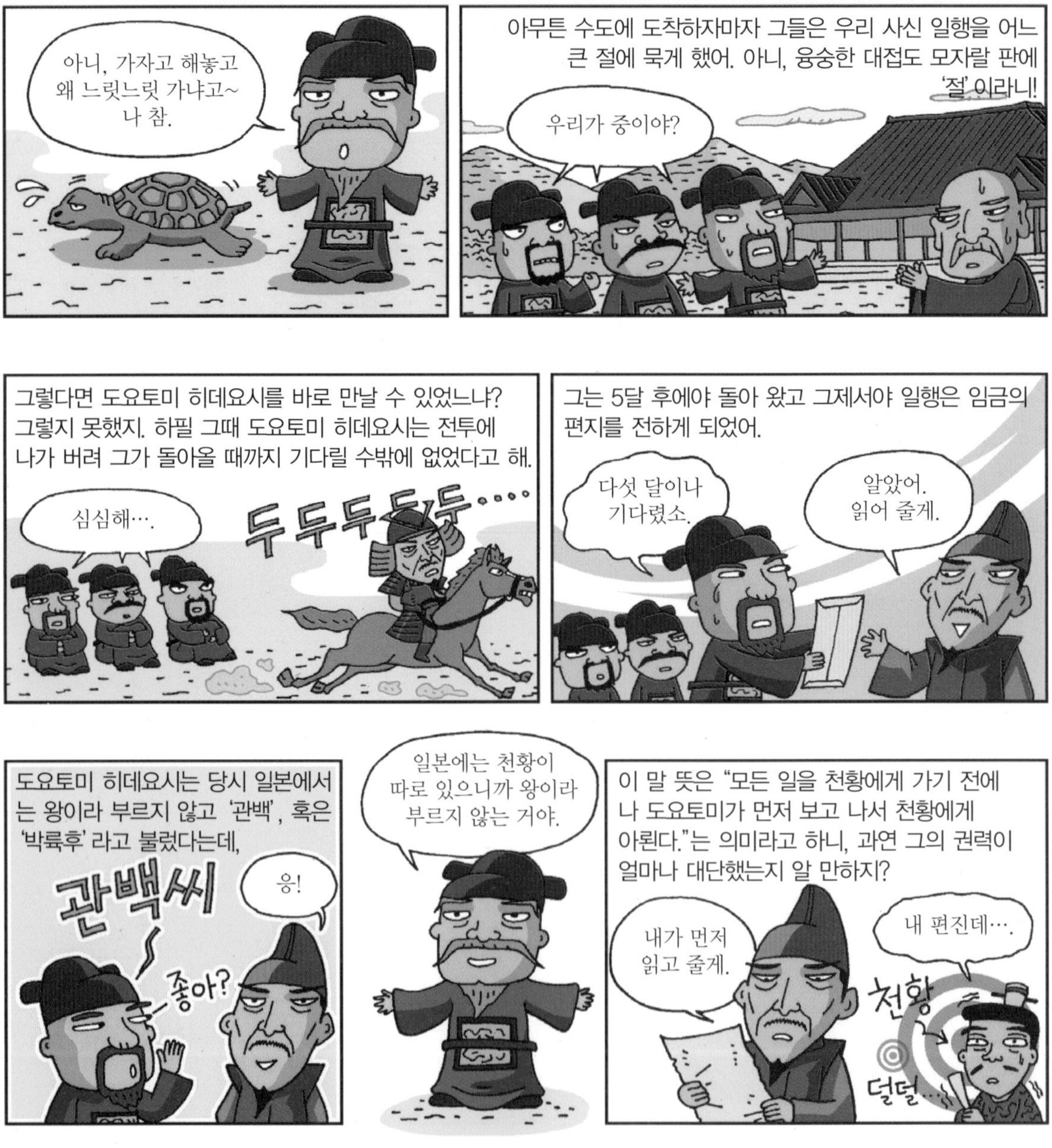
아니, 가자고 해놓고 왜 느릿느릿 가냐고~ 나 참.
아무튼 수도에 도착하자마자 그들은 우리 사신 일행을 어느 큰 절에 묵게 했어. 아니, 융숭한 대접도 모자랄 판에 '절' 이라니!
우리가 중이야?
그렇다면 도요토미 히데요시를 바로 만날 수 있었느냐? 그렇지 못했지. 하필 그때 도요토미 히데요시는 전투에 나가 버려 그가 돌아올 때까지 기다릴 수밖에 없었다고 해.
심심해….
두두두두두…
그는 5달 후에야 돌아 왔고 그제서야 일행은 임금의 편지를 전하게 되었어.
다섯 달이나 기다렸소.
알았어. 읽어 줄게.
도요토미 히데요시는 당시 일본에서는 왕이라 부르지 않고 '관백', 혹은 '박륙후' 라고 불렀다는데,
관백씨
응!
좋아?
일본에는 천황이 따로 있으니까 왕이라 부르지 않는 거야.
이 말 뜻은 "모든 일을 천황에게 가기 전에 나 도요토미가 먼저 보고 나서 천황에게 아뢴다."는 의미라고 하니, 과연 그의 권력이 얼마나 대단했는지 알 만하지?
내가 먼저 읽고 줄게.
내 편진데….
천황
덜덜…

도요토미의 얼굴은 작고 못생긴 데다 검고 보통 사람처럼 생겼으나, 눈빛만은 번쩍거려서 사람을 확 쏘아 보는 느낌이 들었다고 해. 눈빛이 마치 '쥐새끼 같다'는 말도 있었어.
눈빛 죽이지.
번쩍!
찍찍-
그는 자신은 방석을 세 겹으로 깐 좋은 자리에 남쪽을 향해 앉았고 검은 의상에 모자를 썼어. 신하들이 옆에 앉아 있다가 우리 사신들이 들어가니 자리를 안내해 주었어.
우리도 방석 줘.
우리의 화려한 대접과는 달리 일본의 대접은 초라하기 짝이 없었어. 방 가운데에 탁자가 하나 있었고 그 가운데에 떡과 술이 있었는데 그나마 술도 맑은 술이 아니라 탁한 술이었어.
우릴 이렇게 대접하다니! 그들은 아주 예의에서 벗어났지!
우리는 자기들을 대접할 때 상다리 여러 개 부러져 새로 상을 사도 모자랄 판이었는데 말이야.
우리가 거지냐?
도요토미 히데요시는 잠시 앉아 있는가 싶더니 이내 사라져 버렸어. 그리고 잠시 후에 웬 평상복을 입은 남자가 마루를 막 돌아다니는데 알고 보니 그가 바로 도요토미 히데요시였던 거야.
게다가 그는 어린애를 안고 있었는데 이 아이가 오줌을 싸자 그는 웃으면서 하인으로 하여금 옷을 갈아입히게 했어.
하하하
쌤통이다.
이는 사신을 모신 자리에서 상상도 할 수 없는 제멋대로의 행동이었어.
왜? 내가 내 집에서 그러는데 누가 뭐라 그래?
으-
옆에 있는 사람은 아랑곳없이 아주 자기 맘대로였지…. 이런 걸 두고 '안하무인'이라고 하는 거야.
안하무인

우리 사신이 이제 돌아가려고 하는데 일본은 답장을 바로 써주지 않고 먼저 떠나라고 했어.
답장….
가~!
여기에 김성일은 이렇게 말했고
우리가 국서를 들고 왔는데 돌아가는 길에 답신이 없다면 이것은 왕명을 저버리는 것이다.
그래서?
황윤길은 일본에서 더 머물라는 말이 나올까봐 두려워 배로 먼저 가는 등 의견이 분분했어.
알아서 하고 오시오~.
컥ー
사실 둘은 성격이 너무나 달라서 의견이 잘 맞지 않았어.
우린 너무 달라.
그러던 차에 일본의 답신이 우리 배가 있는 곳으로 도착했어. 그런데 그 편지의 내용이 너무 거칠고 거만해서 김성일은 화를 냈고
이 자식들이!
또 며칠을 기다려 겨우겨우 내용을 고쳐 쓰게 한 후에야 그나마 길을 떠나게 되었지.
휴~
우여곡절 끝에 부산에 도착한 황윤길은 돌아와서 “반드시 큰 화가 있을 것입니다.”라고 이야기했어.
일본이 심상치 않습니다.
깜짝
헉!
그런데 김성일은 달랐어. “저는 그곳에서 그러한 징조를 전혀 보지 못하였습니다. 그리고 황윤길이 사람들의 마음을 불안하게 하는 것은 좋지 못하다고 생각합니다.” 하고 말한 거야.
서로 다른 나라 갔다 왔냐? 죽을래?
너 왜 그래?
내가 뭐…
왜 둘의 의견이 완전히 다른지 모두들 의아해했고 난 김성일을 직접 만나 물어 보았어.
잠깐!
응?
그와는 어릴 적부터 함께 공부한 사이라 편하게 물어 볼 수 있었지. 김성일의 대답은 아주 놀라웠는데…
속닥 속닥
나 역시 일본이 움직이지 않을 거라 어찌 장담할 수 있겠나? 하지만 황윤길의 말이 너무 중대하니 민심이 흔들릴 것 같아 내가 좀 해명을 했을 뿐이야.
이게 미쳤나?

아뿔사, 아무리 그렇다지만 전쟁의 기미가 분명 있었는데도 그렇지 않다고 하다니….
헤헤
어때? 안심이 되지? 고마워 할 필요없어.
숨기고 아니라고 한들 곪아 터질 상처가 안 터지고 없어지는 게 아닐 텐데 말이야. 그는 훗날 이것 때문에 벌을 받게 되지.
흑흑
솔직히 말할걸….
잘가 친구
한편, 통신사가 가져온 일본의 편지는 이런 내용이었어.
"군사를 거느리고 명나라를 치러 가겠다" – 도요토미 히데요시 –
이 내용을 보고 나는 당장 명나라에 알려야 한다고 주장했는데, 당시 영의정이던 '이산해'는 여기에 반대를 했어.
반대!
오히려 우리가 명나라에 알리지 않고 일본과 교류한 것을 트집 잡을 것이라는 거지.
그 말에도 일리가 있는 것도 같고…?
대대로 조선은 중국과 사대 관계에 있었고, 중국이 인정을 해야 나라를 세우거나 임금의 자리에 오를 수가 있었어.
굽신
굽신
나는 그의 의견에 맞서 이렇게 반대했어.
일 때문에 외국과 만나는 것은 어쩔 수 없는 것입니다. 성화* 임금 때에도 일본이 우리를 통해 중국과 무역하게 해달라고 부탁해서 그렇게 한 적이 있지 않습니까?
그때에도 우리가 즉시 이를 명나라에 알렸고 명나라는 칙서(명령서)를 내려 일을 처리했습니다.
그랬져?

*성화 – 명나라 헌종 때의 연호(1465~1487).

지금의 일도 이와 같습니다. 숨기면 안 됩니다. 만약 저들이 정말 명나라를 치기라도 한다면 그때에는 오히려 우리나라가 일본과 내통하여 사실을 숨긴 것으로 의심받을지도 모릅니다. 그리하면 죄가 더욱 커질 것입니다.
조정에서는 나의 생각에 동의하는 사람이 많았고
찬성이오.
찬성!
끙
따라서 명나라에 김응남 등 사신을 파견하여 이 사실을 알리기로 했어.
김응남
후다닥

당시 우리나라와 일본에 머물던 명나라 사람들에 의해 각 지역의 정보가 수시로 명나라에도 보고되고 있었는데, 이 사건도 이미 명나라 조정에 보고가 되어 있는 상태였어.
다 알아.
컥
명나라에서는 이미 다 알고 있는데, 조선에서 왜 아무런 말이 없나 의심하고 있던 거지. 그런데 딱 맞추어 김응남이 명나라에 가, 사실을 보고하니까 그제야 의심이 사라졌다고 해.
훌쩍~
나 그동안 힘들었다. 일본이랑 바람난 줄 알고….
다행이야.
휴~
것 봐, 보고 안 했으면 오히려 큰일 날 뻔했잖아. 괜히 의심이나 사고 말이야.
자, 아무튼 이제 우리 조정도 조금은 바빠지기 시작했어.
바쁘다!
바빠!
당장 일본이 침략해 올지도 모르는 상황에서 손 놓고 있을 순 없었지. 조정에서는 당장 군사를 정비해 나갔어.
챡
군사에 밝은 관리를 뽑아 서울 아래 각 도를 돌아다니며 상황을 보고하게 했어. 특히 경상도에는 성을 많이 쌓으라고 했고
여기로
저기로
영천 · 청도 · 삼가 · 대구 · 성주 · 부산 · 동래 · 안동 · 상주 등지에 병영을 새로 설치하고 수리하기도 했어.
안동
상주
성주
영천
대구
삼가
청도
동래
부산
그런데 이때는 참으로 평화로운 시기였어.
사실 우리만 그렇게 알고 있었다고 해야 맞는 말이지.
아~ 평화로워~
정말 모두가 태평하게 지내던 때였으니, 성을 쌓거나 군사 시설을 정비하는 데 동원된 사람들은 굉장한 불평을 해댔지.
이렇게 태평한 시대에 성을 왜 쌓아?
지금 성을 쌓는다는 건 별로 좋은 일은 아닌 것 같은데….
아이고~ 허리야!
이렇게 위험이 코앞에 닥쳤는데도 말이야
에고 답답해
휴~

지방의 관리라는 사람조차 이런 말을 해댔지.
여기 삼가에는요, 앞에 정암나루가 있습니다. 바로 앞이 물이라서 막혀 있는데 일본 놈들이 어떻게 건너 오겠어요? 쓸데없이 성을 쌓는다고 해서, 괜히 백성들만 힘들게 하고….
그 관리는 백성을 위하는 듯이 말하고 있지만, 실상 이 말은 백성을 해치는 말이 되고 말았지.
내가?
전쟁이 일어나서 천리만리 떨어진 바다조차 일본군이 건너오는 것을 막아내지 못했는데, 고작 눈앞의 작은 강물을 믿고 있었으니… 얼마나 한심한지!
엥? 쉽게 건너네?
바보
게다가 본래 험준한 지역에 있던 전라도와 경상도의 여러 성들은, 지형과 형세를 무시한 채, 성을 넓히는 데만 신경 써 괜히 평지에 옮기기도 했거든.
여기가 좀 더 평평하고
이것 때문에 결국 훗날 군사들은 성을 지키기 어려웠고 적들은 쉽게 성을 무너뜨릴 수 있었어.
평지로 사방에서 적이 오니 막을 수가 없잖아.
후훗~
성이란 본래 작고 튼튼하게 만들어야 하는 것인데, 오히려 당시엔 성을 넓히는 데만 신경을 썼어. 결국 괜한 짓을 한 셈이야.
난 큰 게 좋아.
번쩍 번쩍
군사 문제도 그래. 군사와 관련된 기본적인 여러 문제는 물론이고 장수의 선발, 군사 편성과 훈련 방법 등 어느 한 가지라도 제대로 갖추지 못하고 있었기에 결국 전쟁에서 패하고 말았던 거란 말이야!
엄마야!
이거 너무 쉽구먼.
1592년인 임진년 봄에 임금은 신립과 이일에게 국경의 수비 상태를 살펴보고 보고하라 했어. 이일은 충청도와 전라도로, 신립은 경기도와 황해도로 가서 각각 한 달 후에 돌아왔는데, 그들이 확인하고 점검한 것들이라는 게 고작 활, 화살, 창, 칼 같은 것들뿐이었어.
상태 좋습니다.
신립
저두요.
이일

게다가 보고한 문서도 역시 형식적으로 만든 것이라 조정에서는 적을 막아낼 좋은 계획을 세우지도 못하고 있었지.
음~ 형식적으로 잘 썼네. 별 문제 없겠어.
특히 신립은 성격이 포악하고 잔인하다는 소문이 자자했는데
포악해.
으아
아
그가 어느 날 우리 집에 찾아왔기에 내가 그에게 물었어.
뭐 하나 물어도 될까?
두 개도 괜찮네
머지않아 전쟁이 일어날 것 같은데 그때는 당신이 큰일을 맡아야 할 것입니다.
엥?
그러자 그는 걱정할 것이 없다고 말했어. 그래서 내가 말했지.
걱정도 팔자십니다…. 소심한 양반 같으니.
하하하
A형이오?
그렇지 않습니다. 과거에는 일본인들은 짧은 창칼 따위만 썼지만, 지금은 조총과 같은 무기가 있습니다. 가볍게 여겨서는 안 됩니다.
나의 말에 신립의 대답은 이랬지.
조총을 가졌다고 해도 쏘는 대로 다 맞힐 수 있겠습니까? 괜한 걱정이죠.
빠-앙
휴~
도대체가 내가 하는 말의 심각함을 깨닫지 못하고 그는 돌아가 버렸어.
….
룰루~
에잇! 먹을 것도 별로 없고 집에 가서 밥 먹어야지.

이렇게 별 다른 준비도 없이
태평함 속에서 4월 13일은
다가오고 있었고, 전쟁의
어두운 그림자는 짙게 깔리기
시작하는데…
조선은 바람 앞의 등불이로세!
쿠-궁

제4장
불바다가 된 조선
- 임진년, 일본과의 전쟁이 시작되다.
조선

그럼 아까 이야기로 돌아가서….
야나가와 시게노부와 겐소가 동평관에서 머물고 있었을 때, 황윤길과 김성일이 임금의 명을 받아 그들을 위로하러 간 적이 있었어.
동평관
이때 겐소가 아주 조용히 비밀이라며 말하기를
쉿! 아무한테도 말하면 안 돼~
중국이 오랫동안 일본과 관계를 끊고 있으므로 도요토미는 이것에 매우 화가 나 전쟁을 일으키려 합니다.
조선이 먼저 이 사정을 명나라에 알려서 조공하는 길을 열어준다면 아무 일이 없을 것이고 전쟁을 하는 고생을 피할 수 있습니다.
조공은 쉽게 말해, 명나라와 무역하는 것을 말하는데 이렇게 함으로써 우리나라나 일본은 나라의 존재를 중국에게 인정받을 수 있고 중국에서 가져온 여러 물건들을 통해 앞선 문물을 배울 수 있었어.

겐소의 말을 듣고 김성일은 그건 우리와 명나라의 관계를 고려해 볼 때, 예의에 어긋난다고 타일렀어.
그러는 게 아니야.
토닥 토닥
그런 사정을 왜 우리가 나서서 건방지게 이야기해야 하느냐는 거지. 그러자 겐소는 화를 내며
조선은 예전에 고려 때에 원나라 군사를 앞세워 일본을 쳤으니 그 원한을 이제 갚는 것은 당연한 것 아니겠소?
갑자기 옛날 일까지 거론하자 분위기가 험악해졌고 그들은 화를 내며 돌아가 다시는 돌아오지 않았지.
삐졌군~
그 뒤 소오 요시토시가 부산에 와서 "우리가 명나라와 국교를 맺으려고 하는데 조선이 이 뜻을 알려주면 다행이지만, 그렇지 않을 경우에는 반드시 두 나라 사이에 큰 화가 닥칠 것이니 이를 알려드립니다." 라고 말했고,
그 말을 꼭 전하고 답 받아와라.
부산
뭐?
그 말은 조정 대신들에게 보고되었지. 그러나 오히려 조정에서는 그러니까 누가 통신사를 일본에 보내자고 했느냐 따졌고, 결국 답변은 하지 않았지.
누구야? 누가 보냈어?
너 아냐?
답변은 언제 할껴?
조정의 대답을 열흘이나 기다려도 아무런 소식이 없자, 답답하고 짜증난 그는 조선에 대해 나쁜 마음을 먹게 되었고
이놈들! 두고 보자!
결국 일본으로 돌아가 조선의 정보들을 모두 알려주게 되지.
조선은 엉망이구 어쩌구 저쩌구….
음~
자기가 이렇게 도와주려 노력해도 조선은 정신을 못 차리고 오히려 짜증나게 만드니, 그냥 전쟁이 일어나게 놔두어야겠다는 심보였지.
생각할 것도 없어! 조선을 치자구!
ㅋㅋㅋ…
그 후 일본 사람들이 부산에 오지 않았고 부산포에 머물던 일본 사람들도 차츰 사라졌어. 나중엔 동네가 거의 비어 있다시피 되어 사람들이 이상하게 생각했지만 이미 때는 늦었지.
썰렁
요즘 일본인들이 통~ 안 보이네.
부산포

어느 날, 부산포의 첨사인 정발이 사냥을 나갔다 돌아오는데 끝이 어디인지 보이지도 않는 엄청난 수의 일본 배가 대마도부터 온 바다를 덮고 있는 것을 보고 처음에는 '아~ 일본에서 오는 사절단인가?' 했어.
하지만 결국 상황을 보니 그게 아닌 것을 알았고 그는 허둥지둥 성으로 돌아왔어.
뭔가 이상하다.
1592년 임진년 4월 13일.
콰아아
드디어 왜적이 잔뜩 몰려왔고 임진왜란이 일어났지. 정발은 전사했고 부산포는 순식간에 왜적의 손에 함락되었어.
와 와 와
부산포
만약 우리 장수들이, 특히 전쟁 초반에 수군들 왜적을 잘 막아냈다면 피해가 덜할 수도 있었는데 아쉽게 그러지 못했고 경상도 수군 좌수사 박홍은 왜적을 보고는 도망치기에 바빴고
박홍
뭐야! 저것들은? 왜 나만 쫓아와?
우르르르
경상도의 좌병사 이각은 왜적의 소식을 듣고 동래성으로 돌아왔는데 부산성이 함락되었다고 하니까 그만 겁에 질려 성 밖으로 나와 다른 곳에 진을 쳤지.
난 여기 숨은 거 아니야.
덜덜덜
하지만, 겁쟁이들 사이에서도 빛나는 용기를 보여준 사람들이 있었으니 그 중 한 사람이 바로 동래부사 송상현이야.
그는 "성을 버리지 말고 함께 남아서 지켜내자!"고 말했지만, 이각은 도망치고 말았어.
같이 싸우자고요!
난 죽기 싫다~!

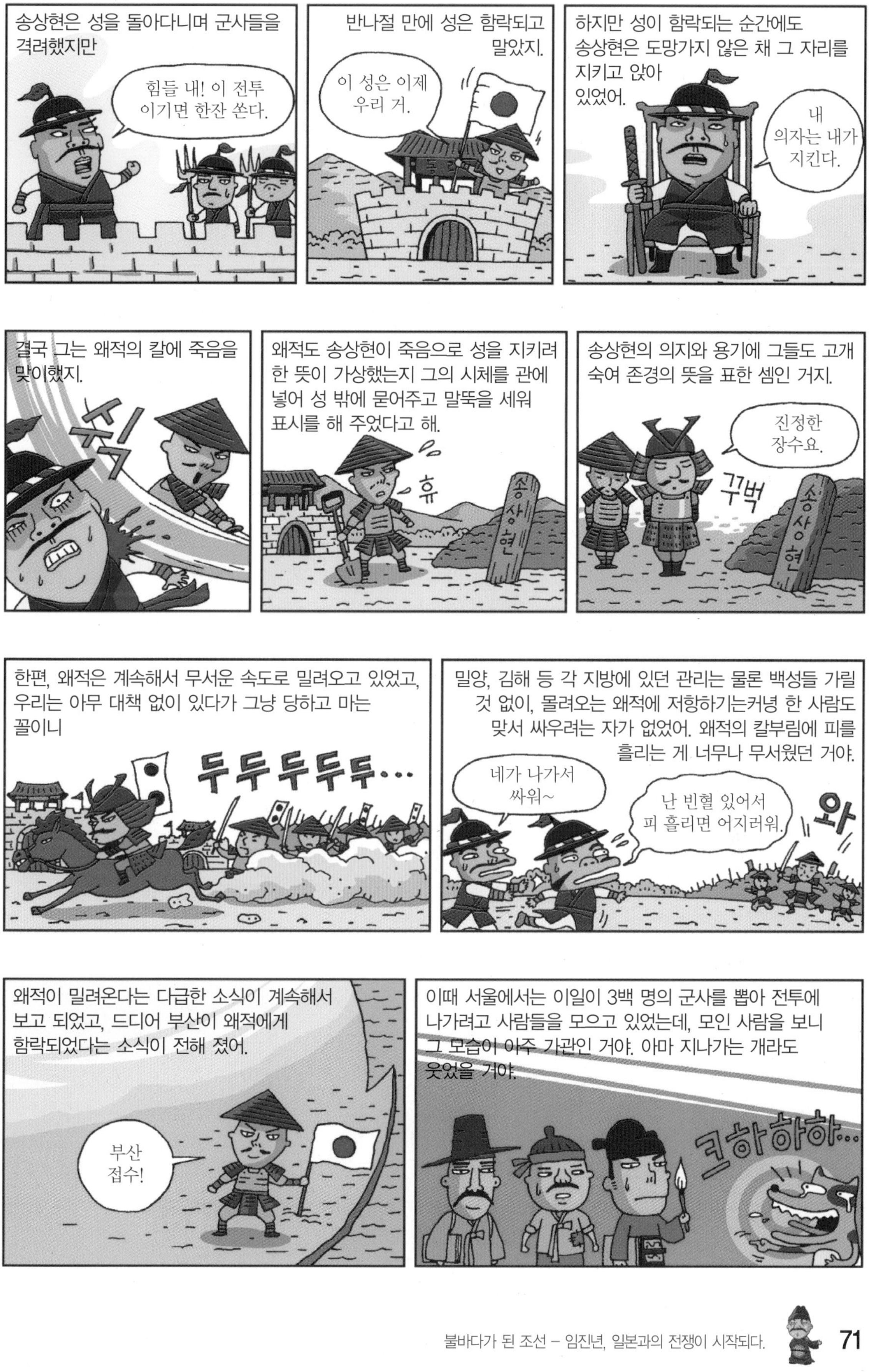
송상현은 성을 돌아다니며 군사들을 격려했지만
힘들 내! 이 전투 이기면 한잔 쏜다.
반나절 만에 성은 함락되고 말았지.
이 성은 이제 우리 거.
하지만 성이 함락되는 순간에도 송상현은 도망가지 않은 채 그 자리를 지키고 앉아 있었어.
내 의자는 내가 지킨다.
결국 그는 왜적의 칼에 죽음을 맞이했지.
왜적도 송상현이 죽음으로 성을 지키려 한 뜻이 가상했는지 그의 시체를 관에 넣어 성 밖에 묻어주고 말뚝을 세워 표시를 해 주었다고 해.
휴
송상현
송상현의 의지와 용기에 그들도 고개 숙여 존경의 뜻을 표한 셈인 거지.
진정한 장수요.
꾸벅
송상현
한편, 왜적은 계속해서 무서운 속도로 밀려오고 있었고, 우리는 아무 대책 없이 있다가 그냥 당하고 마는 꼴이니
두두두두두…
밀양, 김해 등 각 지방에 있던 관리는 물론 백성들 가릴 것 없이, 몰려오는 왜적에 저항하기는커녕 한 사람도 맞서 싸우려는 자가 없었어. 왜적의 칼부림에 피를 흘리는 게 너무나 무서웠던 거야.
네가 나가서 싸워~
난 빈혈 있어서 피 흘리면 어지러워.
와
왜적이 밀려온다는 다급한 소식이 계속해서 보고 되었고, 드디어 부산이 왜적에게 함락되었다는 소식이 전해 졌어.
부산 접수!
이때 서울에서는 이일이 3백 명의 군사를 뽑아 전투에 나가려고 사람들을 모으고 있었는데, 모인 사람을 보니 그 모습이 아주 가관인 거야. 아마 지나가는 개라도 웃었을 거야.
크하하하…

그 중에는 공부만 하던 유생들도 아주 많았어.
나라를 위해 싸우겠습니다.
글쎄 그 뜻은 가상하지만 옷도 관복을 입고 가져온 것들도 종이, 붓 같은 것이니 말 다했지.
혹시 종이가 필요하지 않을까요? 화장실이라든지….
난 붓으로 간지럼 태워 웃겨 죽일 겁니다.
이렇듯 다들 군사로 뽑히기 어려운 사람들로 가득했으니, 이일은 3일이 지나도록 떠나지 못했고
할 수 없이 이일은 먼저 남쪽으로 내려갔고, 부하가 나중에 뒤따라 군사를 이끌고 내려가기로 했지.
먼저 간다.
네!
이제 본격적인 전쟁이 시작된 셈인데 전쟁 중에는 임금이 직접 지방을 돌아다니며 군사 업무를 맡아 볼 수 없기 때문에
나한테 무슨 일 생기면 큰일이잖아. 난 소중하니까.
체찰사가 임금을 대신해 군사 업무를 보게 되거든. 이렇듯 상황이 긴박해지니 체찰사의 필요성이 커졌고 영의정이 나를 추천해서 내가 체찰사가 되었어.
이거 받게.
체찰사
네…
이제 전쟁 중에 일어나는 많은 일을 처리해야만 하는 중요한 직책을 맡게 된 거야. 어깨가 정말 무거웠지.
전쟁
끙끙
덜덜덜
나는 전에 알던 김응남을 부하로 삼았고, 예전에는 의주목사였지만 어떤 사건 때문에 감옥에 갇혀 있던 김여물이라는 장수를 꺼내어 나를 도울 수 있게 해달라고 부탁드렸어.
부탁드립니다.
알았어.
김여물
김응남
감사
감사
그러던 중! 또 다급한 소식이 전해졌는데 왜적이 벌써 밀양과 대구를 지나 조령 밑에 와 있다는 거야. 조령이라면 충청도 바로 밑인 것을! 왜적이 정말 물밀듯 올라오고 있었던 거지.
경기도
강원도
충청도
조령
대구
경상도
밀양
전라도

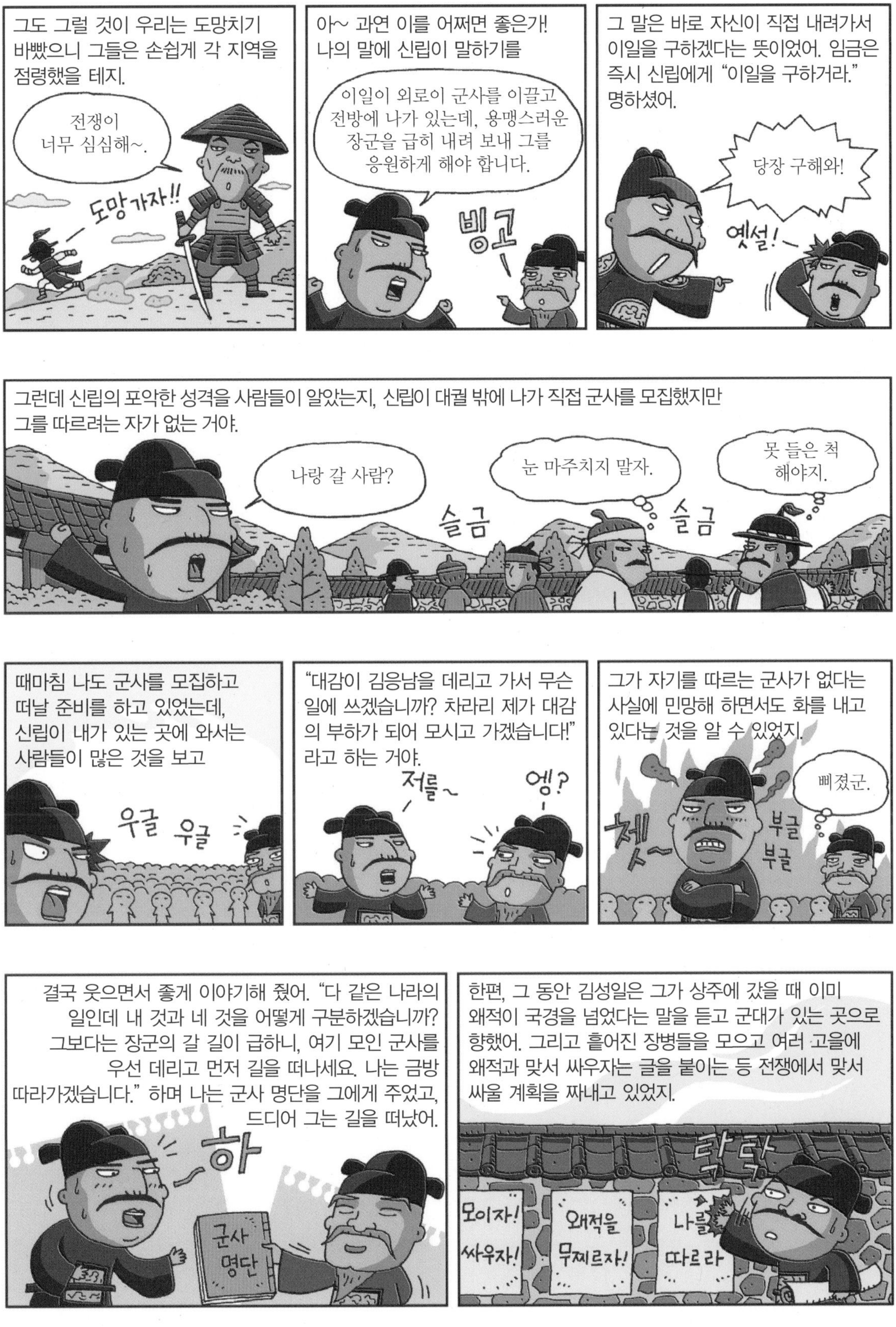
그도 그럴 것이 우리는 도망치기 바빴으니 그들은 손쉽게 각 지역을 점령했을 테지.
전쟁이 너무 심심해~.
도망가자!!
아~ 과연 이를 어쩌면 좋은가! 나의 말에 신립이 말하기를
이일이 외로이 군사를 이끌고 전방에 나가 있는데, 용맹스러운 장군을 급히 내려 보내 그를 응원하게 해야 합니다.
빙고
그 말은 바로 자신이 직접 내려가서 이일을 구하겠다는 뜻이었어. 임금은 즉시 신립에게 "이일을 구하거라." 명하셨어.
당장 구해와!
옛설!
그런데 신립의 포악한 성격을 사람들이 알았는지, 신립이 대궐 밖에 나가 직접 군사를 모집했지만 그를 따르려는 자가 없는 거야.
나랑 갈 사람?
눈 마주치지 말자.
못 들은 척 해야지.
슬금 슬금
때마침 나도 군사를 모집하고 떠날 준비를 하고 있었는데, 신립이 내가 있는 곳에 와서는 사람들이 많은 것을 보고
우글 우글
"대감이 김응남을 데리고 가서 무슨 일에 쓰겠습니까? 차라리 제가 대감의 부하가 되어 모시고 가겠습니다!" 라고 하는 거야.
저를~
엥?
그가 자기를 따르는 군사가 없다는 사실에 민망해 하면서도 화를 내고 있다는 것을 알 수 있었지.
삐졌군.
쳇~
부글 부글
결국 웃으면서 좋게 이야기해 줬어. "다 같은 나라의 일인데 내 것과 네 것을 어떻게 구분하겠습니까? 그보다는 장군의 갈 길이 급하니, 여기 모인 군사를 우선 데리고 먼저 길을 떠나세요. 나는 금방 따라가겠습니다." 하며 나는 군사 명단을 그에게 주었고, 드디어 그는 길을 떠났어.
~하
군사 명단
한편, 그 동안 김성일은 그가 상주에 갔을 때 이미 왜적이 국경을 넘었다는 말을 듣고 군대가 있는 곳으로 향했어. 그리고 흩어진 장병들을 모으고 여러 고을에 왜적과 맞서 싸우자는 글을 붙이는 등 전쟁에서 맞서 싸울 계획을 짜내고 있었지.
탁 탁
모이자! 싸우자!
왜적을 무찌르자!
나를 따르라

그런데 하필 이때, 임금은 전에 김성일이 일본에 다녀와서 '전쟁의 조짐이 전혀 없었다.' 고 말을 하는 바람에 나라가 위기를 맞게 되었으므로 그를 붙잡아 옥에 가두라고 했어.
김성일을 잡아 와라!
컥_
김성일이 체포당하여 서울로 올라가는 길에 김수라는 사람을 만났는데 그가 "이런 일을 당하여 뭐라 위로의 말해야 할지…." 하고 걱정하니
밥은 먹었소?
김성일은 이렇게 말했대.
내 걱정은 말고 그저 온 힘을 다해 적을 물리쳐 주게나.
그렇게 김성일은 계속해서 서울로 올라가고 있었는데
가는 도중에 임금의 화가 어느 정도 풀렸고 김성일이 백성을 안심시키는 데 공을 세운 것을 인정했지.
아~ 이제 기분이 좋아졌어.
?
그래서 임금은 그의 죄를 용서하고 앞으로도 백성들을 달래주고 도우라고 명했어.
하마터면 죽을 뻔했네. 다행이다~
휴~
이제 왜적을 물리치러 간 이일을 살펴볼까? 당시에 우리의 군사 체제는 '제승방략' 이란 건데, 전쟁이 나면 각 고을에 먼저 "소속군사들을 어디어디로 보내라." 는 명을 내려 보내.
후다닥
고을
군사들은 약속한 장소로 가서 서울에서 내려오는 장수를 기다리고, 장수의 명령에 따라 전투에 임하게 되는 제도였어.
장수는?
약속 장소
그런데 갑자기 전쟁이 나자 이 제도는 별 소용이 없었어. 왜냐하면 서울에서 오는 장수보다 적이 치고 올라오는 속도가 더 빨랐기 때문이야.
와아아아~
야! 잠깐! 우린 아직 장수도 안 왔다구.

적이 가까이 다가오니 군사들은 두려움에 떨 수밖에 없었고, 결국 장수 없는 군사들은 모두 달아나 흩어지게 되는 거지.
일단 도망가자!
이일의 경우도 그랬어. 말을 달려 문경에 도착했지만, 이미 군사들은 달아나고 마을은 텅 비어 있을 뿐이었어.
텅텅
컥!
결국 그는 문경을 지나 상주까지 갔고 상주에서 군사로 쓸 만한 사람을 밤새도록 찾아다녔어.
문경
상주
부산
나랑 같이 싸울 사람! 모여라!
하지만 온 마을을 뒤져 데려온 수백 명의 사람들은 모두 싸움이라고는 해본 적 없는 농민들뿐이었지.
우리가 어찌 싸우지?
땅이나 파면서 살았는디.
이들을 데리고서 어떻게든 군대를 만들어 보았지만, 안타깝게 한 사람도 싸울 만한 사람이 없었지.
이게 무슨 군대냐?
아~ 무너진 우리의 군사 체제여~! 그러기에 내가 전에 이 제도 좀 바꾸자고 건의를 했었는데!
으이그~
한편, 왜적은 더 무서운 기세로 올라오고 있었고 이미 선산까지 이르렀어.
문경
상주
선산
좀만 더 가면 서울이군.
크크크…
이일은 어쨌든 이렇게 억지로 만든 군대와 자신이 서울에서 데려온 장병들을 합쳐 약 800명의 군사를 거느리게 되었어.
이일
우리도 다리 아파…
그리고 이들에게 냇가에서 군대의 진을 치는 법부터 가르쳤어.
자자~ 줄을 맞추고 자세를 낮추고….
이렇게요?

전쟁이니 모두 각자의 위치에서 일사불란하게 움직여도 모자랄 판에 이제 겨우 기초적인 것부터 가르쳐야 하는 이 상황이란!
니들을 언제 가르쳐서 싸워 보냐~?
우왕 좌왕
부끄럽지만 이게 바로 우리 현실이었어.
부끄 부끄
한편, 이렇게 우리 군사가 진을 치고 있던 어느 날 숲속 나무 사이에서 누군가 나왔다 사라지는 거였어.
누구야?
샥 샥
사람들은 적이 아닐까 의심했지만 함부로 말할 수 없는 상황이었어. 만약 그게 적이 아니라면 괜히 '사람들이 겁을 먹게 만들었다.'는 죄목으로 죽임을 당할 수도 있었으니까.
?
부스럭 부스럭
그래도 상황이 어떤지 알아는 봐야 하니까, 할 수 없이 한 병사가 말을 타고 가서 살펴보았어.
다람쥔가?
부스럭 부스럭
그런데 이때! 다리 밑에 숨어 있던 왜적이 갑자기 나타나 그 병사를 죽이고는 우리 쪽으로 마구 쏘아 대는 거 아니겠어?
윽
탕
쏙
아! 조총 앞에 우리는 힘을 쓸 수가 없었어. 맞는 족족 쓰러져 죽었으니까.
윽
으악
탕 탕 탕
컥
왜적은 그렇게 조총 10자루를 들고 와 우리를 마구 쏘는데 총에 맞은 사람은 바로 죽고 말았어. 이일은 급히 화살을 뽑았지만,
컥! 벌써.
퍽
탕

조총은 화살 뽑는 시간에 비해 너무나 빨리 날아왔던 거야. 이일은 상황이 위험하게 된 것을 알고 북쪽으로 달아나기 시작했고
탕 탕 탕
이미 흩어진 나머지 군사들도 제각기 살기 위해 도망치느라 정신이 없었지.
도망은 빨리치네.
정신없이 도망쳐서 말도 버리고 맨몸으로 달아나 겨우 문경에 이른 이일은 신립이 충주에 와 있다는 말을 듣고 그곳으로 향했어.
하악 하악
문경
또 충주로 가야 한다고?
이일이 크게 패했다는 소식은 서울에도 보고되었고 서울의 인심은 흉흉해졌어.
이러다 조선 땅덩이가 모두 일본의 손아귀에 넘어가는 거 아냐?
도망이라도 가야 하는 거 아냐?
이때 왕실도 위협을 느낀 나머지, 왜적을 피해 서울을 옮길 생각을 하고 있었는데, 궁궐 밖은 아직까진 이 소식을 모르고 있었어. 하지만 곧 이상한 낌새를 알아차린 왕실의 종친과 대신들은 엎드려 통곡하며
서울은 굳게 지켜야 합니다.
흑 흑 흑
도성을 버리라고 말한 사람은 소인배입니다.
흑
이렇게 통곡을 해대니 임금이 나서서 말했어.
종묘사직이 있는데 내가 서울을 버리고 장차 어디로 간단 말인가? 제발 걱정하지 말게들. 자자, 진정하시고.
종묘사직은 조선의 역대 임금을 모신 사당이 있는, 우리의 정신이 서린 곳이지.
임금이 이렇게 말하고 나니 곧 사람들은 안심하고 물러갔지.
잘 가.
휴
역시 아니었어.

하지만 위급한 상황은 여기서 그치지 않았어. 그 주변에 사는 사람들을 모두 총동원해 성첩*을 지키게 했지만, 성첩는 3만 개, 사람은 고작 7천 명에 불과했지.
이 많은 성첩을 어떻게 지켜~?
게다가 이 7천여 명이 모두 제자리를 지켰느냐? 그건 아니었거든. 다들 겁이 나서 도망갈 궁리만 하고 있었지. 특히, 지방에서 뽑은 군사들도 관리들과 뇌물을 주고받아 도망을 치곤 하니 아무 쓸모없는 군사들뿐이었어.
오~
그럼 나 도망간다.

*성첩(城堞) – 성가퀴. 성 위에 낮게 쌓은 담으로 몸을 숨기고 적을 쏠 수 있도록 만든 방어시설.

이때 하늘에서는 화성이 남두(별자리 이름)를 침범했는데 이것은 나쁜 일의 징조라더니 신립은 싸우다 죽고 말았어.
으~ 불길하더니만….
신립
당시 신립은 8천여 명이나 되는 군사를 어렵게 모았는데 이일이 패했다는 말을 듣고는 겁이 나서 그냥 충주로 돌아왔어.
후다닥
충주
그런데 어떤 사람이 그에게 "왜적이 이미 조령을 넘었다."고 조용히 알려 주었고
정말?
속닥 속닥
이 말을 들은 신립은 그게 정말인지 알아보기 위해 갑자기 성을 뛰쳐나갔어.
다그닥 다그닥
밤이 깊어 돌아온 그는 정보를 알려 준 사람이 거짓말을 했다고 하며 그를 잡아 죽였고
거짓말쟁이 죽어.
푹
윽~! 진짠데!
왕에게 글을 올렸지. "왜적은 아직도 상주에 있습니다." 이미 왜적은 상주를 떠나 그가 들은 대로 충주 가까이 와 있었던 것을 그가 잘 몰랐던 거야! 실수였던 거지.
우르르르…
충주
그는 군사를 데리고 나와 강물의 사이에 진을 치게 했어. 그런데 그곳은 왼쪽과 오른쪽이 논이었고 물풀이 섞여 있어서 말을 달리기가 참 불편한 곳이었어.
뭐 이런 곳에 진을 친 거야?
별론가?

충주 가까이 와있던 왜적은 잠시 후, 길을 두 갈래로 나누어 쳐들어오기 시작하는데
그 기세가 마치 비바람이 몰아치는 듯 아주 위협적이었어.
꺄~악
슈슈슉
한 쪽은 산을 따라 내려오고
우르르
다른 한 쪽은 강을 따라 내려오는데 총소리가 하늘과 땅을 마구 뒤흔들어댔어.
쾅 쾅 쾅 쾅
우리는 양쪽으로 나뉘어 내려오는 적에 완전히 포위되고 말았지.
이제 포기하시지.
불 보듯 뻔하지. 이렇듯 우리의 말도 안 되는 전술이란! 자고로 진은 그렇게 치는 것이 아닌데 그것을 잘 몰랐던 거야. 그것도 장수라는 사람이!
휴~
신립은 어떻게 해야 하는지 몰라 당황하다가, 용기를 내어 직접 말을 타고 적을 뚫어보려고 시도했어.
이야야압
저런 바보!
하지만 실패하고 말았고 결국 그는 말머리를 돌려 강으로 뛰어들어 물에 빠져 그만 죽고 말았지.
난 헤엄쳐서 나가야지.
둥둥
그리고 이때 함께 있던 이일은 동쪽으로 도망을 쳤어.
탕
윽
탕
연이어 장수를 잃자 겁에 질린 다른 군사들도 뒤따라 강물에 뛰어들었고, 수많은 시체가 강물을 따라 흘러 내려갔지.
꺄악
풍덩
둥둥
둥둥.

아! 원통해. 왜 우리가 이렇게 패할 수밖에 없었던 걸까? 지금도 가슴을 치고 있어.
쿵쿵
우리의 계획이 잘못된 것이었을까? 조정에서는 신립을 보내서 돕게 했고, 두 사람이 힘을 합쳐 막을 수 있었을 텐데 그러지 못한 이유는 뭘까?
우리 잘못이 아니라구.
맞아 맞아.
그 이유는 바로 경상도 수군 장수들이 겁쟁이였다는 데에 있어. 바다를 책임지던 2명 중, 우선 박홍은 위급한 상황임에도 1명의 군사도 보내지 않았어.
군대좀 보내줘!
박홍
퍽퍽
없어.
또 '원균'의 경우는 거리가 좀 멀긴 했었지만, 그래도 적이 바다를 하루만에 건너 올 수는 없는데 그가 거느린 많은 배를 내어 군사를 이끌고 바다로 나아가 적에게 겁을 조금이라도 주고 한 번이라도 이겼다면 왜적은 이처럼 마구 쳐들어오지 못했을 거야.
내가 뭘 어쨌다구 난리야!
원균
그런데 바닷길을 이렇듯 순순히 내 주었으니 결국 우리의 좋은 계획도 소용 없을 수밖에. 그야말로 대문 열고 왜적보고 들어오라 한 셈이야.
어서 옵쇼! 몇 분?
친절해.
왜적은 둥둥하고 북을 울리면서 마음대로 행진을 계속했고 북으로 북으로 올라오고 있었어. 하지만, 어느 한 곳에서도 이렇다 할 저항이 없었기에, 부산에 상륙한 지 10일만에 상주에 도착했어.
둥 둥 둥 둥
상주
그리고 이일은 거느린 군사도 없이 갑자기 적과 싸우게 되어 먼저 패했고 우리는 적을 막을 근거지를 잃은 거였지.
저거 내 거였는데.
저리 가.
또 하나 분한 사실은 왜적이 비록 상주까지 들어왔지만 고모성을 지날 때 무척 두려워 했다는 거야.
왠지 으시시한데 이곳은?

여길 잘 이용했으면 왜적을 막아낼 수도 있는 것이었어. 왜냐하면 이곳은 군사를 매복시키기 정말 좋은 천혜의 요새였거든. 그래서 왜적은 혹시나 이곳에 우리의 군사가 숨어 있지 않을까 무척 겁을 먹었지.
여기서 매복에 걸리면 죽는다.
조심하자고.
함부로 지나가기에는 두려움이 컸던 왜적은 사람을 시켜 두 번 세 번씩 구석구석 살펴보게 한 후에야 비로소 지나갔다고 해.
에잇! 벌써 몇 번째야.
귀찮은 건 우리만 시켜.
뭐야!! 아무도 없잖아? 이런 시시하게… 조선이노 군사들 아주 한심해 데쓰!
첫!
훗날 명나라의 장수 '이여송'이 이곳 고모성을 지날 때가 있었는데, 그도 역시 이렇게 탄식했어.
쯧쯧
이런 험한 요새가 있었는데 지키지 못했다니 신립은 전략이 없는 사람이구먼~ 이것도 못 막나~.
고모성
옛 사람의 말이 '장수가 군사를 쓸 줄 모르면 그 나라를 적에게 그냥 넘겨주게 되는 것이다.' 고 했다는데 그 말이 틀린 말이 아니지.
가져.
꺄오~
나라
이제 와 깨닫고 후회해 봤자 돌이킬 수는 없지만, 그래도 내가 이 글을 적는 이유는 잘 알겠지?
징비록
이렇게 조선은 온통 불바다가 되어 가고 있었어.

밀려오는 왜적들 - 피란, 또 피란…
제5장
대체 어디까지 가야 하느냐~!
서울
개성
평양

한편, 신립이 충주로 떠났다는 말을 듣고 서울에서는 날마다 승리의 소식이 전해지길 목이 빠져라 기다리고 있었어.
쭈욱
충주

그러던 어느 날 전립 모자를 쓴 사람 셋이 말을 타고 달려 '숭인문'으로 들어오니 사람들이 우르르 몰려가 소식을 물었어.
우르르
이보시오.
숭인문

신립 장군이 적을 물리쳐 이긴 거 맞지요?
이젠 왜적이 멀리 도망간 겁니까?
서울은 안전하겠지요?

하지만 그들은 울먹이며 대답했어.
우리는 신립 장군님의 종들입니다.
흑
흑
흑
신립 장군님은 어제 왜적과 싸우다 돌아가셨고

여러 군사들도 크게 다쳐 군대는 다 무너졌습니다.
컥
우리들은 겨우 도망쳐서 이제 가족들을 찾아 피란을 가려고 하던 길입니다.
이야기를 듣고 있던 사람들은 크게 놀라고 서로 그 말들을 전하느라 도성 안은 술렁거리기 시작했어.
술렁 술렁
신립이 죽었대.
왜적이 강하다네.
초저녁에 임금이 여러 대신들을 불러 피란 문제를 의논하는 자리를 가졌어. 대신들은 왕에게 말했지.
전하~ 상황이 이렇게 되었사오니 잠시 평양에 가 계시다가 명나라에 구원병을 요청하여 서울을 되찾을 날을 기약하는 것이 나을 듯합니다.
음~
어우 졸려~
하지만 주위에 있던 모든 대신들이 임금에게 피란을 주장한 건 아니었어. 권협이라는 신하는 임금에게 가까이 다가가서 말하길
즈으으은~하아아
서울은 굳게 지키셔야 합니다. 피란 가시면 아니 되옵니다!
그의 목소리가 너무 커서 내가 가까이 다가가 "아무리 급하고 어지러운 때지만, 임금과 신하 간에 지켜야 할 예의는 있는 거요. 조금 뒤로 물어나 말을 하세요." 하니 그가 말하길
아니! 좌상(유성룡)께서도 그런 말씀을 하십니까? 그럼, 서울을 버리는 게 옳다는 말이십니까?
나는 임금께 말씀드렸어.
권협의 말이 참으로 충성스럽습니다만, 상황을 보니 피란을 가지 않을 수 없겠습니다.
음.
즈으은하~
나는 왜적이 코앞이었기 때문에 우선 몸을 피하고 후일을 도모하는 게 나을 거라 생각했어.
후일을 도모하십시오.
즈으은하
질 질 질
그리하여 4월 30일 새벽. 임금은 서쪽으로 피란을 가시기로 결정하셨지.
그래, 결심했어.

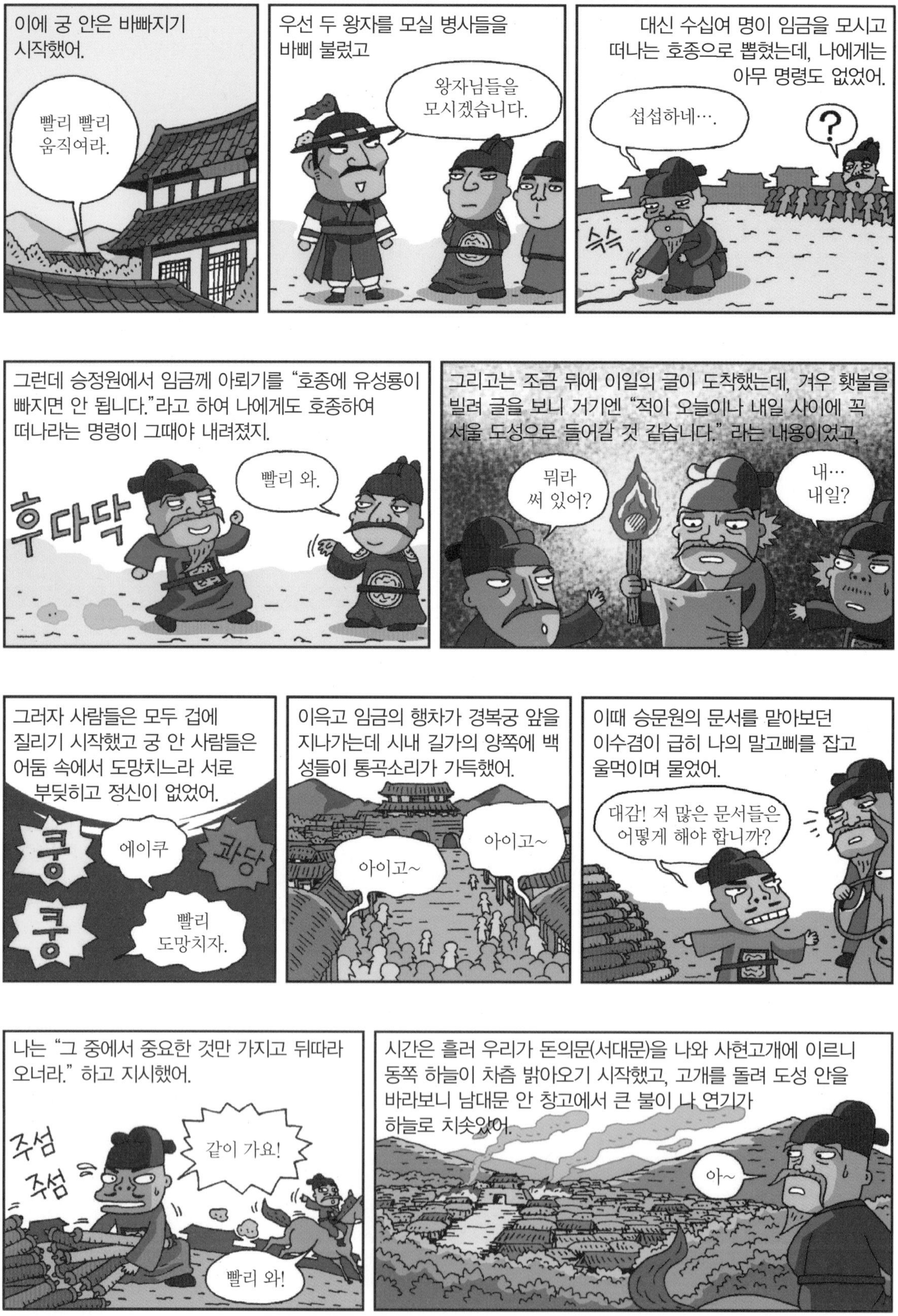
이에 궁 안은 바빠지기 시작했어.
빨리 빨리 움직여라.
우선 두 왕자를 모실 병사들을 바삐 불렀고
왕자님들을 모시겠습니다.
대신 수십여 명이 임금을 모시고 떠나는 호종으로 뽑혔는데, 나에게는 아무 명령도 없었어.
섭섭하네….
?
슥슥
그런데 승정원에서 임금께 아뢰기를 "호종에 유성룡이 빠지면 안 됩니다."라고 하여 나에게도 호종하여 떠나라는 명령이 그때야 내려졌지.
후다닥
빨리 와.
그리고는 조금 뒤에 이일의 글이 도착했는데, 겨우 횃불을 빌려 글을 보니 거기엔 "적이 오늘이나 내일 사이에 꼭 서울 도성으로 들어갈 것 같습니다." 라는 내용이었고,
뭐라 써 있어?
내… 내일?
그러자 사람들은 모두 겁에 질리기 시작했고 궁 안 사람들은 어둠 속에서 도망치느라 서로 부딪히고 정신이 없었어.
쿵
에이쿠
콰당
쿵
빨리 도망치자.
이윽고 임금의 행차가 경복궁 앞을 지나가는데 시내 길가의 양쪽에 백성들이 통곡소리가 가득했어.
아이고~
아이고~
이때 승문원의 문서를 맡아보던 이수겸이 급히 나의 말고삐를 잡고 울먹이며 물었어.
대감! 저 많은 문서들은 어떻게 해야 합니까?
나는 "그 중에서 중요한 것만 가지고 뒤따라 오너라." 하고 지시했어.
주섬 주섬
같이 가요!
빨리 와!
시간은 흘러 우리가 돈의문(서대문)을 나와 사현고개에 이르니 동쪽 하늘이 차츰 밝아오기 시작했고, 고개를 돌려 도성 안을 바라보니 남대문 안 창고에서 큰 불이 나 연기가 하늘로 치솟았어.
아~

사현고개를 넘어 석교에 이르니 비가 추적추적 내리기 시작했고, 벽제에 이르니 비가 더 심하게 내려 사람들은 모두 비에 젖어버렸어.
쏴아아아
벽제
임금은 벽제역 안에 들어갔다가 잠시 후 나와 길을 떠났는데, 그런데 이때 호종하던 사람 중 몇몇이 도성으로 돌아가거나 오지 않기도 하는 거야.
쏴아아
내가 싫어?
따라가는 척 슬슬 뒤로 빠지며 도망친 거지.
나 하나 빠져도 모르겠지?
많은 궁인들은 말을 타고 수건으로 얼굴을 가리며 엉엉 소리를 내며 울며 따라갔어.
엉엉엉
임진강에 이르렀을 때에도 비는 그치지 않았고 오히려 물 붓듯이 쏟아지기 시작했어.
아마 우리가 울고 있듯이 하늘도 크게 울고 있었나봐.
쏴아아아
임금이 배에 올라 강을 건너고 나니 날은 벌써 저물어 캄캄해졌고 사물을 분간하기도 힘들 정도였어.
한편, 임진강의 남쪽 기슭에 나루터를 관리하던 옛날 창고가 있었는데 임금은 적들이 이곳의 나무를 이용해 뗏목을 만들어 강을 건널까봐 "모두 태워버려라." 명했지.
활활
왜놈들이 쫓아오면 큰일이잖아.

명령에 따라 불을 지르니 불빛이 강의 북쪽까지 비춰 우린 길을 찾아갈 수 있었어.
오~ 밝다.
파주에 이르니 목사 허진과 부사 구효연이 나와 임금에게 올릴 음식을 마련했는데, 호위하는 사람들이 하루 종일 굶고 온지라, 주방으로 달려들어 음식들을 닥치는 대로 빼먹어서 임금께 올릴 음식마저 모자랄 지경이 되었고 이것을 본 그들은 두려운 나머지 도망치고 말았어.
뭘 먹으라는 거냐?
임금님 음식을…? 우릴 죽일 거야.
후다닥
5월 1일 아침에 임금은 대신들을 둘러보고 물었지.
남쪽 지방의 순찰사 중에 왕을 호위할 만한 사람이 없겠는가?
아는 사람 없냐?
나… 친구 없잖아.
피란 가는 도중에 많은 사람들이 도망갔기 때문에 사실상 임금을 모실 인원이 부족했어.
야! 어디 가!
쌔~
그래서 저녁 무렵이 다 되어서 개성을 향해 떠나려 했지만, 호위할 군사가 없었어.
도대체 난 누구랑 피란 가라는 거야?
나라가 위기에 처한 이때 관리들이라는 작자가 더 나서기는커녕 목숨을 부지할 생각에 도망을 치다니! 하지만, 모두가 도망이나 치는 겁쟁이는 아니었군.
황해도 감사 조인득과 서흥의 부사 남의가 군사를 거느리고 도착해 왕을 돕겠다 했지.
조인득
저희가 모실게요.
남의
이렇게 해서 겨우 길을 떠날 수 있게 되었는데 또 문제가 생겼어.
또 뭐야? 피란 좀 가자. 좀~~
배가 너무 고파 움직일 힘조차 없었던 거야.
꼬르륵
뭘 먹어야 움직이지.
꼬르륵~
난 꼼짝할 힘도 없다구.
꼬르륵~

사람들은 궁중 사람들과 병사들이 며칠을 굶어 좁쌀이라도 얻어 요기한 후에 떠났으면 한다고 청을 해왔고 결국 그제야 여러 대신들과 병사들이 처음으로 밥을 얻어먹을 수 있었어.
아, 정말 먹는다는 게 이토록 힘든 줄 전쟁 전엔 몰랐었어.
우걱 우걱
한입만…
우걱
한편, 5월 2일 저녁 겨우 개성에 도착했는데
개성 오기 정말 힘들었어.
개성
이때 대신들은 서로의 잘잘못을 따지느라 정신없었지.
이 전쟁 어떻게 책임질껴?
내가 왜? 너나 책임질 준비해!
상을 주고 벌하는 일이 나라를 다스리는 데 꼭 필요하기도 하겠지만, 지금은 위기 상황인데 그런 일로 시간을 낭비해야 쓰겠니. 정말 부끄럽다.
당신도 책임질 준비해.
여러 대신들은 글을 올려 수상이 일을 잘못 처리해 나랏일을 망쳤다고 했고 그를 잘라야 한다고 주장했어.
자넬 자르라네!
이 산해
내가 왜?
임금은 처음에는 수상을 탄핵하는 것을 허락하지 않았으나 계속되는 상소에 드디어 탄핵을 하고 말았지.
미안해
탄핵
왜 나만
그리고 그를 대신할 수상으로 나를 지명했어.
자네가 좀 맡아 줘야겠어~
네.
그런데 바로 그날 밤에 나 또한 잘렸다는 거 아니니!
너도 파면이야!
왜…?
이 날 낮에 임금은 개성의 남성문루에 나가서 백성들을 위로하고 성을 지키겠다 약속하고 저녁 때 궁으로 돌아와서는 이렇게 된 데에는 내 죄도 있다며 나에게 죄를 묻고, 곧장 파면시켰지. 죄목은 아직 서울에 왜적이 도착하지 않았는데 바쁘게 임금이 서울을 떠나게 만든 죄야.
너무 성급했던 죄야.
콕콕
과연 그럴까요?

나는 곧 사람을 시켜 왜적이 어디까지 왔는지 서울의 상황을 살펴보게 했어.
서울
뭘 봐?
한편, 왜적은 부산 동래에서부터 길을 세 갈래로 나누어 올라오고 있었어. 그들은 조선 사정에 아주 밝아 거침없이 경기도까지 올라온 거야.
조선은 내 손 안에 있지.
조선
적의 깃발과 창검이 조선 천리에 뻗쳐 있었고 총소리를 아주 요란하게 울리면서 계속 진군해오고 있었어.
탕 탕 꺄오!
그런데 도원수 김명원이라는 자는 다가오는 적을 바라 보기만 할 뿐 나가서 싸울 생각도 못하고 무기 등을 아예 강물에 모두 던져 넣어 버렸어.
김명원
탕 탕
여기 숨어 있어야지.
또한 강원도의 원호는 군사 수백 명을 거느리고 여주의 길목을 지키고 서 있었는데 왜적은 이를 보고 처음에는 차마 강을 건너지 못했어.
왜 겁나냐?
으하하
으~
그렇게 며칠째 적이 강을 건너지 못하고 있는데, 강원도 순찰사 유영길이 그를 부르는 바람에 그는 강원도로 돌아가야만 했어.
이리 와.
총총총
이게 뭐야? 건너라고 순순히 길을 열어주는 거 데쓰까?
텅 텅
적들은 민가와 관아를 모두 뒤지고 부수어 나무를 모아 뗏목을 만들어서 강을 건너오기 시작했어.
캬캬캬
멍청이들.
하하
강을 타고 오는 중에 물에 빠져 죽는 사람도 많았지만, 이들을 막을 군사가 없었으므로 거의 모두 강을 건너 서울에 들어올 수 있었던 거야.
서울 접수!
꼬르륵
서울
이게 도대체 무슨 일이야, 잘 지키고 있던 것을 왜 빼냐고!
아이고

5월 3일. 세 갈래로 나뉘어 오던 왜적은 드디어 모두 서울로 들어올 수 있었어.
서울
하지만 성 안에 백성들은 이미 모두 흩어져 한 사람도 없었어. 백성들도 임금이 피란 가는 것을 보고 다들 피란을 떠났던 거야. 아무 저항 없이 서울을 접수한 왜적.
썰렁
이런 걸 무혈입성이라 하지.
다급해진 임금은 "경기도와 황해도의 군사를 모아 임진강을 지켜라!" 하고 장수와 군사들에게 명하고 또 다시 길을 떠났어.
잘 지켜.
자기는 도망가고 우리는 지켜야 하나?
우리들은 개성을 출발해 4일에는 보산까지, 5일에는 안성, 용천 지나 봉산까지, 6일에는 황주에, 7일은 중화를 지나 평양으로 들어왔어. 피란, 또 피란의 연속이었지.
평양
중화
황주
봉산
개성
한편, 전라도 순찰사 이광, 충청도 순찰사 윤국형, 경상도 순찰사 김수가 용인에 모였는데, 처음에 이들은 산 위에 있는 작은 보루를 보고 이를 얕잡아 보고 왜적을 시험해 보려고 산으로 올라가 활을 쏘았어.
슈슈슉슉
활을 아무리 쏘아도 적들이 나오지 않자 안심한 이들은 곧장 군사를 이끌고 돌격했는데
우와아아
별 거 아니다! 돌격하라!
결국 모두 왜적에게 붙잡히고 말았지.
무식한데 용감들 하셔~
돌격하라며?
속았다
이들 3명은 모두 문인이라 군사 일에 익숙하지 않았고, 군사의 수는 비록 많았지만 훈련이 안 돼 통일이 되지 않았어.
언제 싸워 봤어야 알지.

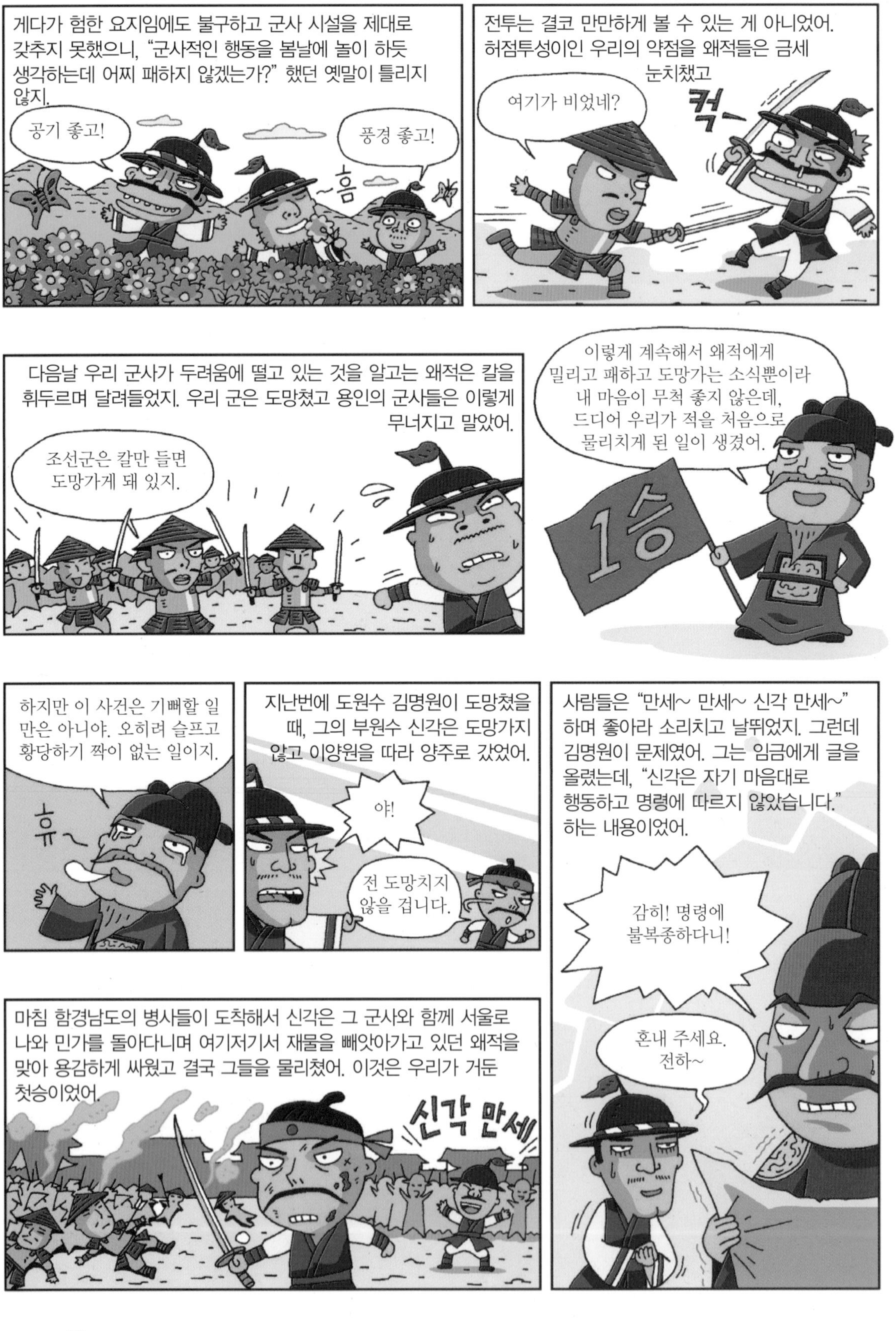
게다가 험한 요지임에도 불구하고 군사 시설을 제대로 갖추지 못했으니, “군사적인 행동을 봄날에 놀이 하듯 생각하는데 어찌 패하지 않겠는가?” 했던 옛말이 틀리지 않지.
공기 좋고!
풍경 좋고!
~흠
전투는 결코 만만하게 볼 수 있는 게 아니었어. 허점투성이인 우리의 약점을 왜적들은 금세 눈치챘고
여기가 비었네?
컥~
다음날 우리 군사가 두려움에 떨고 있는 것을 알고는 왜적은 칼을 휘두르며 달려들었지. 우리 군은 도망쳤고 용인의 군사들은 이렇게 무너지고 말았어.
조선군은 칼만 들면 도망가게 돼 있지.
이렇게 계속해서 왜적에게 밀리고 패하고 도망가는 소식뿐이라 내 마음이 무척 좋지 않은데, 드디어 우리가 적을 처음으로 물리치게 된 일이 생겼어.
1승
하지만 이 사건은 기뻐할 일만은 아니야. 오히려 슬프고 황당하기 짝이 없는 일이지.
휴~
지난번에 도원수 김명원이 도망쳤을 때, 그의 부원수 신각은 도망가지 않고 이양원을 따라 양주로 갔었어.
야!
전 도망치지 않을 겁니다.
사람들은 “만세~ 만세~ 신각 만세~” 하며 좋아라 소리치고 날뛰었지. 그런데 김명원이 문제였어. 그는 임금에게 글을 올렸는데, “신각은 자기 마음대로 행동하고 명령에 따르지 않았습니다.” 하는 내용이었어.
감히! 명령에 불복종하다니!
혼내 주세요. 전하~
마침 함경남도의 병사들이 도착해서 신각은 그 군사와 함께 서울로 나와 민가를 돌아다니며 여기저기서 재물을 빼앗아가고 있던 왜적을 맞아 용감하게 싸웠고 결국 그들을 물리쳤어. 이것은 우리가 거둔 첫승이었어.
신각 만세

상황을 잘 모르던 조정에서는 신각을 베어 죽여야 한다는 의견이 많았고 이윽고 형을 집행하러 사람을 내려 보냈어.
신각 죽이러 갑니다.
다그닥 다그닥
그런데, 신각이 적을 쳐부수었다는 소식이 뒤늦게야 조정에 전해진 거야.
끼약!
부르르
조정에서는 급히 사람을 보내 그를 죽이지 말 것을 명했지만
신각 살리러 갑니다.
따각 따각
이미 사람이 도착하기 전에 신각은 죽임을 당하고 말았지. 이런 어처구니 없는 짓이!
죽이면 안 돼!
엥?
잘 싸웠다고 상을 줘도 모자랄 판에 죽음이라니 말도 안 되지. 아~ 어이가 없구나.
상장
신각은 비록 무인이었지만, 평소 청렴했고 조심성이 많은 사람이었어.
돌다리도 두들겨 봐야지.
똑 똑
게다가 그에게는 90세가 된 늙은 어머니가 있었으므로 사람들은 신각의 죽음을 더욱 애통하게 여겼지.
흑흑흑
아이고~ 내 아들 돌려줘~
신각
특히 그가 살아 있을 때, 성을 쌓고 해자를 만들고 무기를 미리 준비해 둔 덕분에 훗날 연안성을 지킬 수가 있었거든. 사람들은 이 모든 것이 신각의 공이라고 했고, 그래서 더 깊이 슬퍼했어.
해자 – 성 앞에 땅을 파고 도랑처럼 만든 곳으로 적을 막아내기 위한 장치.
한편, 임금은 한응인을 파견해 평안도의 군사 3천 명을 데리고 가 임진강에서 왜적을 막아낼 것을 명했고,
평양
개성
임진강
김명원의 명령에는 따르지 말고 독자적으로 알아서 판단하고 행동하라고 했어. 이제 김명원은 더 이상 신뢰하지 않았던 거야.
명령이다!
김명원
한응인
흥

김명원은 당시 임진강의 북쪽에 있으면서 군사를 나누어 그곳을 지키게 하고 있었어. 왜적은 10여 일이 지나도록 건널 수가 없었지.
지키고 있으니 건널 수가 없어.
그런데 이때 왜적은 꾀를 내었어. 더 슬픈 건 우리가 그 꾀에 잘 걸려든다는 사실! 왜적은 진을 불태우고 도망가는 척하며 우리 군사를 유인한 거야.
지쳐서 그냥 갈란다.
정말?
장수 신할은 정말로 왜적이 도망가는 줄 알고 뒤쫓아 가기 시작했고, 또 다른 장수 권징도 그에 합세했어.
와아아
전략도 없이 용감하기만 했던 거지. 하지만 김명원은 이를 막을 수 없었어. 자신의 명령을 듣지 않을 테니까.
와아아
이때 한응인도 군사를 거느리고 그들을 추격하려 했는데, 그의 군사들은 북쪽의 오랑캐들과 싸운 경험이 많아 적의 형세에 대해 아주 잘 알고 있었기에 이것이 함정일지도 모른다 생각하고는,
장군! 잠깐만요.
?
군사들이 먼 데서 오느라 피곤하여 지쳐 있고 아직 밥도 먹지 못했습니다.
무기도 정비가 덜 되어 있는 데다 저들이 정말로 도망가는 것인지 아닌지 알 수 없으니, 조금 쉬었다가 내일 적의 상황을 보고 나가 싸워도 늦지 않습니다.
저… 저것들이…!
그러나 한응인은…
네가 지금 내 말을 거스르고 머뭇거리는 것이냐!
그… 그게 아니라.
라며 몇 명을 베어 죽였어. 본보기를 보인 거지.
착! 착!
윽!
윽!
감히….

이 광경을 보고 있던 김명원은 그것이 옳지 않은 줄 알고 있었지만 아무런 충고도 할 수 없었어.
착
난처하네.
한응인이 화를 내자 할 수 없이 군사들은 울며 적을 뒤쫓아 갔고
빨리 따라 와!
이때 왜적은 기다렸다는 듯이 산 뒤에 숨어 있다가 우리가 지나갈 때 확 덮쳤어.
속았지?
샤 샥
꺄
꺄
군사들은 달아나기 시작했고 강 언덕까지 도망왔지만 강을 건널 수는 없었지. 그래서 바위에서 스스로 몸을 던져 강물에 빠져드니 그 모습은 마치 바람에 어지럽게 날리는 나뭇잎과 같았지. 강물에 뛰어들지 못한 사람은 뒤에서 오는 적의 날카로운 긴 칼을 맞으니, 지옥이 따로 없었지.
꺄
으악
으악
푹
푹
풍덩
강 북쪽에서 이 광경을 보던 김명원과 한응인은 손도 쓰지 못하고 주저앉고 말았어.
맙소사.
어머나.
털
썩
그런데 이때 어떤 사람이 말을 타고 달아나는 것을 사람들이 김명원으로 착각하고는 "도원수 김명원이 달아난다."고 소리치자
김명원이 달아난다.
뭐?
두두두두
강을 지키던 군사들마저 모두 놀라 달아나기 시작했어.
에라~ 모르겠다 우리도 도망가자.
그토록 지켜야 한다고 임금이 명하고, 모두가 기도했지만 이렇게 무참하게도 임진강 방어선마저 무너지고 말았어.
임진강 방어선
툭!
흐흐흐…
그 후 왜적은 임진강을 건너 빠르게 진격해 왔으며 많은 사람들이 왜적에게 붙잡혔는데, 왕자인 임해군과 순화군도 붙잡혀 갔지.
살살 다뤄주시오. 우린 왕자요.
시끄럿!

한편 함정호라는 사람이 서울에 있다가 왜적의 장수 가토 기요마사에게 붙잡혀 함경북도에 갔었는데
가토! 날 어디까지 끌고 가는 거야?
너도 시끄럿!
가토
함경북도
나중에 왜적들이 물러날 때 도망쳐 와서는 그가 겪은 그곳 소식을 전해 주었어.
내가 다 이를 거야!
가토 기요마사는 적장 중에서 가장 용맹하고 싸움을 잘 했는데, 그가 장수 고니시 유키나가와 함께 임진강을 건너 안성에 이르렀을 때였어.
가토 기요마사
고니시 유키나가
그들은 두 갈래로 나누어 함경도와 평안도를 칠 것에 대해 의논했어. 그 결과 고니시 유키나가는 평안도로, 가토 기요마사는 함경도로 가게 되었지.
난 이쪽
난 저쪽
평안도
함경도
가토 기요마사는 안성 사람 둘을 붙잡아 길을 안내하라고 했는데 그들이 알지 못한다 거부했더니 그 중 한 사람을 바로 죽였어.
으악
착
결국 다른 한 사람이 벌벌 떨며 길을 안내하겠다고 했지.
제… 제가 안내할게요.
진작 그러지?
덜덜덜
그 후 하루에 수백 리를 거침없이 진격해 나가는데 마치 폭풍이 지나가는 것 같았대.
두두두두
함경북도의 장수 한극함은 군사를 몰고 나와 적에게 맞섰는데, 다행히 그 쪽 병사들이 말 타기와 활쏘기를 잘해서 적들은 버티지 못하고 창고 안으로 숨어들어 갔어.
핑핑
일단 숨자.
군사들은 "날도 저물었으니 좀 쉬었다가 날이 새면 다시 공격합시다."라고 말했는데, 한극함은 이를 듣지 않고 군사들에게 적을 포위하라고 막~ 명령했어.
명령이야! 포위해!
한극함
할 수 없이 군사들이 창고에 들어가 보니, 왜적들이 창고 안에 곡식을 높이 쌓아 성을 만들고 그 속에서 조총을 쏘아대는 거야.
윽
윽
탕
퍽
퍽
탕

한 번 총알에 맞으면 꼭 총알이 몸을 관통해 3, 4명씩 그냥 쓰러지니 우리 군사는 차츰 무너지기 시작했지.
윽
큭
컥
피융
한극함은 할 수 없이 군사를 데리고 나와 고개 위에 진을 치고 날이 밝기를 기다렸지. 그런데 적들은 어느새 창고를 기어 나와 우리를 포위하고 있었던 거야!
살금
살금
다음 날 아침은 유독 안개가 많이 끼어 사방을 분간 못하는 상황이었고, 왜적이 고개 아래 있겠거니 생각했던 우리 군은 뒤통수를 얻어맞게 된 거지.
하나도 안 보이네.
퍽
아얏!
갑자기 '펑' 하는 총소리와 함께 사방에서 밀려오는 적들의 함성소리. 우리 군은 놀라 도망치고 왜적은 끝까지 뒤쫓아 잔인하게 베어 죽이니, 피 흘리며 죽어간 병사의 수를 헤아릴 수 없었지.
푹
푹
푹
푹
그들의 비명소리가 들리는 것 같아. 이렇듯 장수들의 현명하지 못한 전략이 결국 모든 화를 부르고 만 거야.
한편, 여러 장수가 싸우다가 붙잡히거나 죽고, 도망하여 임금을 호위할 군사가 없었는데, 곧 적이 들이닥칠 거라는 흉흉한 소문 속에 이일이 평양에 도착했어.
아니! 자네!
살아 있었군.
충주 싸움 기억나니? 거기서 패한 이일이 강을 건너 강원도까지 갔다가 이곳으로 오게 된 거야.
어쨌든 살아 있어. 다행이야~
이일은 여러 장수 중에서도 이름이 알려져 있고 비록 싸움에서 패해 도망 온 상황이었지만, 그가 왔다는 소식에 모두들 기뻐했지.
돌아오니 든든하구… 욱!
반가… 욱! 냄새….
이일은 여러 번 싸움에 져서 그 행색이 매우 초라했어. 패랭이를 쓰고 흰 베적삼을 입고 짚신을 신고 있었고 얼굴은 무척이나 수척해서 보는 사람마다 모두 안타까워했지.
이일
꼬질 꼬질
으~ 냄새가 독해서 눈이 다 따가워~

나는 그에게 "여기 사람들이 당신을 믿고 의지하고 있는데, 그렇게 말라서야 사람들을 위로할 수 있겠습니까?" 라고 말하며 옷가지를 구해다 주었어.
일단 이거라도 입게.
남색 비단 옷과 모자와 갓끈을 구해주니 그럭저럭 봐 줄 만하게 되었는데, 신발만은 구하지 못해서 짚신을 신을 수밖에 없었지.
신발은?
내가 웃으면서 "비단 옷에 짚신은 좀 안 어울리기는 하네." 했더니 주위에 있던 사람들도 모두 웃었어. 전쟁 중이었지만, 가볍게 우리는 웃을 수 있었어.
하 하 하 하 하
웃지 마! 신발이나 구해 와~.
하지만 이렇게 웃는 분위기도 잠시! 왜적이 봉산에 이르렀다는 소식이 급하게 도착했어.
오다보니 벌써 여기네.
평양
봉산
내가 "왜적들이 분명히 대동강 밖에까지 와 있을 것입니다. 이 강 사이에 누각이 하나 있는데 그 아래에서 강물이 둘로 갈라집니다. 그 곳은 깊이가 얕아 사람이 건널 수가 있을 정도인데, 이곳을 만약 왜적이 건너기라도 하게 되면 정말 큰일입니다. 이일을 급히 파견하여 그곳을 지키게 하도록 하는 게 어떻겠습니까?" 라고 말하니
탁
여기.
음~
대신들이 찬성을 했고 나는 이일을 곧 파견했지.
그렇게 합시다.
그가 데리고 온 군사는 겨우 10여 명이었으므로, 나는 다른 군사를 더 붙여 주었어.
이일
이일은 처음엔 길을 잘 몰라 헤매기도 했지만, 주위의 도움으로 무사히 강에 도착할 수 있었어.
이쪽입니다. 장군.
아… 알아.
그런데 실제로 왜적이 있는 곳에 가보니 그곳은 성으로부터 불과 10여 리 떨어진 곳이었다고 해. 정말 코앞에 왜적이 진을 치고 있던 거지.
우리 마누라보다 가까이 있네….
10리
이일이 강의 남쪽을 바라보니 적의 숫자가 이미 수백 명이 넘었는데, 이일이 급히 군사를 시켜 활을 쏘게 했어.
활을 쏘아라~.
덜덜덜

군사들은 처음에는 적을 무서워해 앞으로 나아가지 않았지만, 이일이 칼을 빼어들고
내 손에 죽을래, 아님 왜적과 싸울래?
하며 겁을 주니, 곧장 병사들은 앞으로 나가 활을 쏘기 시작했어. 용기를 얻은 우리 병사의 공격에 강 언덕 가까이까지 온 왜적들은 화살에 맞아 거꾸러졌고
슝슝슝
퍽
으악
퍽
으악
우리는 그곳을 지킬 수가 있었지.
해볼 만 한 거 같아.
휴~
왜적은 이렇게 잠시 물러가 버렸고
두고 보자.
이곳을 이일은 계속해서 그렇게 지키고 있었어.
끝까지 지킬 테다~.
그나마 이일이 이렇게 돌아와 지켜낼 수 있었으니 천만 다행이었어.
언제까지 지킬 수 있나 두고 보자.

명나라에 SOS를 치시오!
제6장
- 계속되는 패전, 빼앗긴 평양성
명
SOS
뚜뚜

한편, 명나라 요동성의 관리가 임세록이라는 사람을 조선에 보내 상황을 살펴보게 했어.
임세록
명
조선

때마침 6월 1일에 임금은 내게 복직을 명했고 나는 바로 그 날 임세록을 맞이하게 되었어.
어서 오세요.

사신을 맞이할 사람이 필요했는데, 내가 저번에 파직 당했잖아.
그랬어?

당시 요동에서는 왜적이 조선에 침입한 지 얼마 안 되 평양까지 이르렀다는 말에 조선이 왜적의 앞잡이가 되어 길을 그냥 열어주고 있는 것이 아닌가 의심하고 있었어.
의심 의심
우리가 강한 거야.
평양

나는 임세록과 함께 평양성의 정자에 올라 주변을 살펴보고 있었는데, 때마침 왜적이 대동강 숲에서 나타났다가 숨는 거야. 내가 그것을 가리키며 “저것이 왜적의 척후병(정찰병)입니다. 우리의 상황을 살피러 나온 거지요.” 했어.
사삭
쥐새끼처럼 왔다갔다 하는구먼.

임세록은 왜적이 태연하게 왔다갔다 하는 모습을 의아하게 여겨 "왜적의 군사라면 그 수가 왜 저렇게 적은 것입니까?"하고 물었고
왜지?
나는 "왜적은 매우 꾀를 잘 부립니다. 뒤에 많은 군사가 있어도 저렇게 먼저 몇 명만이 와서 정탐을 합니다.
우린 꾀돌이.
찍찍
만약 저것을 보고 가볍게 생각했다가 큰일을 당할 수 있습니다. 사실 저희는 당한 경험이 있지요." 하고 설명해 줬어.
쥐새끼들…
샤샤샥
임세록은 이것을 보고하기 위해 급히 길을 떠났어. 우리는 명나라에 구원병을 이렇게 요청했지.
허둥 지둥
구원병 빨리 보내줘~.
명
한편, 사태가 위급해지자 평양성에서는 임금이 평양을 떠나려 한다는 소문이 쫙 퍼졌고, 사람들이 저마다 마을을 버리고 도망을 가려 해 임금은 세자에게 "대동관 문에 나가서 성 안의 사람들을 모아놓고 평양성을 굳게 지키겠다는 약속을 하여 그들의 마음을 잘 타이르도록 하여라." 명하셨어.
세자
여러분 제 말을 믿으세요.
그런데 사람들이 나와서 세자의 말을 듣고는
저희들은 동궁마마의 말씀만 갖고는 믿지 못하겠나이다.
반드시 상감마마께오서 나오시어 타이르는 말씀을 들어야 믿을 수 있을 것 같습니다.
라고 하는 거야. 그만큼 불안했던 거지. 개성에서도 안 떠날 것처럼 하다가 이렇게 평양까지 오게 되었으니까.
상감마마를 불러주시오
그래서 다음날 임금은 직접 대동관 문에 나가 타이르길…
나는 평양성을 떠나지 않을 것이니 안심하고 성에 머물도록 해라.
그러자 사람들이 엎드려 절을 하고 모두 통곡하며 그 명을 받들었고
아이고~ 전하~
엉엉
흑흑
휴
마을을 떠나 산골짜기에 숨어 있던 많은 사람들이 성으로 다시 돌아오니, 성 안은 곧 백성들로 가득하게 되었어.
북적 북적
바글 바글
평양성

이는 모두 불안에 떨고 있는 백성을 잘 타이른 결과라 할 수 있지.
그런데 문제가 곧 생기고 말았어. 왜적이 대동강 변에 나타나자 몇몇 궁인들이 그만 먼저 성을 빠져 나온 거야.
김 내시 같이 가~.
이를 보더니 백성들은 "저렇듯 성을 버리고 떠날 것을 우리에게는 왜 성을 지키겠다고 거짓을 말한 거냐!"하며 화를 냈고
또?
결국 속았다는 생각에 폭동을 일으켰어.
나는 연광정에서 임금이 계시는 곳으로 가던 길에 부녀자와 어린 아이들의 모습을 보았는데, 그들은 매우 화난 얼굴로 소리질렀어.
성을 버리고 가실 거면서 왜 우리에게는 성에 들어오라 하셨습니까?
우리들만 왜적의 손에 들어가 그들의 고기가 되어야 합니까?
성문 안으로 들어오니 상황은 더 심각해서 모두들 팔소매를 걷어 붙이고 사람들을 마구 때리는 거야.
퍽
으악
퍽
퍽
으악
퍽
퍽
성 안의 여러 대신들도 궁인들도 어쩌지 못하고 다만 두려움에 떨고 있었고 난 이들이 성 안으로 밀고 들어올까 걱정이 되어 일단 성 밖으로 나갔어.
큰일이다.
폭동이다, 폭동.
그러고는 사람들 중 나이가 들고 수염이 많은 사람에게 손짓하며 "이리 잠시 와 보시오." 하고 불렀지.
왜 그러시오?
알고 보니 그는 지방의 관리였고, 나는 그를 이렇게 타일렀어.
너희들이 힘을 합쳐 성을 지키고 있으니 우선 참으로 고맙다. 나라를 위하는 충성이 지극하구나.
하지만, 이런 일로 난리를 일으키고 궁문까지 가로막고 있으니 이는 놀랄 일이 아닐 수 없구나. 조정에서 성을 지킬 것을 간곡히 청하였고 상감마마께서도 그리 명하시고 약속을 했는데, 대체 무슨 일로 이렇게 소란을 떠는 것이냐?

이 뜻을 여러 사람에게 잘 알리고 물러가게 하여라. 그러지 않는다면 너희들은 중죄를 범하게 되는 것이니 그때는 내 용서치 않을 것이야!
깜짝
그러자 비로소 그는 몽둥이를 버리고 두 손 모아 싹싹 빌었지.
소인들은 상감마마께옵서 성을 버리려 하신다는 말만 듣고 이런 짓을 했습니다.
싹싹
지금 말씀을 들으니 저희들이 한 짓이 잘못된 것임을 알겠습니다. 그리고 성을 반드시 지켜 내시겠다는 말씀을 들으니 가슴에 맺힌 원한이 풀리는 것처럼 아주 속 시원합니다.
휴~
나머지 사람들에게 나의 말을 전했어. 그 말을 듣고는 사람들은 겨우 진정하고 물러갔지.
잘 알았지?
정말?
그럼 그만 가자!
하지만 적들이 가까워 온다는 말을 듣고 대신들은 피란을 가야 한다고 매일 강하게 주장했어.
전하, 지금 당장 피란을 가셔야 하옵니다.
그렇사옵니다~ 통촉하여 주시옵소서.
하지만, 나의 생각은 달랐어.
전하. 피란을 가시면 아니 되옵니다!
뭐야?
전하, 지금의 상황은 서울에 있을 때와는 다릅니다. 서울에서는 군대와 백성이 함께 무너지는 바람에 어쩔 수 없이 피란을 가야 했으나
왜 자꾸 다가와
지금 평양성의 앞은 강물이라 가로막혀 있고, 무엇보다 성을 지키겠다는 백성들의 마음이 매우 강합니다.
아~
또 며칠만 버틴다면 명나라의 구원병이 올 것이고 굳이 피란을 간다면 의주성에 가기 전까지는 평양성을 대신할 만한 성이 없으므로 도중에 위험에 처할 수 있고 그렇게 되면 괜히 일을 그르치는 수가 있습니다.
설득력 있어
평양의 백성들이 왜 내 말에 순종하며 물러났겠어? 그것은 바로 내가 성을 지키겠다는 의견을 내세웠다는 말을 전했기 때문인걸. 나는 피란을 가야 한다고 주장하는 대신들을 비난했지.
부끄러운 줄 알아야지.
씨~익

하지만, 안타깝게도 이미 임금은 성을 나가기로 결심을 했고
휙
미안
끄아
단지 어디로 가야 하는지만 정하지 못하고 있는 난감한 상황이었어.
어디로 갈깝쇼?
글쎄?
좋은데 아는데…
나만 몰랐나?
대신들은 "함경북도 지역이 외졌고 길이 험하여 난리를 피하여 갈 곳이 될 것입니다."라고 말했지만, 당시 함경북도는 왜적의 소굴이었어. 왜적은 함경북도를 이미 장악하고 있었고 그 길을 막고 있었기 때문에 그쪽 소식을 우리만 전혀 몰랐던 거야.
빨리 이쪽으로 와라~ 와라~
함경북도
어서 와~
어여 와~
큰일 날 뻔 했어.
막 북으로 갈 대신들을 명하고 길을 떠나려 하는데, '정말 이러다간 안 되겠다.' 싶어 나는 온몸으로 나서서 아주 강하게 피란을 말리기 시작했어.
뭐하는 짓이냐?
못 가!
바둥
바둥
전하, 전하께오서 서쪽으로 피란을 오신 것은 원래 명나라 군사의 도움을 받고자 한 것입니다. 그런데 우리가 북으로 더 깊이 들어갔다 중간에 왜적이 길을 가로막으면, 우린 명과 연락을 할 수 없게 되어 버립니다!
벌떡
착
음.
또 왜적들은 이미 전국 각지에 흩어져 들어와 있는 상황인데 어찌 함경북도만이 예외일 거라 생각하십니까?
쫘~악 깔렸지
만약 그리로 가 왜적에게 쫓긴다면, 우리는 이제 도망칠 곳이 없습니다. 게다가 북쪽의 오랑캐와도 맞닥뜨리게 되겠지요.
쩝쩝
욱
쩝쩝
지금 조정의 대신들이 북으로 가자 하는 것은 다 사사로운 이유가 있기 때문입니다.
안 돼! 그만! 말하지 마~

그것은 여러 대신들의 가족이 그쪽으로 피란을 가 있는 경우가 많기 때문입니다.
꿀꺽
저의 늙은 어머니도 동쪽으로 피란을 갔다고 합니다. 그러면 분명 강원도나 함경도 근처로 가셨을 텐데, 저라고 해서 왜 그리로 가고 싶은 마음이 없겠습니까?
그러니까 가자고!
허나, 나라를 생각하는 큰 뜻이 저들과 다르기에 지금 제가 이렇게 간곡히 청을 드리는 것입니다. 전하.
혼자만 애국자군?
쳇
나는 눈물을 흘리며 간곡히 청했어. 임금은 나를 불쌍하게 여기며 "그대의 어머니는 어떻게 지내는지… 과인의 탓이로구나!" 했지.
미안하다…
흑
미워
흑
정말 마음이 찢어지듯 아팠어.
흑흑흑
엉엉
에이~씨 왜 울리고 그래~
킹~
인간극장 이야?
흑
한편, 이때 왜적은 대동강변에 이른 지 3일쯤 되었어.
평양
대동강
어느 날 우리들이 연광정에 있으면서 강 저쪽을 바라보니, 한 왜적이 나무 끝에 작은 종이를 매달아 강가 모래에 꽂고 돌아가는 거야.
?
후다닥
사람을 시켜 그것을 가져오게 했는데, 나뭇가지에는 편지가 달려 있었어.
연애편지?
썰렁해.
이것을 열어 보았더니, "조선의 예조판서 이덕형에게 글을 올립니다."라고 되어 있었고, 내용은 서로 만나 강화를 협의하자는 것이었어.
자넬 부르네?
이 덕형
나?
이덕형이 작은 배를 타고 건너가 야나가와 시게노부와 겐소를 만났는데
왜 불러?
겐소
야나가와 시게노부

그들은 "일본이 길을 빌려 중국에 가고자 하는데, 조선이 이를 허락하지 않아 일이 이렇게 된 것입니다. 지금이라도 길을 내주면 아무 일도 없을 것입니다." 하고 말했어.
허락해줘~
하지만 이덕형은 군사들을 먼저 물러가게 한 후에 강화를 논의하자고 주장했고, 이에 그들은 또 불손한 태도로 항의했지.
뭐?
이자슥이!!
쾅
쾅
이렇게 이덕형이 건너가서 한 강화 협의는 끝이 났어. 그러고는 왜적 수천 명이 몰려와 대동강 동쪽 언덕에 진을 쳤어.
부셔 버리겠다! 평양성!
상황이 너무나 긴박한 나머지 6월 11일 임금은 평양성을 떠나 결국 영변으로 향했어.
영변
평양
일부 대신은 임금을 따라갔고 나를 포함한 일부는 성에 남았지. 성 안의 군사와 장정들을 합쳐 3, 4천 명이 되었는데 나는 이 인원을 나누어 성첩에 배치했어.
하지만 훈련이 되어 있지 않았으므로 당연히 일사불란하게 움직일 수가 없었지. 이렇게 우리는 적을 막을 준비를 했어.
우왕 좌왕
대동강변의 적을 바라보니 그리 숫자는 많지 않았지만 그들은 곧 말을 타고 강을 그대로 쭉 건너오기 시작했어.
두 두 두 두 두 두 두
그들은 칼을 등에 메었는데 햇빛이 칼날에 비치자 번쩍 번쩍 빛나 보였어.
번쩍 번쩍
이윽고 6~7명의 왜적이 강가에 이르러 조총을 쏘아대니 그 소리가 매우 컸고, 탄환이 강을 건너 성 안으로 들어오기도 했어.
꺅!
탕
슈웅
팍!!

그 중 붉은 옷을 입은 왜적 하나가 우리가 연광정 위에 모여 앉은 것을 보고 장수들로 알고 총을 겨누어 두 사람을 맞혔어.
으악
퍽
퍽
하지만 다행히 거리가 멀어 크게 다치지는 않았지.
아이고 우리 죽는 건가….
엄마
나는 얼른 군사를 시켜 화살을 쏘게 했고, 이를 본 김명원은 화살을 잘 쏘는 사람을 뽑아서 배를 타고 강 중간까지 나가 왜적에게 대항하게 했어.
핑
핑
핑
탕
탕
우리는 적을 향해 현자총(불화살을 쏘는 대포)과 화전(불화살)을 쏘아댔어.
펑
슈슝
이 무기는 왜적들이 두려워하던 것들이었지. 왜적들은 불화살에 놀라 비명을 막 지르며 흩어져 있다가 "이게 대체 뭐지~? 뭐야~?"하며 화살이 떨어진 곳으로 달려와 구경하기도 했어.
피슈슉
이때는 오랫동안 비가 오지 않았던 때라 강물이 점점 말라가고 있어서 우리는 단군과 기자, 동명왕의 묘를 돌아다니며 비가 오게 해달라고 간절히 기도 했어.
비나이다~
비나이다~
지금은 물이 깊어 적들이 건너오지 못하지만, 이대로 간다면 강 상류는 얕으므로 왜적이 그곳을 통해 건너오게 될지도 모릅니다.
큰일입니다.
나와 대신들은 이렇듯 걱정을 했고, 이에 김명원은 "이윤덕에게 명령하여 반드시 강을 지키게 하겠습니다."하고 맹세했어.
맹세 합니다
이윤덕
김명원
나는 "이윤덕만을 어떻게 믿고 홀로 내보낼 수 있습니까?" 하고 순찰사 이원익도 함께 나가 강여울을 지키게 했고 그들은 명에 따라 강으로 나가게 되었지.
날 못 믿나?
이원익

한편 나는 그때 당시, 명나라에 관련된 일만 처리하고 있었고 군사와 관련된 일에는 깊이 참여하지 않았었어.
나 좀 봐줘
명나라
군사
하지만 가만히 생각해 보니 상황이 좋지 않았고 꼭 나라가 망할 것만 같은 불안감이 들었지.
불안 초조
그래서 가만히 기다리는 것보다 명나라 장수를 마중나가 하루라도 빨리 명나라의 구원을 받아야겠다 생각했고, 그날 밤 곧장 종사관 홍종록과 신경진을 데리고 길을 떠났어.
신경진
홍종록
그리하여 다음날 숙천을 지나 안주에 이르러 임세록을 만나 그의 서신을 받아가지고 성으로 다시 돌아올 수가 있었지.
땡큐! 임세록!
다음날 임금이 영변을 떠나 박천으로 향하자 나도 박천으로 갔어. 그때 임금이 나에게 물었어.
나라를 지킬 수 있겠더냐?
예, 백성들의 마음이 굳건하여 지킬 수 있을 것 같습니다. 허나, 명나라가 구원병을 빨리 보내지 않으면 어려울 것 같습니다.
음~
아직까지 구원병이 도착하지 않고 있는 것을 보니 그저 안타깝기 짝이 없습니다.
흠~
어제 이미 노인과 어린이들을 모두 성 밖으로 나가게 했다는데 어떻게 성을 지킬 수 있겠는가?
임금은 좌상 윤두수가 보낸 글을 보여주었어.
제가 거기 있을 때까지는 그러지 않았습니다.
봐라~
아마 왜적은 얕은 물로 건너올 것이니, 마름쇠*를 물속에 깔아둬야 할 것입니다.
깨오~
마름쇠

*마름쇠 바닥에 뿌려 적의 길을 막는 무기

그 고을에 있는 마름쇠 숫자를 알아보니 다행히 수천 개가 되었으므로 임금은 "이를 어서 평양으로 보내라."고 명했지.
어서 가거라
음~메
그리고 나는 또 평양 서쪽 지역의 여러 마을은 백성들도 많고 창고도 많이 있지만 적이 오면 두려움에 도망갈 수 있으니, 사람을 한 명 보내어 그들을 안심시키고 군사를 수습해 평양을 구하도록 하는 것이 좋겠다고 말씀을 드렸어.
굿 아이디어!
임금이 그곳에 보낼 사람을 추천하라고 하여 이유징을 추천했고, 시간이 없으니 밤새 달려 명나라 장수를 맞이해 그들이 오는 때를 의논하겠습니다."하고 하직 인사를 하고 물러나왔어.
이랴
두두두두
그리고는 대정강에 이르렀는데, 고개를 돌려 바라보니 들판에 군사들이 흩어져 달아나는 모습이 보이는 거야.
허둥 지둥
이쪽으로 도망오던 강여울을 지키던 사람들의 말이
어제 왜적들이 강을 건너 강가를 지키던 군사들이 다 무너지고 병사 이윤덕이 도망을 갔습니다.
우리들은 모두 그저 놀랄 수밖에 없었어.
아, 이렇게 평양성마저 왜적의 손아귀에 들어가고 마는 것인가….
컥
컥
평양성을 왜적에게 빼앗기게 된 과정은 이래.
적병이 대동강 모래 위에 진을 치고 있었는데, 여러 날이 지나도록 왜적은 강을 건너지 못했고 비도 만만치 않게 내렸어. 이것을 본 김명원이…
쏴아아아
밤에 몰래 적들을 공격할 수 있을 것이오. 날랜 군사를 뽑아 기습 공격합시다.

자정에 일을 도모하기로 했지만, 시간이 지체되어 새벽이 되었고 왜적이 아직 안 일어난 것을 보고 먼저 공격했어.
이야아아
엥?
그리고는 적들을 많이 죽였고 말을 300여 필이나 빼앗았어.
꺄오!
그런데 문제는 지금부터였지. 갑자기 여러 곳에 있던 왜적들이 사방에서 몰려와 달려드는 거야.
이얍!
꺄악
놀란 우리 군사는 배가 있는 곳으로 도망치기 시작했고, 배에 타지 못한 자들은 왜적의 칼에 비참하게 죽임을 당했지.
푹
같이 가~
그런데, 이때 일부 병사가 강물이 얕은 곳인 왕성탄으로 건너가는 것을 보고, 적들이 알아차린 거야.
!
첨벙 첨벙
저곳이 얕으니 저쪽으로 강물을 건너가 총 공격하라!
첨벙
들켰다!
첨벙
많은 군사들이 휘몰아 강물을 건너오기 시작했고, 우리 군사들은 흩어져 도망치기 시작했어. 하지만, 왜적들은 무척 신중했지. 혹시 성 안에 군사들이 있을까봐 의심하여 들어오지 않았어.
후다닥
조심 조심
그날 밤 윤두수 등은 성문을 열어 사람들을 다 내보냈고 무기를 강물에 모두 버렸어. 왜적은 모란봉에 올라가 평양성을 살펴보고는 안에 아무도 없는 것을 확인하고 성에 들어왔어.
음~ 진짜 없군!
너무 소심해.
정말 어렵게, 어렵게 성을 지켜 왔건만 이렇게 쉽게 왜적의 손에 평양성마저 넘어가게 되다니! 이런 슬픔이 또 있나.
게다가 더 화나는 건 예전에 임금이 평양성에 있을 때, 조정에서는 식량이 부족할 것을 걱정해 인근 마을의 식량을 모두 모아 평양성에 저장해 두었다는 사실이야. 그거면 많은 사람의 목숨을 구할 수가 있는데, 그마저 모두 왜적의 손에 넘어가게 되어 버렸어.
꺽~

한편, 임금은 정주로 갔다가 다음날에는 또 선천으로 향하면서 나에게는 정주에 그대로 남으라고 명했어.
거기 있어
네~
이때는 이미 계속되는 피란에 인심이 안 좋아져서, 가는 곳마다 백성들이 창고에 들어가 곡식을 약탈해 가곤 했지.
나는 길가에 엎드려 눈물을 흘리며 임금의 떠나는 길을 전송했어.
조선은 어디로 가는 겁니까?
흑흑
나도 몰러
저녁 무렵에는 또 다른 문제가 생겼는데, 바로 창고 밑에 모여든 굶주린 백성들이 몇백 명이나 된다는 소식이었어. 만약 백성들이 폭동을 일으킨다면 막기 어려울 거란 생각이 들었어.
으르릉
워~워~
나는 곧 이들을 먼저 수습하기로 했지. 군사를 시켜 창고를 터는 자 9명을 잡아오게 해서 머리를 풀게 하고 손을 묶고 옷을 벗겨 길가에 머리를 돌려 보이며
창고를 약탈하려는 자는 모두 도적으로 알고 머리를 쳐 높은 곳에 매달아 두겠다!
이렇게 겁을 주니 사람들은 놀라서 달아났어.
으아~ 도망가자.
우르르
흔들
흔들
이 일을 해결하고 나는 정주를 김명원과 다른 장수에게 지키게 하고 임금을 따라 용천으로 떠났어.
잘 지켜!
옛!
정주
곽산산성을 지날 때 양 갈래 길이 나왔는데
저 길은 뭐지?
용천
내가 그 곳을 잘 아는 사람에게 "양 갈래 길 중에 다른 한쪽 길은 어디로 가는 길인가?" 물으니
이쪽은 귀성으로 가는 길입니다.
귀성이라….

이윽고 나는 한 병사와 종사관 홍종록에게 이렇게 말했지.
연도 지방의 창고가 텅텅 비어 있다고 하니, 명나라 군사가 오면 당장 식량이 없어 어찌 하겠는가?
모르죠
귀성 지방은 저장된 곡식이 있는 모양이지만, 백성들과 관리들이 모두 흩어져 그 곡식을 운반할 수가 없다고 하니 그대들이 힘을 모아 그것을 운반해 오라.
저희가요?
뒷날 반드시 큰 상으로 보답해 주겠다.
그럼 해야죠
덥썩
그들은 곧장 길을 떠났고 나도 갈 길을 재촉했어.
한편, 임금은 의주에 도착했고, 명나라 장수 대모와 사유가 각각 부대를 이끌고 평양성으로 가던 중 평양성이 함락되었다는 소식을 듣고 의주로 와서 머물게 되었어.
대모
사유
의주
평양성에서 왜적이 금세라도 나와 공격할 것 같았지만, 다행스럽게도 왜적은 성 안에서 나오지 않았어.
잠~잠
왜 꼼짝 않는 거지?
그렇게 되니 민심이 조금씩 안정되어 갔고 남아 있는 군사를 모을 수가 있었어.
샤샥
샤샥
언제까지 도망만 가야 하는지 걱정하며 명나라의 군대가 오기만 기다리고 있었는데, 마침 명나라 구원병을 맞아들이게 된 거지.
명
너무 반갑다, 짜식들~
그리고 결국에는 이로 인해 나라를 구할 수 있게 되니, 이는 모두가 하늘의 뜻이 아니었겠니! 여러 상황이 딱딱 맞아 들어가는 것이 말야.
드디어 7월에 명나라 장수 조승훈이 군사 5천 명을 데리고 우리를 도우러 온다는 소식이 전해져 왔어. 정말 다행이야.
두둥
조승훈
명
내가 살려주마, 조선.

그런데 나는 이때 몸이 안 좋아 자리에서 꼼짝을 할 수가 없었거든.
아이고
끙 끙
그래서 임금께서는 윤두수에게 나 대신 군량을 살피라고 했지.
자네가 대신 좀 해~.
윤두수
하지만 윤두수가 원래 맡고 있던 일을 대신 할 사람이 없었으므로 나는 아픈 걸 참고 직접 나가 일을 처리하겠다고 했고 임금은 허락했어.
그냥 제가 할게요.
휘청
멀쩡하네?
임금은 나의 병을 걱정했는지, 인사를 드리고 막 나가려는데
잠깐 유성룡!
약을 몇 가지 주었지.
이거 먹고 기운내~.
저… 전하, 성은이 망극하옵니다.
두근 두근
길을 출발해 저녁에 소곶역에 도착하니 관리와 군사들이 다 도망가 사람의 그림자는 보이지도 않았어.
개미 새끼 한 마리 없네?
텅 텅
군관을 시켜 겨우 성을 다 뒤져 몇 사람을 데리고 나왔어. 그리고는 애써 그들을 타일렀어.
너희들이 평소 열심히 일해서 기른 것들은 오늘같이 어려운 날에 쓰라고 있는 것인데, 어찌 도망을 간다는 말이냐?
근데 누구야?
무서우니까요.
명나라의 구원병이 곧 도착할 텐데 너희들의 도움이 아주 급하구나. 너희들이 나라를 위해 공을 세울 때가 왔도다.
저희 가요?
라고 말한 후 나는 모인 백성들에게 공책을 열어 보였어.
활짝
이 공책에 공을 세운 자들의 이름과 세운 공의 내용을 낱낱이 적을 것이다. 그리고 훗날 이 기록을 임금께 보여드려 그 공을 세운 자에게는 상을 내리고, 여기에 이름이 없는 자에게는 벌을 내릴 것이다.

그러자…
저희들은 잠시 볼일이 있어서 나가 있던 것이지 성을 비운 게 아닙니다요.
저도 여기 있었어요.
전 아까부터 이미 붙들고 있었습니다.
거짓말
사람들이 연이어 모이기 시작했어.
저는 김말똥이오.
저는 개똥이 입니다.
응? 나도 개똥인데….
이름들이 다 왜 이래?
나중에는 서로 자기가 하겠다고 다투어 나무를 해가지고 오거나 풀을 옮겨와 밥을 짓기도 하고, 가마솥을 걸어 놓기도 하고 차츰 차츰 일이 이루어지기 시작했어.
흐뭇~
그렇게 일이 수습되고 정주에 나가 보니, 종사관 홍종록이 귀성에서 모아온 곡식이 2천여 석이었고, 아산으로 가려던 곡식이 정주에 머물고 있는 등 마치 약속이라도 한 듯 제때에 군량이 모이기 시작했어.
수고했네. 계획대로 잘되고 있어….
나는 기쁜 마음에 임금께 이런 상황을 말씀드렸어.
먼 데 있는 곡식이 이렇듯 때를 맞춰 모이는 것을 보니, 하늘이 우리를 구해주는 것 같습니다. 이것을 군량에 보태옵소서.
툭툭
오~ 좋아! 훌륭해.
한편, 명나라 병사 조승훈이 의주에 도착하자 사유는 그의 선봉장이 되었어.
조승훈
사유
두근 두근
네가 선봉이다.
좀 떨리네요.
조승훈은 요동 지방의 오랑캐를 물리친 공이 있어, 이번에도 왜적을 물리칠 자신이 있다고 큰 소리로 말했지.
평양성에 왜적이 아직도 있소?
자신 만만!!
예, 아직 물러가지 않았습니다.

이는 하늘이 나에게 공을 세우라고 기회를 주는 것이로다!
이날 그는 순안에서 군사를 출발시켜 평양성을 공격하게 했어.
공격하라!
와
와
평양성
하지만, 적을 무찌르기엔 아직 일렀지. 마침 큰 비가 와서 성 위를 지키는 군사가 없었던 데다가, 명나라 군사는 칠성문을 통해 성 안으로 들어갔는데 길이 꼬불꼬불해서 말조차 달릴 수 없는 험한 길이었거든.
칠성문
꼬불
그런데 여기에 왜적이 숨어 있다가 조총을 마구 쏘아댔어. 사유는 총에 맞아 전사했고 조승훈은 가까스로 군사를 후퇴시켰어.
후퇴다.
탕
탕탕
탕
윽
윽
이어 남은 군사를 이끌고 와 밤중에 안주성 밖에 이르렀고 통역을 불러 말하기를
죽을 뻔 했네.
학
통역!
학
스*!
우리 군사는 오늘 왜적을 많이 죽였으나 사유가 불행히도 총에 맞아 죽었고, 비가 많이 와서 진흙투성이가 되어 왜적을 공격하기가 힘들어졌다. 군사를 더 보충해서 다시 쳐들어갈 것이니 그리 알라.
어쩌구 저쩌구
그리고는 서둘러 말을 달려 두 개의 강을 건너 공강정이라는 곳에 군사를 주둔시켰어.
폴짝
폴짝
착
조승훈은 다시 군사를 가다듬고 왜적을 치겠다고 말은 했지만, 사실 그는 왜적이 두려워서 재빨리 강을, 그것도 두 개나 건넜던 거야.
아… 아니야.
떨고 있는데?
덜
덜
덜
게다가 며칠씩 비가 이어지고 옷과 갑옷이 다 젖은 병사들은 들판에서 노숙을 하게 한 조승훈을 원망하기 시작했어.
다~ 조승훈 때문이야.
결국 얼마 후 그는 요동으로 돌아가고 말았고, 우리는 또다시 다음에 올 명나라 군사를 기다려야 하는 신세가 되었지.
우르르
딸꾹
딸꾹
요동 가는길
이놈의 왜적을 언제나 확! 쳐부술 날이 오는 걸까?
팍
팍

*네.

제7장
힘을 합쳐 왜적을 무찌르자!
- 여러 의병과 장수들의 활약

전투에서 계속 패한 우리는 고통스러운 나날을 보내고 있었는데, 꼬였던 일들이 서서히 풀려가기 시작했어.
술술
술술

특히 이렇게 일이 잘 풀리게 된 데에는 이순신의 공이 매우 컸어. 이순신의 이야기는 뒤에서 다시 할 테지만.
험.

당시 전라도 수군절도사였던 이순신은 경상우수사 원균, 전라우수사 이억기 등과 함께 왜적을 거제도 앞 바다에서 크게 물리쳤어.
이순신
원균
이억기

왜적은 육지에서는 활개를 치고 다녔지만, 바다에서만큼은 힘도 못 쓰고 있었거든.
살려줘.
콩

이렇게 수군이 바다에서 버텨 준 것이 우리의 전세를 역전시키는 데 정말 큰 도움을 주었지.
팅
수군
팅

이순신은 판옥선 40척을 거느리고 이억기와 함께 거제 앞바다 견내량에서 만나 적을 물리칠 작전을 이야기했어.
견내량
통영
거제도

이순신이 말하길
이곳은 바다가 좁고 물이 얕으니 적을 유인해 넓은 바다로 나가 싸우는 게 좋겠소.
음
하며, 직접 배들을 지휘하여 물러나니, 왜적들은 우리가 달아나는 줄로 착각하고 뒤쫓아 오는 거야.
크하하하
어디까지 도망가냐? 겁쟁아!
이번에는 왜적이 이순신의 계획에 말려든 거지.
씨익
잘도 따라 오는구나….
때는 이때다 싶자 이순신은 북을 두둥! 울렸어.
둥
둥
지금이다!
우리의 모든 배는 일제히 노를 돌려 저어 적선과 마주보게 되었고 적의 배를 향해 이순신은 대포를 쏘아 공격했어. 여러 배가 한꺼번에 공격하니 연기와 불꽃이 하늘을 가득 메웠지.
배를 돌려라~.
으악! 속았다!
펑
펑
펑
수많은 적의 배가 불에 타 바다로 가라앉았고 많은 왜적이 물에 빠져 죽었어. 그 뒤에도 왜적들은 전투에 계속해서 패했고, 드디어 부산과 거제도로 도망쳐 다시는 나오지 못하였어. 우리 수군의 멋진 승리였지!
와
와
와
와
본래 왜적의 해군이 육군과 합세해 우리나라 서쪽을 밀고 올라갈 작정이었는데, 전투에서 패해 이 계획은 완전히 물거품이 되고 만 거야.
철썩
초조 불안
육군
이 단 한 번의 싸움으로 왜적의 한 쪽 팔을 끊어 놓은 셈이지.
꺅!

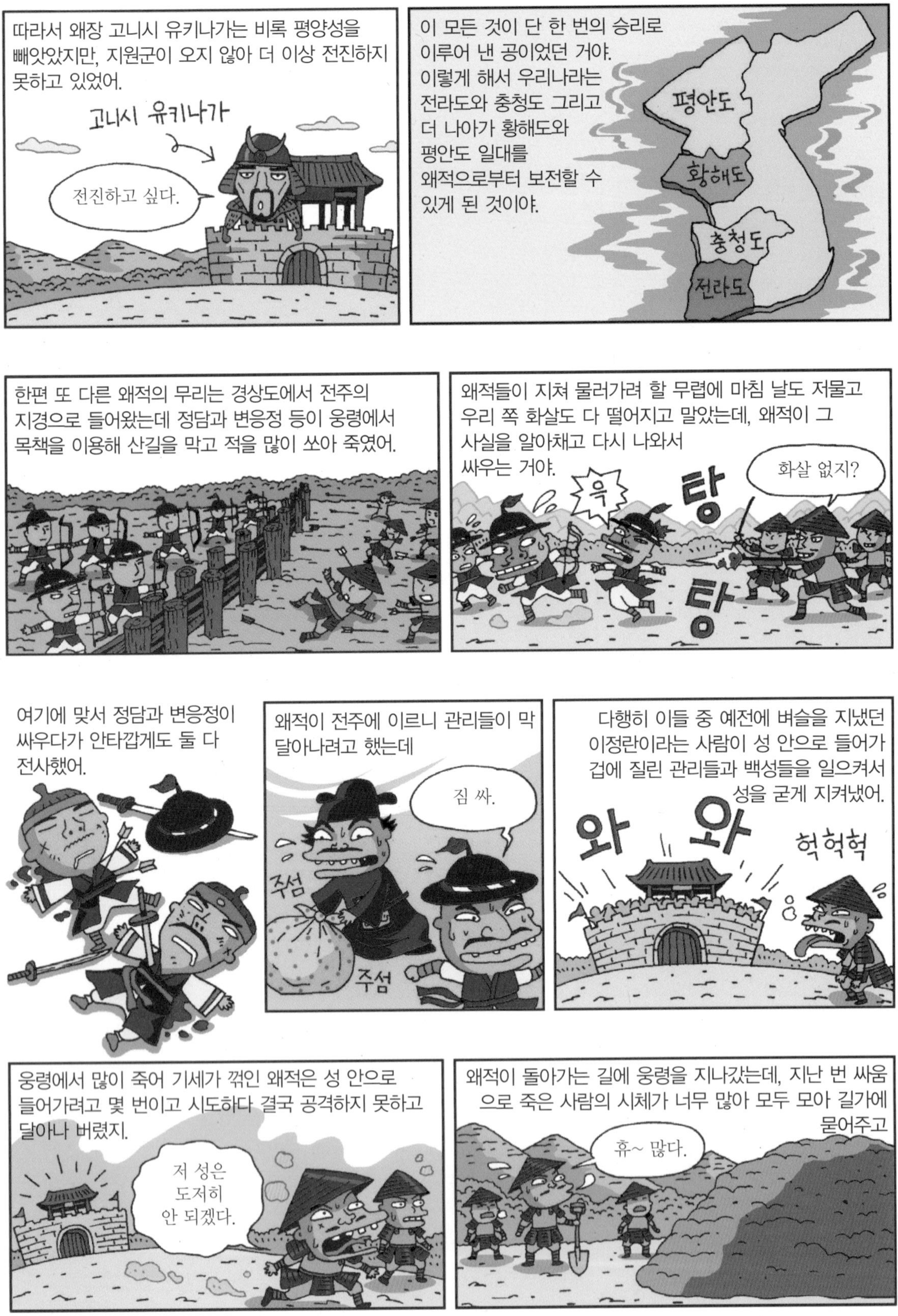
따라서 왜장 고니시 유키나가는 비록 평양성을 빼앗았지만, 지원군이 오지 않아 더 이상 전진하지 못하고 있었어.
고니시 유키나가
전진하고 싶다.
이 모든 것이 단 한 번의 승리로 이루어 낸 공이었던 거야. 이렇게 해서 우리나라는 전라도와 충청도 그리고 더 나아가 황해도와 평안도 일대를 왜적으로부터 보전할 수 있게 된 것이야.
평안도
황해도
충청도
전라도
한편 또 다른 왜적의 무리는 경상도에서 전주의 지경으로 들어왔는데 정담과 변응정 등이 웅령에서 목책을 이용해 산길을 막고 적을 많이 쏘아 죽였어.
왜적들이 지쳐 물러가려 할 무렵에 마침 날도 저물고 우리 쪽 화살도 다 떨어지고 말았는데, 왜적이 그 사실을 알아채고 다시 나와서 싸우는 거야.
윽
탕
탕
화살 없지?
여기에 맞서 정담과 변응정이 싸우다가 안타깝게도 둘 다 전사했어.
왜적이 전주에 이르니 관리들이 막 달아나려고 했는데
짐 싸.
주섬
주섬
다행히 이들 중 예전에 벼슬을 지냈던 이정란이라는 사람이 성 안으로 들어가 겁에 질린 관리들과 백성들을 일으켜서 성을 굳게 지켜냈어.
와
와
헉헉헉
웅령에서 많이 죽어 기세가 꺾인 왜적은 성 안으로 들어가려고 몇 번이고 시도하다 결국 공격하지 못하고 달아나 버렸지.
저 성은 도저히 안 되겠다.
왜적이 돌아가는 길에 웅령을 지나갔는데, 지난 번 싸움으로 죽은 사람의 시체가 너무 많아 모두 모아 길가에 묻어주고
휴~ 많다.

그 자리에 나무를 세워 이렇게 썼어. "조선의 충간의담(忠肝義膽)을 조상한다."
슥슥슥
이 글은 정담과 변응정이 힘껏 싸운 것을 칭찬한다는 의미야. 이렇게 여러 사람의 희생으로 다행히 전라도를 지켜낼 수가 있었어.
조선의 충간의담
한편, 8월 1일에 순찰사 이원익이 평양성 북쪽에서 군사를 내보내어 평양성을 공격해 보았는데
슈슈슉
평양성
왜적의 선봉을 만나 20여 명을 죽인 것까지는 좋았어. 하지만, 곧 왜적이 무리지어 나타나 공격했고 우리 군사들은 놀라 달아났지.
거기 서!
아직은 때가 아니었는지 우리 군사는 왜적에게 밀려 다시 순안으로 되돌아왔고, 평양성 공격은 일단 실패하고 말았어.
아직은 아닌가봐.
휴
순안
당시 명나라 장수 조승훈이 패하고 돌아가자, 왜적들은 더욱 교만해져서 우리 군사들에게 "염소 떼가 한 호랑이를 친다."는 글을 보내기도 했어.
이게 무슨 뜻이냐?
그 뜻은….
여기서 염소는 명나라 군사를, 호랑이는 자기들을 가리키는 말이지.
아~ 그런 뜻이구나. 건방시네, 짜식들!
휙
장군이 너무 무식해….
그래서 왜적들이 가까운 시일 내에 서쪽으로 내려간다는 소문이 돌았고, 의주 사람들은 두려움에 떨었어.
피란 갈 짐을 싸, 말아? 고민 되네….
그러던 9월에 명나라에서 심유경이 우리나라에 왔어. 그는 순안에 도착하자마자 왜적의 장수에게 글을 보내어
왜적에게 갔다 줘.
심유경
네
"조선이 일본에 무슨 잘못을 저질렀다고 이러는가? 일본은 어찌하여 군사를 마음대로 일으켰느냐?" 하고 따져 물었지.
따지냐?
고니시 유키나가

왜적의 잔인함이 두려운 우리 군사들은 그들이 머무는 성 근처에 가지도 못했는데, 심유경은 편지를 노란 보자기에 싸서 부하를 성 안으로 들어가게 했어.
뚜벅 뚜벅
떨지 마… 떨지 마….
왜적의 장수 고니시 유키나가는 그 편지를 보고 "직접 만나서 이야기하자!"고 답을 보내왔어. 심유경이 곧 만나러 가려 하자 사람들이
위험합니다. 그곳에 가셨다가 무슨 일이라도 생기면 어쩌시렵니까?
라고 하며 걱정하니, 그는 웃으면서 말하길
걱정 마라. 저들이 어찌 나를 해칠 수 있겠는가.
하하하하
웃겨?
우리 군사들은 무슨 일이 벌어질지 궁금하고 걱정돼서 대흥산 꼭대기에 올라가서 그 광경을 지켜보았는데, 과연 왜적의 수가 굉장히 많았고 창칼이 번쩍 번쩍하는 아주 살벌한 광경이 벌어지고 있었어.
꿀꺽
왜적이 사방에서 심유경과 그의 부하 몇 명을 둘러싸니 혹시나 잡혀가는 게 아닌가 걱정이 들었지.
샥 샥
하지만 다행히 날이 저물어 심유경이 돌아왔고, 더욱 놀라운 일은 왜적들이 그를 전송하는 태도가 매우 공손했지 뭐야.
안녕히 가십시오. 형님~
꾸벅
다음날 고니시 유키나가는 편지를 보내 안부를 물었는데
편지 배달요.
"대인께서 서슬 퍼런 창칼에도 얼굴빛 하나 변하지 않으시니, 아마 일본 사람이어도 그보다 더하지는 못했을 겁니다."하는 내용이었어.
내가 좀 그런 면이 있지.
그에 심유경이 답하기를
너희들은 당나라 곽영공이라는 사람에 대해 들어 본 일이 없느냐?
누구?

그는 혼자 흉노족의 소굴에 들어가는 것을 두려워하지 않았는데 내가 왜 너희들을 두려워하겠느냐?
아~
라고 했고, 또한 그들에게 약속하기를
내가 돌아가서 우리 황제께 보고할 것이다.
아~
그리고 50일 안에 돌아와 소식을 전할 것이니, 왜군은 평양성 북쪽 10리 밖으로 나와 재물을 약탈하는 일이 없도록 하고, 조선도 마찬가지로 평양성 10리 안으로 들어가 싸우는 일이 없도록 해라.
네~
우리도?
라고 했어. 그리고는 그 경계에 나무를 세워 표시를 해두고 돌아 갔는데, 우리나라 사람들은 그 내용이 뭔지 알 수 없었지.
넘지마시오
이게 뭐여?
한편, 경기감사 심대라는 사람이 있었어. 그는 성품이 강인하여 왜적이 쳐들어온 후로 항상 울분을 참지 못했고,
으악~ 열받아!
심대~
전쟁터에 나와서도 위험을 피하지 않는 아주 용감한 사람이었지.
?
안 피한다.
푹
이때 심대는 권징을 대신해서 경기감사가 되었는데, 그가 길을 떠나려 할 때 나와 마주쳐서 내가 먼저 말을 걸었지.
멈칫
어디 가시오?
그는 나라가 어려운 위기에 처한 일에 대해 무척이나 분노하고 있었는데, 그를 보아하니 아무리 위험한들 물불 가리지 않고 싸울 기세였어. 내가
옛말에 이르기를 '밭을 가는 일은 마땅히 종에게 시켜라.' 라고 하지 않습니까?
그래서요?
당신은 글만 읽던 서생이니, 전쟁터에서 싸우는 일에는 능숙하지 못할 겁니다. 직접 싸워 나라를 구하는 것도 좋지만, 내 생각엔 당신은 군사와 병기를 수습하고, 전투는 다른 사람에게 맡긴다면 반드시 승리하여 공을 세울 수 있을 거요. 부디 스스로 나서서 싸우지 말아 주세요.
아~ 예.
"아, 예."라고 대답은 했지만, 그의 표정을 보니 내 말을 듣지 않을 눈치였지.
다~ 죽었어.

심대가 떠난 후 나는 그가 걱정되어 소식을 여기저기 물었는데, 들리는 소식은 내가 염려한 대로였어.
내 그럴 줄 알았다~
경기도는 왜적으로 인한 피해가 다른 곳보다 큰 지역이었고 특히 왜적들이 날마다 불을 지르고 약탈해 갔어.
경기도
그래서 여러 관리들이 될 수 있는 한 왜적의 눈을 피해 다니고 행동을 조심하고 다녔어. 그렇게 해서라도 조금이나마 약탈과 공격을 막았던 거야.
슬금 슬금
그런데 심대는 왜적을 두려워 하지 않고 날마다 순찰을 돌 때에는 깃발을 흔들며 오히려 드러내놓고 다니니, 저러다 왜적의 화를 돋울까봐 모두 불안에 떨었다고 해.
불안하게….
헙
미쳤나?
나는 이 말을 듣고 정말 많이 걱정이 되어 그에게 편지를 보내 부디 몸조심해서 다니라고 말했지만, 그는 태도를 바꾸지 않았지. 게다가 사람들에게 말하길
군사를 모아와라!
내가 찾아 올 거야! 서울!
날마다 사람을 성 안으로 보내 자신을 따를 자를 모으라고 지시하니, 거꾸로 왜적에게 공격할 틈을 주게 된 거야.
사람을 모아 오래!
ㅋㅋㅋ…
왜적은 심대를 따르겠다는 명단에 첩자를 끼워 넣으려는 계략을 꾸몄어.
나카무라?
나 주국 허 경연 나카무라
사람들은 전쟁이 끝난 후에 성 안에서 왜적에게 붙어 지냈다는 누명을 쓸까봐 모두들 이름을 적었고
어쩔 수 없네.
슥슥
명단
그 명단을 심대에게 갖다 주었는데 그 숫자가 자그마치 천 명에 달했어.
이야~ 이렇게나 많이? 식지 않는 나의 인기….
하하하
누가 적고 싶어 적나?
명단
그들은 약속을 받아 오겠다거나, 무기를 마련하거나, 적 상황을 보고하겠다며 마음대로 성 밖을 왕래하니 아무도 그들을 관리할 수가 없는 지경이 되었어.
들락
날락

누가 나가고 누가 들어가나 하는 사실조차 파악할 수가 없었지. 왜적은 이를 교묘히 이용했어.
음~ 좋았어.
쿡쿡…
왜적의 첩자를 그 중에 심어 놓은 거야.
난 첩자.
쏙
누구?
이처럼 심대를 따르겠다고 한 사람들 모두가 우리 편은 아니었는데도 심대는 그 사실을 몰랐지.
모두 나를 따르겠나?
네
네
아니오~.
결국 우리 편 상황을 빤히 알게 된 왜적은 밤에 기습 공격을 해왔고, 심대는 놀라 도망갔지만 결국 왜적의 손에 비참히 죽고 말았어
크헉!
촤악
왜적이 물러간 뒤 경기도 사람들은 그의 시체를 거두어 성 안에 묻어 주었지만
무모하게 용감했지만 애국자는 애국자야.
다시 왜적이 와서 그의 머리를 베어 서울의 종로 거리에 걸어두었어.
대롱
대롱
경기도 사람들은 돈을 모아 그의 머리를 지키던 병사에게 뇌물을 주어 머리를 되찾아 왔고
머리값 비싸네.
그의 시체와 함께 고향에 묻어 장사를 지내주었어. 용감한 그였지만, 무모한 열정과 분노로 가득 찬 상황을 바로 보지 못했고 결국 죽게 된 거야.
좀 냉정할걸~.
심대
한편 전국 각지에서 왜적을 맞아 싸워 이겼다는 소식들이 전해져 왔어. 먼저 강원도의 원호는 왜적을 여주의 구미포에서 무찔렀어. 이때부터 원주의 왜적들은 길이 끊겨 할 수 없이 충주를 지나다니게 되었어.
돌아 가.
원호
뚝
그런데, 순찰사 유영길이 이 여세를 몰아 원호에게 왜적을 바짝 쫓아가서 치라고 재촉을 했어.
가서 다 죽여. 빨리! 빨리!
탁
방방

원호는 이미 적을 이겨봤기에
적을 조금 얕잡아 보게 되었고
훗~
그렇게 방심하다가 춘천에서 기다리던
왜적의 복병을 맞아 죽임을 당하고
말았지.
윽~
부들
부들
한편, 영천사람 권응수는 담력과
용맹이 대단하기로 유명한
사람이었는데
권응수
이히히히~
무섭지~?
꺼져!
정대임과 함께 1천여 명의 군사를
이끌고 왜적을 영천성에서
포위했어.
정대임
영천성
처음에 군사들이 왜적을 두려워해 앞으로 나아가지 못했지만, 그는
병사들에게 용기를 내라며 힘을 주었고 드디어 성으로 들어가는 데 성공했지.
돌격!
와
와
와
왜적과 우리 군사가 좁은 길에서
만나 싸우다보니, 왜적은 당해내
지 못하고 창고나 높은 데 올라
도망쳤지.
핑
내려와
콕
콕
우리 군사는 더 밀어붙여 불로
공격해서 적을 모두 죽이고
그 시체를 모두 불태웠어.
활활
겨우 살아남은 왜적은 경주로 도망을 쳤고
헉
헉
헉
경주
이후 신녕, 안동 등지의 왜적이
모두 한 길로 모이게 되었으니,
이 공이 모두 권응수가 영천에서
이겨준 덕분이야.
훌륭해~
이렇게 해서 퍼져 있던 왜적을 한
쪽으로 몰 수 있게 되어 공격하기가
쉬워진 셈이지.
또, 부산에 있던 박진은 처음엔
왜적을 맞아 밀양에서 달아나 산속에
숨었는데
빼꼼

조정에서는 병사 이각이 성을 버리고 도망가자 박진을 대신 그 자리에 삼았어.
이젠 내 성
이미 남쪽은 왜적이 득실거려 우리는 그쪽 소식을 몰랐고 그쪽도 우리의 소식을 알 길이 없었지.
뚝
하지만, 박진이 병사가 되었다는 말에 사람들이 하나 둘 모이기 시작했고, 각 고을의 수령들도 숨어 있다 나와 일을 하니 그때야 비로소 조정의 일이 전해지기 시작했어.
우르르~
권응수가 영천을 되찾자 박진은 경상도 군사 1만 명을 경주성 밑에 밤에 몰래 매복시켰다가
쉿!
경주성
'비격진천뢰'를 쏘아 왜적이 있는 성안의 뜰에 떨어뜨렸어. 왜적은 그게 무엇인지 알지 못했지.
이상하게 생겼네?
굴러가는 건가?
콕 콕
이게 뭐지?
임진왜란의 명물 비격진천뢰가 무엇이냐 하면 요즘의 시한폭탄이라 생각하면 돼.
째깍
째깍
이장손이라는 사람이 만들어낸 무기인데, 대완구라는 대포에 이 비격진천뢰를 넣고 쏘면 5, 6백 보를 날아가 땅에 떨어지는데
펑
슈웅
툭
5.6백보
바로 터지는 게 아니고 좀 시간이 지나야 그 안에서 불이 일어나 터지는 폭탄이야.
하나. 둘. 셋!
펑
이게 터지면 쇳조각이 별처럼 부서져 흩어지니 주변에 모인 왜적 30여 명을 거뜬히 죽일 수 있는 굉장한 무기였어.
꺄오~
펑
게다가 비격진천뢰에 안 맞은 사람도 놀라 잠시 기절했다 깰 정도니 왜적이 이 무기를 가장 두려워 할 만했지.
엄마야~

그렇게 우리가 공격을 해대니 다음날 모든 왜적이 경주성을 버리고 서생포로 달아났지.
잘 가~!
한편, 군대의 장수들 말고도 전국 각지에서는 의병이 일어나 왜적과 싸웠는데 이들이 임진왜란을 승리로 이끈 장본인들이지.
나는 이 의병들의 힘으로 우리가 꼭 승리할 거라 믿었어. 의병들이 너무 많아 다 소개할 수 없지만 각 도별로 몇 명만 소개해 볼게.
우선 전라도에는 김천일, 고경명, 최경회 등이 있었어.
모두 왜적에 맞서 용감히 싸우거나 전사했지.
경상도에는 곽재우와 김면, 정인홍, 김해, 유종개, 이대기, 장사진 등이 있었는데 그 중 곽재우가 뛰어났지.
곽재우
나도 뛰어난데…
그는 곽월의 아들로 재략*이 아주 뛰어나 왜적과 여러 번 싸웠는데 나중에는 왜적들이 그를 매우 두려워했지.
확
움찔!
그는 특히 의령에 왜적들이 못 들어오게 막아내는 데 큰 공을 세웠어.
의령
쾅
창
그리고 장사진도 많은 왜적을 물리치는 공을 세워 왜적들은 그를 장 장군이라고 부를 정도였어.
내 얘기잖아
장 장군!
툭
그런데 어느 날 왜적은 복병을 보내 그를 유인했고
거기서!

*재략 재주와 지략.

장사진은 끝까지 쫓아가다 그 복병에 걸려들고 말았지.
그는 큰 소리로 싸웠지만 왜적들이 몰려와 그의 한 쪽 팔을 잘라버렸어.
슉
그런데 그는 한 쪽 팔로 계속 왜적과 싸웠어. 대단한 정신이지! 끝내 전사하고 말았지만.
대… 대단하다.
조정에서는 그의 공을 가상히 여겨 벼슬을 내렸어.
장사진
벼슬
충청도에서는 중이었던 영규와 조헌, 김홍민, 이산겸, 박춘무, 조덕공, 조웅, 이봉 등이 있었고
나무아미 타불~~
경기도에는 우성전, 정숙하, 최흘, 이노, 이산휘, 남언경, 김탁, 유대진, 이질, 홍계남, 왕옥 등이 있었어.
그리고 유정(사명당)이란 스님이 있었는데 그는 금강산의 표훈사라는 절에 있었어.
표훈사
이때 유명한 일화가 있지. 왜적들이 산속으로 들어오자 절에 있던 스님들은 다 도망갔지만, 유정은 꼼짝도 하지 않았어.
넌 뭐야?
그러나 왜적은 도리어 가까이 가질 못했지. 유정의 모습에서 범상한 기운을 느낀 왜장 가토 기요마사는 그를 풀어주었어.
슈욱
가토 기요마사가 묻기를
조선에서 가장 으뜸가는 보물이 무엇입니까?

유정은 짧게 말했어.
바로 그대의 목이니라!
컥!
가토 기요마사는 절을 떠나며 밖에다 큼직한 글을 써 붙였다고 해.
탁
탁
"이 절에 대덕(大德: 덕이 아주 높은 스님)이 계시니 함부로 들어가지 말라."
大德
그리고 내가 안주에 글을 보내 의병을 일으켜 나라를 구하러 나오라 했는데, 그 글이 금강산에까지 이르자 유정은 스님들과 함께 이 글을 읽고 눈물을 흘렸다고 해.
흑흑흑흑
그는 마침내 승군을 일으켜 서쪽으로 달려왔는데 그가 데려온 인원만 1천 명이 넘어 관군과 힘을 합쳐 싸울 수가 있었어.
와 와 와
그 외에도 함경도의 의병은 정문부와 고경민 등이 있었어.
이들 모두가 하나가 되어 목숨을 아까워하지 않고 용감하게 왜적과 싸워 준 덕에 나라를 되찾을 수 있었어. 의병의 공은 우리가 상상하는 그 이상이란다.
왜적의 경우는 군사와 일반 백성의 구분이 확실했거든.
하지만 우리나라는 일반 백성들이 저항해 오니 처음에 왜적은 이해를 못하고 그저 작은 반항의 무리이겠거니 생각하며 대응하지 않았지.
퍽
물러나라!
왜 저래?
휙
그러던 것이 큰 화를 부른 거야. 우리의 의병은 아주 조직적으로 용감하게 움직여 왜적을 무찔렀으니까.
조직이다

한편, 이일은 대동강 여울을 지키다가 평양성이 왜적의 손에 넘어가자 대동강을 건너 황해도의 안악을 거쳐 해주에 도착했어.
헉헉
해주
그리고는 세자를 모시고 군사들을 모았는데
잘 모셔~
왜적이 평양성에서 나오지 않고 군사가 곧 올 거라는 소식을 듣고 평양으로 와서 임원역에 진을 쳤어.
여기서 의병장 고충경과 힘을 합쳐 왜적을 물리치는 데 힘을 썼지.
아 자 자자
이렇듯 우리의 승전보는 기쁜 일이었지만, 우리가 가는 길이 항상 안전하기만 했던 것은 아니야. 도처에 위험이 도사리고 있었는데
이크!
쉬쉭
특히 왜적의 첩자를 잡은 사건이 그랬지.
턱
한번은 내가 안주에 편지를 보내 왜적을 칠 일을 비밀리에 약속하게 한 일이 있어.
비밀
네~
그때가 12월 2일이었는데, 난 경계하며 말하길 "6일 이내로 이쪽으로 편지를 돌려 보내도록 하라."고 했어.
6일이다
옙
그런데 6일이 지나도록 편지가 돌아오지 않아 걱정이 되어 알아보라고 지시했지.
음.
후다닥
이유를 알아본즉, 벌써 군인 김순량에게 그 전령을 돌려보내도록 시켰다는 거야. 나는 당장 그를 잡아왔고 그 편지가 어디 있나 물었더니
전령이오? 그게 뭐죠? 저는 전혀 모르는 일입니다.
김순량
하고 잡아떼는 거야. 하지만 그의 태도로 보아 거짓으로 말하는 게 분명해 보였지.
아~ 왜 이리 덥지?
12월에 더워?

그 결정적 증거를 곧 잡아낼 수 있었는데, 주변 사람의 말이
그 자가 편지를 가지고 나간 지 며칠 뒤에 소 한 마리를 끌고 와서 사람들과 함께 잡아먹었던 일이 있죠.
~으드득
"그래서 '너 이 소를 어디서 가져 온 거냐?' 하고 물으니
가져 오긴 뭘 가져와~! 이 소는 원래 내 소인데 친척집에 맡겨 두었다가 이제 찾아온 것뿐일세!
하고 말한 일이 있었습니다." 하는 것이었어. 그제서야 나는 일이 어떻게 돌아가는지 알아차렸고
음~.
너도 같이 먹었잖아!!
그를 고문하자 드디어 사실대로 고백했어.
소인이 왜적의 첩자가 되어, 전날에 이 편지와 비밀문서를 적에게 보였더니 적장이 소 한 마리를 상으로 주었습니다.
적장은 다른 첩자에게도 상을 내리고는, 다른 비밀도 알아내어 15일 안으로 와서 보고하라 했습니다. 정말 죽을 죄를 지었습니다. 살려 주십시오.
화가 머리 끝까지 난 나는 다시 묻기를
첩자가 된 게 너 뿐이냐? 아니면 또 더 있느냐? 어서 바른대로 말해라!
저 말고 모두 40여 명이나 되는데, 순안, 강서의 여러 곳과 숙천, 안주, 의주까지 전국에 돌아다니지 않는 곳이 없으며 그곳에서 벌어지는 일을 모두 바로바로 왜적에게 알려주고 있습니다.
흑흑
하고 물으니 그의 말은 너무나 충격적이라 멍할 뿐이었지. 첩자가 있을 거라 예상은 했었지만 그의 말을 듣고는 아주 큰 망치로 머리를 얻어맞은 것 같은 충격을 받았어.
100t
쿵

나는 매우 화가 나고 놀라, 즉시 임금에게 보고했고 그들의 이름을 낱낱이 조사하여 잡아들이게 했어.
따라와!!
간첩들!!
하지만 첩자를 다 잡지는 못했고 몇몇은 도망을 갔지. 그리고 김순량을 잡아 성 밖에서 목을 베어 본보기로 삼았어.
댕강
툭
이 사건이 있은 후 얼마 되지 않아 명나라의 군사가 도착했는데, 다행히 일본은 그 사실을 모르고 있었어.
?
후비적
그 이유는 첩자들이 놀라 도망을 가버리는 바람에 이 사실이 보고되지 못했기 때문이지.
요즘은 통 소식이 없네.
훅
만약 이 사실이 전해졌었다면 모든 일을 망칠 수도 있었을 텐데… 하는 생각만 해도 끔찍해.
오~ 다 들려.
속닥 속닥
우연한 기회에 잡게 된 첩자였지만, 이것도 모두 하늘의 도움이 아니었다면 해결할 수 없었을 거야. 정말 다행이었어.
윽!
우연
덥썩
승리
모든 일이 이렇게 조금씩 맞춰서 해결되고 있었지만, 아직도 우리의 갈 길은 험난하기만 했지.

제8장
잿더미가 된 서울을 되찾다
- 행주 대첩과 명나라의 강화 노력
행주산성
심유경이 지난번 일본에게 50일 동안 기다리라고 말해 왜적은 군사를 움직이지 않고 기다리고 있었는데
얼음
50일이 지나도 심유경이 돌아오지 않자 왜적들은 화가 많이 났어.
땡
그래서 왜적들이
반드시 압록강의 물을 우리 말들에게 먹일 것이다!
라고 하며 군사를 보낼 날만 기다리며 성을 공격할 때 쓸 무기들을 수리하고 있다는 소식도 들려왔어.
그러던 12월, 때맞추어 명나라 대군이 압록강을 건너왔는데 군사가 무려 4만여 명이나 되었어.
바글 바글
명

그들은 안주에 진을 쳤는데 그 깃발과 무기들이 매우 잘 정돈돼 있었어.
번쩍 번쩍
내가 명나라 제독 이여송을 만나서 드릴 말씀이 있다고 하니 나를 안으로 불렀는데, 그는 키가 크고 품위가 있어 대장부다워 보였지.
어서 오시오.
이 여송
나는 소매에서 평양성의 지도를 꺼내 상황을 알려줬고
음.
활짝
군사들이 들어가야 할 길을 얘기하니 그는 붉은 색으로 표시했어.
음.
탁
왜적들은 조총이나 믿고 있지요. 우리는 대포를 쏘는데 멀리까지 날아가 맞으니 왜적이 어찌 당해 내겠습니까?
하하하
이렇게 말하며 자신 있는 표정을 지었고, 승리를 확신하는 내용의 시까지 지어 보여줬어.
유치해~~
이렇게 성 안은 군사로 가득 찼고, 밤은 깊어만 갔지.
이여송은 부총병인 사대수를 순안으로 보내서
사대수
왜적에게 "명나라에서 이미 강화를 허락했고 곧 심유경이 올 것이다."라고 거짓말을 해 그들을 속였고
쿡쿡
얏호!
왜적은 1593년 1월에 심유경을 맞을 준비를 했는데
아~ 언제 오나?

사대수는 그들을 유인해 함께 술을 마시는 척하다가
마셔 마셔
훗
미리 숨겨놨던 군사들을 시켜 그들을 닥치는 대로 죽였어.
?
눈 깜짝할 사이에 벌어진 일이라 놀란 왜적 세 명이 겨우 달아났는데
꺅
으악
악
으악
다음날 아침 제독은 군사를 이끌고 평양성을 포위하고 보통문과 칠성문을 공격했어.
보통문
칠성문
명나라 군사들이 대포와 불화살을 마구 쏘아대니, 대포소리와 불화살이 온 하늘을 뒤덮었어.
쾅
펑
쾅
평양성
연기가 가득했고 곳곳에서 불이나 성 안의 나무들까지 다 불타버렸지.
장수들과 병사들이 성을 용감하게 올라갔는데, 앞사람이 왜적의 칼에 맞아 떨어져도 뒷사람이 계속해서 올라갔고, 어느 한 사람 물러서려 하지 않았어.
챙
챙
챙
왜적이 창칼로 공격해도 명나라 군사가 더 세게 몰아붙이자, 왜적은 더 이상 견디지 못하고 안으로 도망을 쳤어.
착
악
쉭
푹
이 싸움에서 죽이고 불태운 왜적의 수는 헤아릴 수 없을 정도였지.
계산해 봐야지.
콕콕

안으로 도망한 왜적의 뒤를 쫓아 공격을 계속하자 왜적들은 흙벽을 만들어 구멍을 내 그 사이로 조총을 쏘아댔어.
탕
탕
탕
제독은 궁지에 몰린 왜적이 죽기를 각오하고 덤빌 테니 그 저항이 더욱 거세어질 것이라 판단하고는 곧 군사를 거두었지.
우르르…
들어와.
그날 밤 왜적은 대동강의 얼음물을 건너 달아났어.
으아~ 발 시려워.
후다닥
그런데 말이야. 이렇게 달아나는 왜적을 한 번에 잡아 박살을 낼 수 있었는데 우리는 그 기회를 놓쳐 버렸어.
쾅
만약 이것만 잘 되었으면 지금 저렇게 달아나는 왜적을 한 명도 놓치지 않았을 거라고!
?
내가 예전에 왜적이 달아날 때 그들을 막아 전부 물리치라고 황해도 방어사 이시언과 김경로에게 명했었거든.
이시언
김경로
옙!
그런데 이시언은 곧바로 내려갔는데, 김경로는 그러지 않았어.
먼저 가
?
김경로는 핑계를 대며 길을 떠나지 않았는데 진짜 이유는 왜적이 두려웠기 때문이야.
가… 감기 때문에.
덜덜덜
약
이때 왜적의 장수 고니시 유키나가, 소오 요시토시, 겐소, 야나가와 시게노부가 모두 밤을 새워 도망을 치는데, 굶주리고 피곤하고 다쳐서 절룩거리거나 기어갈 정도였지.
절룩
배고파.
질질
절룩

그러니 이때 뒤에서 그들을 치면 모두 잡아 죽일 수 있었을 텐데 말이야!
스윽
하지만, 안타깝게도 이런 좋은 기회를 그냥 바라보고만 있었어.
멀뚱 멀뚱
뭘 봐!
우리나라도, 명나라 군사도 쫓아가 치는 사람이 누구 하나 없었지.
툭
나가봐~
이시언만 홀로 그 뒤를 밟았지만, 가까이 못가고 뒤에 처진 왜적 몇 명만을 죽였을 뿐야.
그때 서울에 있던 왜적의 장수는 도요토미 히데요시의 조카라고도 하고 사위라고도 하는 다이라 히데이에였어.
조카?
사위?
그는 너무 어려서 혼자 일을 처리할 수 없어. 고니시 유키나가의 명에 따를 뿐이었거든.
뭐할까요?
게다가 가토 기요마사는 함경도에서 돌아오지 못하는 상황이라 이때 우리가 도망치는 왜적을 잡았다면 도망치는 길목을 한 번에 끊어 놓을 수 있었을 테고
싹둑
컥、
그렇게 되면 서울의 왜군은 저절로 무너졌을 거야. 물론 가토 기요마사도 돌아갈 수 없게 되었을 거고
우르르
일이 그렇게만 되었으면 군사들은 동요했을 거고, 명나라 군사들이 뒤에서 따라가기만 해도 겁에 질려 부산까지 도망가 질리게 바닷물을 마셔야 했을 텐데 말이야! 너무나 아까워!
풍덩
이 모든 게 이때 우리가 왜적을 바짝 뒤쫓아가 쳐버리지 못했기 때문이야! 왜적을 한 번에 날릴 최고의 기회였는데···.
Finish
퍽

나는 임금에게 즉시 글을 올려 명을 거역한 김경로의 목을 베어야 한다고 했고, 그의 목이 달아날 참이었는데
이얍!
제독이 이를 보고 조언했지.
지금은 전쟁 중이라 한 사람의 장수도 아쉬운 때이니, 죽이지 말고 백의종군하게 해 죄를 씻게 하는 게 나을 듯 싶소.
멈칫
일은 이렇게 마무리 되었지.
휴~ 살았다
아무튼 이렇게 평양성은 되찾았고, 그러자 대동강 이남의 왜적이 앞다퉈 도망가기 시작했어.
대동강
이여송은 왜적을 추격하며 나에게 말하길
군사들이 전진해야 하는데 그들을 먹일 식량과 말먹이가 없소.
수고롭겠지만, 군량을 확보하는 데 노력하여 일이 잘못되지 않도록 하시오.
아~ 네!
그래서 나는 밤새 말을 달려 황주에 이르렀으나 아무도 없어 고민했지.
썰~렁
어쩌지?
황주
그때 문득 좋은 생각이 났고 평안도와 황해도에 공문을 보내 곡식을 각각 보내오라 명했어.
딱
아하!
공문

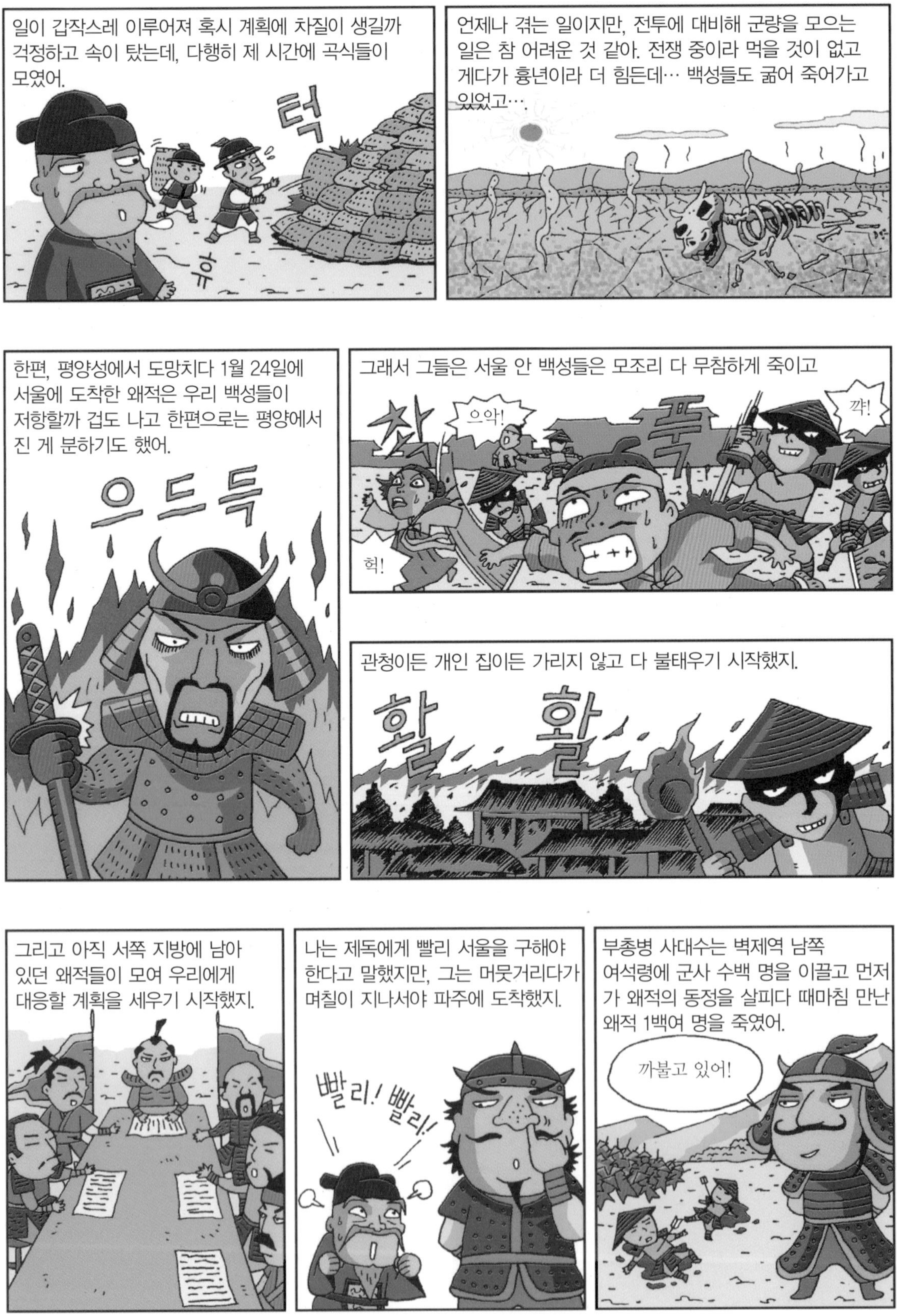
일이 갑작스레 이루어져 혹시 계획에 차질이 생길까 걱정하고 속이 탔는데, 다행히 제 시간에 곡식들이 모였어.
턱
휴
언제나 겪는 일이지만, 전투에 대비해 군량을 모으는 일은 참 어려운 것 같아. 전쟁 중이라 먹을 것이 없고 게다가 흉년이라 더 힘든데… 백성들도 굶어 죽어가고 있었고….
한편, 평양성에서 도망치다 1월 24일에 서울에 도착한 왜적은 우리 백성들이 저항할까 겁도 나고 한편으로는 평양에서 진 게 분하기도 했어.
으드득
그래서 그들은 서울 안 백성들은 모조리 다 무참하게 죽이고
찰
으악!
푹
꺅!
헉!
관청이든 개인 집이든 가리지 않고 다 불태우기 시작했지.
활
활
그리고 아직 서쪽 지방에 남아 있던 왜적들이 모여 우리에게 대응할 계획을 세우기 시작했지.
나는 제독에게 빨리 서울을 구해야 한다고 말했지만, 그는 머뭇거리다가 며칠이 지나서야 파주에 도착했지.
빨리! 빨리!
부총병 사대수는 벽제역 남쪽 여석령에 군사 수백 명을 이끌고 먼저 가 왜적의 동정을 살피다 때마침 만난 왜적 1백여 명을 죽였어.
까불고 있어!

이 소식을 듣고 이여송은 군사를 더 보내 왜적에 대항하게 했어.
착 착 착 착
결국 왜적의 교묘한 작전에 휘말렸고 왜적이 산 위에 올라가 진을 치니, 그 숫자가 몇 만 명이나 되었어. 명나라 군사들은 놀랐지만, 이미 두 나라 군사의 거리는 너무나 가까웠기에 이제 와서 물러설 수도 없게 되었지.
착
착
명
그런데 왜적은 또 일부 군사만 앞으로 나오게 하고 나머지 많은 병사들은 여석령 뒤에 숨겨 놓았던 거야.
이게 다야?
ㅋㅋㅋ…
그런데 이여송이 거느리고 온 군사들은 거의 북방 출신이라 짧고 무딘 칼로만 싸웠는데, 왜적은 긴 칼을 좌우로 후려치니 당해낼 수가 없었지.
휙 휙
이여송은 상황이 위급하자 즉시 군사를 후퇴시켜 파주로 물러갔어. 명나라 군대가 싸움에서 지고 만 거야.
퍽
다음날 이여송은 군사를 더 뒤로 후퇴시키려 해서 나는 여러 사람과 함께 얼른 그가 있는 막사로 달려갔지.
나는 주먹을 쥐고 힘주어 외쳤어.
이기고 지는 일은 병사에게 항상 있는 일입니다. 상황을 보고 다시 나아가면 되는 것인데 어찌 가볍게 움직이려 하십니까?
주섬
주섬

이여송은 이에 답하기를
우리 군사가 어제 많은 적을 죽였고 지금 우리한테 불리한 건 없소. 다만, 이곳이 비가 온 뒤 진흙탕이 되어 군사를 주둔시키기에 불편하니 동파로 돌아가려는 것뿐이오.
라고 말해 나와 사람들이 말리자, 그는 황제에게 보낼 글을 보여주었는데
이거 봐 봐.
거기엔 "서울에 있는 적병의 수가 20만 명이 넘어 우리는 대적할 수 없고 저는 병이 심하오니 다른 사람으로 바꿔 주셨으면 합니다." 라는 내용이었지.
컥
나는 놀라서 물었지.
왜적의 군사는 아주 적은데 왜 20만 명이라고 썼습니까?
내가 어찌 아오? 당신네 병사들이 그리 말하니 그렇게 적은 것이지.
그는 이렇게 이상한 핑계만 대는 거야.
부들 부들
우리가 계속해서 물러나지 말라고 부탁하니 오가는 말이 격해졌고, 급기야 명나라 한 장수가 우리 장수를 발로 차기까지 했어.
퍽
우리의 간곡한 만류에도 불구하고 명나라 군사는 드디어 동파역으로 이동했고, 그 다음날에는 아예 개성으로 돌아가려고 했어.
개성으로 가고 싶다.
나는 또다시 화를 억누르며 부탁했어.
대군이 한꺼번에 물러가면 왜적은 기세가 살아날 것이고 백성들도 놀라, 임진강 이북을 지킬 수 없게 됩니다. 조금 더 상황을 보고 이동했으면 합니다.
이여송은 알았다고 했지만 거짓이었고, 내가 나온 직후 개성으로 돌아가니, 그의 뒤를 이어 여러 부대가 개성으로 돌아가 버렸어.
우르르...

나는 동파에 머물며 사람을 보내 이여송에게 진격해 줄 것을 여러 번 부탁했지만
또?
그는 "날씨가 개면 당연히 진격할 것이다. 기다려봐, 좀."하고 말만 했어.
또~
말만 그럴 뿐 사실은 진격할 의사가 전혀 없었던 거지.
후루룩~
한편, 명나라 군사가 개성에 오래 머물자 군량이 서서히 바닥나기 시작했는데
하루는 명나라 장수들이 군량이 떨어진 것을 이여송에게 보고하며 이를 핑계로 명나라로 돌아갈 걸 건의했어.
어때요?
돌아가고 싶으니까 이제 별 핑계를 다 대는 거지.
쳇~
그 보고를 듣자 이여송은 화를 불같이 내며 나와 호조판서 그리고 경기감사를 불러 뜰 앞에 꿇어 앉히고는 큰소리로 외쳤어.
군량을 떨어뜨린 죄, 군법으로 엄히 다스리겠다!
나는 "죄송합니다. 용서하십시오."라고 사과는 했지만, 우리나라가 어쩌다가 이 지경이 되었나 생각하니 나도 모르게 눈물이 흘렀어.
왜… 왜 울어?
흑 흑
그걸 보더니 조금 민망했는지 오히려 명나라 장수들을 혼내기 시작했어.
우리가 지난날 서하를 공격할 때 여러 날을 먹지 못해도 감히 돌아가겠다고 말하는 자가 한 명도 없었는데

지금 조선에 와서 겨우 며칠을 굶었다고 군사를 돌리겠다고 하느냐!! 나는 적을 멸망시키지 않고는 돌아가지 않겠으니 그리 알라!
휙
그제서야 명나라 여러 장수들이 머리를 조아려 사과를 했어.
꾸벅
죄송.
이날 저녁에 이여송은 사과의 의미로 부하를 시켜 나에게 위로의 뜻을 전했고, 군사 일에 대해 의논했어.
화 풀어.
그 후 가토 기요마사가 평양을 치려 한다는 소문이 돌자, 안 그래도 북으로 돌아가려던 이여송은 잘됐다는 생각에
평양은 근본이 되는 곳으로 지키지 못한다면 나중에 대군이 돌아갈 길이 없어질 수 있으니 평양을 반드시 지켜야겠다.
하고 그럴 듯이 말하며 군사를 돌려 평양성으로 돌아갔어.
훗!
평양
그리고는 우리 군사도 임진강 북쪽으로 돌아가는 게 좋겠다고 하는 거야.
가자.
임진강
나는 우리 군사를 돌리면 안 되는 이유 다섯 가지를 적어 이여송에게 전했지만
촤
뭐야?
그는 그걸 보고서도 평양성으로 떠나가고 말았어.
잘 읽었어….
휙

한편, 권율은 원래 광주목사였는데, 이광을 대신해서 순찰사가 되었어.
권율
그는 과거에 이광이 왜적에 패한 것을 경계해 수원에 와서는 독성산성에 주둔하며 지키고 있었어.
독성산성
그는 명나라 구원병이 서울로 올 것이라는 말을 듣고는 한강을 건너 행주산성에 진을 쳤어.
행주산성
마침내 많은 왜적들이 행주산성을 공격했는데, 백성들이 처음에는 두려워 흩어지려 했지만, 행주산성의 뒤는 강물이었어. 즉 더 이상 달아날 곳이 없었지. 왜적과 목숨 걸고 싸우거나 강물에 뛰어들어 죽거나 둘 중 하나였어.
와 와 와
도망갈 곳이 없다!
이렇게 강물을 뒤에 두고 싸움을 했으므로 백성들은 도망갔다가도 다시 성으로 돌아올 수밖에 없었어. 어차피 달아날 길이 없는 바에야 목숨을 걸고 싸우자는 마음이 생긴 거지. 화살이 비 오듯 쏟아지는 가운데 전투는 이어졌고
슉 슉 슉 슉
왜적은 여러 번 쳐들어 왔지만 모두 패하고 말았어.
와 와 와
그것은 우리 병사, 백성, 여인, 노인, 어린이 할 것 없이 모두 죽어라고 싸웠기 때문이야.
와 와
오죽하면 여인들까지 치마에 돌을 싸서 옮겨와 던져서 행주치마라는 말이 생길 정도였어.

하루 종일 이어진 전투 끝에 날이 저물고 왜적들이 서울로 돌아간 다음 권율은 군사를 시켜 왜적의 시체를 가져다 나무에 걸고 그 동안 맺힌 백성의 한을 풀게 해줬어. 이것이 바로 행주대첩이야.
툭
툭
그 후에 왜적의 보복이 있을지도 몰랐기 때문에 권율은 군사를 이끌고 산세가 험한 파주산성으로 가 그곳에 머물기로 했어.
파주산성
그 후 왜적은 권율이 파주산성에 있다는 말을 듣고 원한을 갚으려고 대군을 이끌고 광탄에 이르렀는데 파주까지 몇 리 더 가야했어.
기다려라, 권율.
그런데 왜적은 공격하러 왔다 그냥 정세만 살피고 돌아간 후 다시 오지 않았어. 그 이유는 파주산성이 험준해서 만약 공격한다면 불리하다고 판단해서였어.
어우 분해.
그러니까 성은 험준한 데 있는 게 최고야.
나는 이때를 이용해 한강 남쪽 왜적을 총공격해 서울로 돌아가지 못하게 길을 끊어놓고 달아나는 왜적을 쳐버리자고 건의했지만, 내 뜻은 역시 받아들여지지 않았어.
명
한편, 이때는 이미 왜적이 서울을 점거한 지 2년째에 접어들고 있었어.
전쟁 때문에 모든 게 황폐해졌고 백성들은 농사를 지을 수가 없어서 거의 굶어 죽을 지경이었지.
꼬르륵
성 안에 남아 있던 사람들은 내가 동파에 있다는 소식을 듣고 서로 부축하며 몰려들었어.
동파

부총병 사대수가 마산 가는 길에 어린 아이가 죽은 어머니 젖을 빨고 있는 걸 보고
쪽 쪽
불쌍히 여겨 아이를 데려다 사람들 속에서 기르게 했는데
까꿍
그가 나에게 말하기를
왜적이 아직도 물러가지 않았는데, 백성들 상황이 이러니 어쩐답니까. 하늘도 땅도 모두 슬퍼할 일입니다.
나는 이 말을 듣고 눈물을 하염없이 흘렸단다.
또!
흑 흑 흑
그런데 다행히 굶주린 백성을 도울 일이 생겼어. 당시 난 명나라 대군이 온다고 해서 강 언덕에 식량을 실은 배를 대놓고 있었는데
어느 날 전라도에서 곡식 1천 석이 도착한 거야. 이건 남는 곡식이었거든.
백성을 조금이라도 먹일 수가 있어 나는 기쁜 마음에 임금에게 글을 올렸어.
음
이 여분의 곡식을 백성을 먹이자고 간청 드린 거야. 다행히 임금도 이를 허락했고
OK
난 사람을 시켜 솔잎을 가루로 만든 다음 쌀가루를 섞어 물에 타서 마시도록 하라고 지시했어.
벌컥
벌컥
하지만 사람은 많고 곡식은 적으니 별 도움이 되진 않았지.
좀더~
미안~
이것을 본 명나라 장수들이 불쌍히 여겨, 자신들 군량 30석을 보태라고 주었어. 이럴 땐 명나라 군사가 고마웠지.
더 없나?

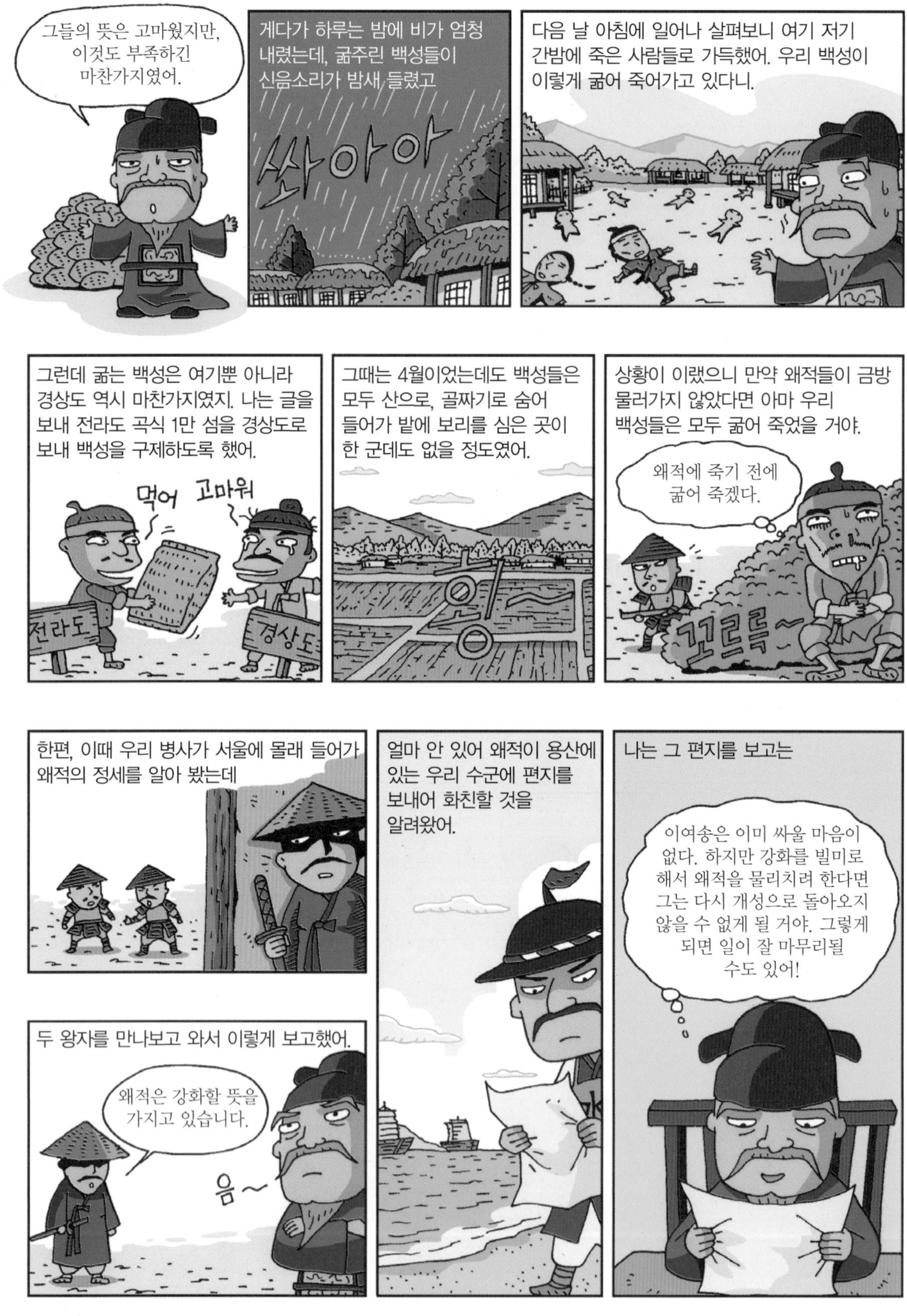
그들의 뜻은 고마웠지만, 이것도 부족하긴 마찬가지였어.
게다가 하루는 밤에 비가 엄청 내렸는데, 굶주린 백성들이 신음소리가 밤새 들렸고
쏴아아
다음 날 아침에 일어나 살펴보니 여기 저기 간밤에 죽은 사람들로 가득했어. 우리 백성이 이렇게 굶어 죽어가고 있다니.
그런데 굶는 백성은 여기뿐 아니라 경상도 역시 마찬가지였지. 나는 글을 보내 전라도 곡식 1만 섬을 경상도로 보내 백성을 구제하도록 했어.
먹어
고마워
전라도
경상도
그때는 4월이었는데도 백성들은 모두 산으로, 골짜기로 숨어 들어가 밭에 보리를 심은 곳이 한 군데도 없을 정도였어.
상황이 이랬으니 만약 왜적들이 금방 물러가지 않았다면 아마 우리 백성들은 모두 굶어 죽었을 거야.
왜적에 죽기 전에 굶어 죽겠다.
꼬르륵~
한편, 이때 우리 병사가 서울에 몰래 들어가 왜적의 정세를 알아 봤는데
두 왕자를 만나보고 와서 이렇게 보고했어.
왜적은 강화할 뜻을 가지고 있습니다.
음~
얼마 안 있어 왜적이 용산에 있는 우리 수군에 편지를 보내어 화친할 것을 알려왔어.
나는 그 편지를 보고는
이여송은 이미 싸울 마음이 없다. 하지만 강화를 빌미로 해서 왜적을 물리치려 한다면 그는 다시 개성으로 돌아오지 않을 수 없게 될 거야. 그렇게 되면 일이 잘 마무리될 수도 있어!

이여송에게 이 사실을 알렸어.
그러자 4월 7일에 이여송이 군사를 거느리고 평양에서 개성으로 돌아왔고
컴백!
개성
그는 심유경을 다시 불렀어. 사람들이 심유경에게 물었어.
지난날 왜적이 평양에서 우리에게 속은 것을 분하게 여겨, 좋지 않게 생각할 텐데 만나러 가도 괜찮겠습니까?
괜찮소, 나는 상관없소.
하하하
하고 말하며 강화를 논의하러 왜적이 있는 서울로 들어갔지.
하하하…
서울
심유경은 강화 때문에 늘 왜적의 진영에 들락날락하기를 반복하는 등 고생이 많았던 건 사실이야.
왜적과 한 강화에 대한 논의를 직접 듣지 못했지만, 아마도 "붙잡힌 왕자와 신하들을 돌려준 다음 부산으로 물러간다면 그 후에 강화에 대해 이야기해 보겠다."는 내용이었을 거야.
들리나?
왜적이 약속을 지키겠다고 했고, 심유경은 그렇게 개성으로 돌아왔지.
약속 지켜!!
나는 이여송에게 글을 보내 "화친하는 것은 왜적을 치는 것보다 좋지 못한 생각인 듯 싶습니다."고 했어.
그런가?
이여송도 "나도 그렇게 생각하오." 라고 답했지만, 그는 내 의견을 받아들일 마음이 없었어.
또 뻥!
그는 장수 주홍모를 왜적의 진영으로 가게 했고 나는 그와 파주에서 만났지.
주홍모
꾸벅
파주

그런데 그가 이곳에서 우리들에게 기패에 참배하라고 강요하는 거야.
슥
기패는 황제의 명이 써 있는 깃발인데, 여기에 예를 갖추어야 한다는 걸 내가 왜 몰랐겠니?
못해!
하지만, 기패에 써 있기를 "조선 사람이 왜적을 죽이지 못하도록 하라"고 하니, 분하고 원통해 끝까지 절을 하지 않았어.
두고봐!
흥.
이 소식을 들은 이여송은 군법으로 처리한 후 군사를 돌려 돌아가겠다고 화를 냈지.
돌아 갈껴!
다음 날 나는 이여송을 찾아가 이유를 설명하려 했지만 만나주지 않았어.
돌아 가시오!
내가 가지 않고 비를 맞으며 계속 서 있으니, 곧 사람이 나와 안으로 들어오라 했어.
들어가서 나는 기패에 절하지 않은 이유를 분명히 이야기했어.
제가 아무리 어리석다고 하나, 어찌 기패에 예를 갖추는 것을 모르겠습니까. 다만, 거기 써 있기를 우리나라 사람이 왜적을 죽이는 것을 허락하지 않는다고 하여 분한 마음을 이기지 못해 그렇게 한 것입니다. 하지만, 죄를 물으신다면 달게 받아야지요.
그랬더니 그는 부끄러운 듯 "그대의 말이 옳습니다." 했고 군법을 어긴 나를 처벌하지 않았다는 사실이 외부에 알려지면 곤란하니 대강 문서를 만들어 자신이 처리하겠다고 했어.
내가 알아서 하리다.
그 후 이여송은 왜적의 진영에 사람을 보내 강화에 대해 협의했어. 못마땅 했지만 상황은 그렇게 흘러가 버렸어.
마음에 안 들어.

그러고는 4월 19일에 이여송이 대군을 이끌고 동파로 왔어. 이땐 이미 왜적이 물러갈 것을 약속한 후라, 서울에 들어가기 위해 온 거야.
히히
그리고 다음날 20일 우리는 서울을 쉽게 되찾을 수가 있었지. 하루 전 왜적은 벌써 도성을 다 빠져나간 상태였기 때문에
서울
나도 명나라 군사를 따라 서울로 들어왔는데, 되찾은 서울은 눈 뜨고 볼 수 없을 만큼 처참했어.
컥~
성 안의 백성은 거의 다 죽고 살아 남은 자는 병 들고 야위어 귀신 같았고, 날씨가 더워 곳곳에서 시체와 말이 썩는 냄새가 진동했는데, 그 냄새가 성 안에 가득 차 코를 막지 않고는 다닐 수가 없을 정도였지.
관청과 일반 집 등 모든 것이 불타 재만 남은 상태였어.
나는 종묘를 찾아가 통곡했고 다음으로 이여송의 거처로 가 사람들과 함께 한참을 통곡하며 울었지. 서울이 이렇게 쑥대밭이 되다니….
엉 엉 엉
?
나는 다음 날 아침 이여송을 다시 찾아가 "왜적의 군사가 아직 멀리 가지 않았을 것입니다. 군사를 보내 한 번 더 추격합시다."라고 말했어. 하지만, 이여송은
나도 그렇게 생각하오, 하지만 내가 왜적을 뒤쫓지 못하는 건 한강에 배가 없기 때문이오.

나는 그의 말에 "왜적을 추격만 한다면야, 배는 제가 어떻게든 모아 오겠습니다." 하고는 곧장 한강으로 달려 나가 한강에 모든 배들이 모이게 했는데
배를 모아라!
네
그렇게 해서 모인 배가 모두 80여 척이 되었어. 나는 곧 이여송에게 배가 준비되었다고 보고했어.
헉~
조금 뒤에 명나라의 장수 이여백이 1만 명의 군사를 이끌고 한강 변으로 나왔는데 군사들이 강을 반쯤 건넜을 때 그는 갑자기 병이 났다고 하며
아이고 배야~.
배를 돌려 성 안으로 들어가 버리고 말았지. 나는 화가 났지만 어쩔 수가 없었어.
배만 보면 배가 아파.
으으
실제로 이여송은 왜적을 뒤쫓을 생각이 없으면서 우리의 말에 응하는 것처럼 보이려 한 것뿐이야.
연기 좋아~
히히히
괜히 배 모으느라 고생만 했잖아.
4월 23일. 나는 그만 병이 나서 자리에 누웠어.
끙끙~
5월이 되어서야 이여송은 왜적을 추격하러 문경까지 갔다가 돌아왔는데
험

이것도 다 우리에게 비난받을까 봐 두려워 보여 주려고 한 행동들이었어.
봤지?
죽을래?
실제로 왜적은 천천히 쉬어가면서 후퇴했는데 아무도 나와서 그들을 공격하는 사람이 없었어.
좀 쉬었다 가죠?
그러지 뭐.
이렇게 왜적은 슬슬 물러가고, 명나라는 살살 뒤를 쳐주는 척하고….
명
먼저 가.
고마워.
내 맘 같아서는 달려가서 확 쳐버리고 싶은데….
콱
우리나라의 아름다운 수도 서울을 이 꼴로 만들어 놓고 도망을 가다니.
서울
후훗.

제9장
왜적의 보복
- 진주성과 남원성의 함락과 백성들의 고통
진주성
남원성
한편, 그렇게 도망가던 왜적들은 바닷가에 이르러 진을 치기 시작했어. 울산의 서생포부터 시작해서 동래, 김해, 웅천에 이르기까지 무려 진을 16군데나 설치했지.
서생포
김해
동래
웅천
그들은 산과 바다에 의지해 성을 쌓고 참호를 파는 등 돌아갈 뜻이 아예 없는 듯했어.
낑낑
푹
명나라에서는 유정, 오유충 등 여러 장수들로 하여금 각지에 주둔하게 해 왜적을 물리치도록 했지만, 이들은 모두 성 안에 머물기만 했어.
진격은 무슨….
일단 버티자구.
귀찮다.

군사가 오래도록 성에 머물면 또다시 무슨 문제가 생길까? 그래 맞아, 군량 문제.
꼬르륵…
이들의 군량은 호서지방과 호남지방에서 가져왔는데
전라도
왜냐하면 전쟁 중에 전라도만 그나마 피해가 덜했기 때문이야.
험준한 산을 넘고 여러 곳을 운반해야 하니 그 것을 나르는 백성들은 너무 힘들어했어.
이여송은 심유경에게 또다시 일본으로 가 그들을 잘 타일러 바다를 건너가게 하라고 지시했어.
바다좀 쓰자
그리고 다른 부하에게는 일본으로 가 도요토미 히데요시를 만나고 오라 명했지.
6월에야 비로소 왜적은 잡혀 있던 왕자와 종친들은 돌려 보내줬고, 심유경에게 이 사실을 보고했어.
-보고서-
다 돌려 보냈다
그러는 한편, 왜적은 진주성을 포위했어. 지난 날 1592년 임진년 진주를 포위했지만, 목사 김시민이 잘 막아 왜적이 패배한 적이 있었지.
김시민
진주는 내가 지킨다
그러고는 "진주에서 패한 원수를 꼭 갚겠다!"는 소문을 퍼뜨렸어.
그 소문 진짜야?
?
과연 왜적은 8일 만에 진주성을 포위해 공격했고 이때 많은 관리들은 물론 군인, 백성 6만여 명이 죽었고 닭, 개, 짐승들까지 어느 하나 남기지 않았어. 또 성을 무너뜨리고 참호를 메우고 우물을 묻고 나무를 베어버리는 등 온갖 만행을 다 저질렀지.
와
진주성
와
와
와

그것으로 지난번 패전에 대한 분풀이를 하려 한 거야. 진주성에서 왜적의 행동은 너무 잔인해서 전쟁이 시작된 이래 이토록 심한 싸움은 없었다고 해.
진주성이 어떻게 넘어 갔냐 하면, 나는 왜적이 남하한다는 소식을 듣고 여러 장수들을 모아 왜적을 추격하게 했는데
권율
특히 행주산성의 공으로 순찰사가 된 권율은 자신이 넘쳐 앞서 나가 왜적을 치려 했어.
다 쓸어 버리겠어!
그런데 생각이 깊은 다른 장수들은 이렇게 주장했어.
지금 왜적의 힘은 강한 데 비해 우리 군사들은 힘이 부치고 정예부대도 아닙니다.
게다가 군량도 없으니 좀 더 신중해야 합니다.
상황을 제대로 판단 못하는 일부 장수들이 혈기만 앞서, 오히려 머뭇거리는 장수들을 비판하며 먼저 군사를 이끌고 함안으로 가버렸지.
겁쟁이들!
그러나 함안에 도착하니 이미 성은 텅 비어 있고 먹을 게 없어 군사들은 굶거나 덜 익은 퍼런 감을 따먹으니 싸울 기력이 전혀 없었어.
아 떫어
꼬르르~
게다가 이때 첩자가 왜적이 김해를 치려고 한다는 정보를 흘리자 장수들은 이곳을 지킬지 아니면 뒤에 있는 성을 지킬지 의견이 분분하여 결정을 내리지 못하고 있었지.
어쩌지?
어쩔까?
그런데! 갑자기 왜적이 쏘는 포 소리가 들리자 군인들은 두려움에 떨어 무너지기 시작했고
펑
펑
펑

앞 다투어 성을 빠져 나가다 다리 위에서 떨어져 죽은 사람이 많았어.
풍덩
왜적은 강물과 육지로 몰려들어 들판을 덮었고 강물을 가득 메우며 덤벼드니
와 아 아 아
장수들도 제각각 흩어지느라 정신이 없었지.
결국 왜적은 성을 포위하게 된 거였어.
ㅋㅋ
ㅋㅋ
ㅋㅋ
진주성은 원래 험한 곳에 있었는데 임진년에 성이 좁다고 동쪽 넓은 평지로 옮겼거든.
턱
바로 그게 잘못이었어. 왜적은 성으로 들어갈 수 있도록 비루라고 하는 것을 8개나 만들어 성 안을 내려다 보며 공격해 왔고
탕
성 밖의 대나무를 뽑아다가 큰 다발을 만들어 이것을 방패삼아 날아오는 돌을 막고 그 사이로는 총을 쏘아댔어.
컥
탕
탕
앞서 말했지만 우리 군사는 정예 부대도 아니고 싸우는 기술도 능하지 못한 데다 장수들 의견은 제각각이니 왜적에게 당연히 밀리게 되었지.
으샤
으샤
하지만 다들 도망갈 때도 오직 장수 황진은 동쪽 성을 지켰는데, 여러 날을 지키다 그만 총에 맞아 전사하고 말았어.
탕
황진
퍽
컥

성 안의 사람들은 돌을 던지며 끝까지 저항해 겨우 버티던 중에
휙 휙
퍽
퍽
북쪽 성에서 이미 성이 함락된 것으로 착각해 군사들이 스스로 먼저 무너져 버렸어.
우루루
왜적은 일제히 다시 성을 기어오르기 시작했고
김천일 등 남은 장수들은 이것을 보고 있다가 촉석루에서 강에 몸을 던져 죽기도 했지.
휙
풍덩
아무튼 진주성이 함락되었다는 소식에 명나라 장수들은 이내 달려와 경상도를 지키려 했고
착
경상도
착
왜적들도 진주를 쳐부수고 부산으로 돌아가 명나라 조정에서 강화를 허락하는 걸 기다리겠다는 소문을 퍼뜨렸어.
소문
소문
부산
진주성이 보복 당해 힘든 이때 우리나라에는 명나라 군사들이 거의 다 돌아가 1만 명 정도만 남아 있는 상태였고
왜? 적어?
명
중앙과 지방 가릴 것 없이 굶주림이 아주 심각했어.
아이고 배고파.
꼬르륵
꼬르르륵
또 군량을 운반하던 늙은이와 어린이들은 굶어 쓰러져 갔고
장정들은 도적이 되었으며
돈 내놔!
애비다 이놈아!

심지어 아버지와 아들, 남편과 자식이 서로 잡아먹는 끔찍한 상황이 벌어졌지.
크르릉
죽은 사람의 뼈가 여기 저기 나뒹구니 이건 사는 게 아니라 지옥이었어.
한편, 강화를 위해 뛰어다니던 심유경은 왜적 장수 고니시 도부와 함께 도요토미 히데요시의 항복문서를 가지고 돌아왔지만
고니시 도부
팔랑 팔랑
명나라 조정에선 그 문서가 도요토미가 쓴 게 아니라 고니시 유키나가가 만든 것이라 의심했어.
?
게다가 이때 하필 왜적이 진주성을 쳤기 때문에 그 문서는 더더욱 믿을 수 없었지.
꺼져
휙
그래서 명나라에서는 고니시 도부를 요동에 머물게 하고 일본에는 아무런 회신을 하지 않았어.
쉿
읍 읍
명나라 조정은 곧이어 고니시 도부에게 명나라 수도로 오라 했고, 그 자리에서 그에게 세 가지 조건을 내세웠어.
잘 들어
그 첫째는 명나라에 봉작만 요구하고 조공은 요구하지 말 것,
첫째!
슥슥~
둘째는 한 사람의 왜병도 부산에 머물러 있지 말 것,
둘째!
슥슥-
셋째는 영원히 조선을 침범하지 말 것.
셋째 끝!
네.
이 세 가지 약속을 지키면 봉작을 내리고 안 그러면 아무것도 해주지 않겠다는 말을 확실히 전했고 고니시 도부는 하늘에 걸고 약속을 했어.
맹세합니다
착

심유경은 이종성과 양방형을 상사와 부사로 삼아 일본으로 갔고, 도착 후 도요토미 히데요시를 일본 국왕으로 봉해줬어.
임명장
이에 왜적은 일단 웅천, 거제 등 몇 개의 진을 철수하게 했어.
철수.
웅천
거제
하지만 왜적은 아주 간사하게 "지난번 평양에서처럼 속임수를 당할까 걱정되니, 명나라 사신이 와 준다면 믿고 모두 약속한 대로 하겠습니다."하는 거야.
까다롭네~
그래서 8월에 양방형이 부산에 가서 철수하라 지시했지만, 왜적은 말을 안 듣고 이종성을 보내라 요구해서 이종성이 할 수 없이 부산에 달려갔어.
후~
나 무시해?
양방형
하지만 왜장은 나오지도 않았고 이종성을 맞이하지도 않았어. 사실은 철수할 뜻이 전혀 없었던 거야.
이종성
헉헉
오라며?
그리고는 한 술 더 떠 "일본으로 가서 도요토미 히데요시에게 이 사실을 보고하고 그의 결정을 들은 후, 돌아와 명나라 사신을 맞이하겠다."고 했어.
한편, 왜장 고니시 유키나가는 일본으로 갔다 병신년인 1596년에 돌아왔지만
오히려 철수문제에 대해서는 아무런 언급이 없었지.
합
그래서 심유경은 이종성과 양방형을 부산에 머물게 하고 혼자 고니시 유키나가와 바다 건너 일본으로 다시 갔지만 오랫동안 소식이 없어 우린 애태우고 있었어.
왜 안 오는 거야?
뭔일 있나?
안절
부절
그러던 중 부산에 일이 생겼어. 이종성은 본래 겁이 많은 사람이었는데, 어떤 사람이
도요토미는 봉작을 받을 생각 따위는 없고, 당신을 잡아 가두어 곤욕을 당하게 만들려 할걸.
헉

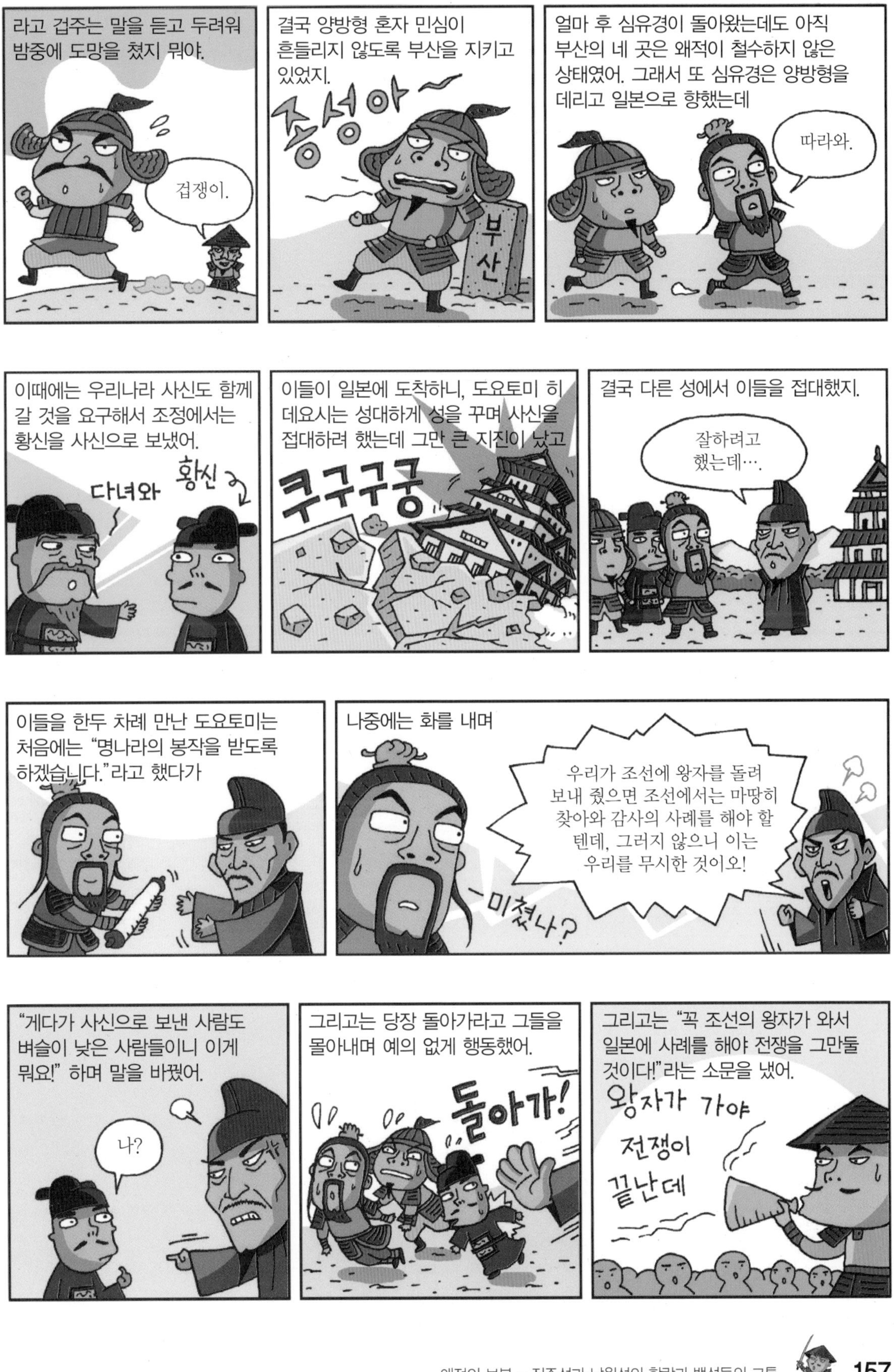
라고 겁주는 말을 듣고 두려워 밤중에 도망을 쳤지 뭐야.
겁쟁이.
결국 양방형 혼자 민심이 흔들리지 않도록 부산을 지키고 있었지.
종성아~
부산
얼마 후 심유경이 돌아왔는데도 아직 부산의 네 곳은 왜적이 철수하지 않은 상태였어. 그래서 또 심유경은 양방형을 데리고 일본으로 향했는데
따라와.
이때에는 우리나라 사신도 함께 갈 것을 요구해서 조정에서는 황신을 사신으로 보냈어.
다녀와
황신
이들이 일본에 도착하니, 도요토미 히데요시는 성대하게 성을 꾸며 사신을 접대하려 했는데 그만 큰 지진이 났고
쿠구구궁
결국 다른 성에서 이들을 접대했지.
잘하려고 했는데….
이들을 한두 차례 만난 도요토미는 처음에는 "명나라의 봉작을 받도록 하겠습니다."라고 했다가
나중에는 화를 내며
우리가 조선에 왕자를 돌려 보내 줬으면 조선에서는 마땅히 찾아와 감사의 사례를 해야 할 텐데, 그러지 않으니 이는 우리를 무시한 것이오!
미쳤나?
"게다가 사신으로 보낸 사람도 벼슬이 낮은 사람들이니 이게 뭐요!" 하며 말을 바꿨어.
나?
그리고는 당장 돌아가라고 그들을 몰아내며 예의 없게 행동했어.
돌아가!
그리고는 "꼭 조선의 왕자가 와서 일본에 사례를 해야 전쟁을 그만둘 것이다!"라는 소문을 냈어.
왕자가 가야 전쟁이 끝난데

이 모든 사건들은 그저 안타까울 뿐이야.
도요토미 히데요시는 야심이 커 명나라의 봉작을 받는 것만이 목적이 아니었는데도 명나라에선 봉작만 허락하고 조공은 허락하지 않았으며
좍
좍
거기에다 심유경은 고니시 유키나가와 서로 친해서인지 둘이서만 이야기하고 임시로 일을 해결하려 했어.
ㅋㅋㅋ…
나 왕따야?
그들이 이런 여러 사실들을 명나라와 우리 조정에 알리지 않았기 때문에 결국 일이 순조롭게 해결되지 못한 거지.
명
조선
우리 조정은 이같은 사실을 명나라에 즉시 알렸고 그래서 명나라 군사는 다시 조선에 오게 되었어.
명
우르르
조선
한편 바다에서는 원균이 이순신이 예전에 자신을 구해 준 것에 처음에는 고마워했고 그때는 둘의 사이가 좋았지만
고마워
얼마 안 가 그가 공을 다투자 사이가 틀어지고 말았어.
이러다 내가 밀리겠어….
원균은 성품이 험악하고 간사해 중앙과 지방 사람들에게 이순신 험담을 하며 그를 모함하기에 정신이 없었지.
속닥
속닥
속닥 속닥
조정 대신들도 원균과 이순신을 지지하는 세력이 따로 나뉘어 갈등을 일으키기도 하고 말야.
원균
원균
이순신
이순신
이순신을 추천한 사람은 나였으니 나를 좋아하지 않는 사람은 당연히 이순신을 비판했어.
둘다 싫어!

그러던 어느 날. 왜적 장수 고니시 유키나가는 일부러 자신의 졸개인 요시라를 경상우병사 김응서와 친하게 지내게 하고
요시라
김응서
그를 통해 거짓 정보를 흘리게 했어.
속닥 속닥
정말?
하루는 가토 기요마사가 출정할 거란 소식을 듣고 자신도 출정 준비를 하던 김응서에게 알렸지.
저도 이번에 강화를 맺는 일과 관련해 가토 기요마사가 잘못했다고 생각하고 그를 아주 미워합니다.
그가 이번에 모월 모일에 반드시 바다를 건너온다는 정보를 제가 몰래 손에 넣었습니다. 장군님이 그를 넓은 바다로 유인해서 공격한다면 반드시 승리하실 것입니다.
깜짝!
김응서는 이 일을 곧장 조정에 알렸고, 대신들은 이순신에게 나아가 왜적을 물리치라 재촉했지.
빨리 나가!
하지만, 이순신은 신중했어. 분명 왜적들의 간사한 속임수가 있을 거라 생각했어.
아무리 가토 기요마사가 밉다고는 하지만, 자기 편의 정보를 순순히 알려줄 리가 없잖아. 뭔가 냄새가 나는데.
진짜인데…
게다가 요시라는 한 술 더 떴지.
아참~ 지금 이미 가토 기요마사가 육지에 내렸는데, 왜 제가 알려드린 날짜에 적을 치러 나가지 않은 겁니까? 그들을 공격했다면 이겼을 것을!
쯧쯧
그러게
이런 사실이 조정에 알려지자 이순신이 출전하지 않아 모든 일을 그르쳤다며 잡아들여 물고를 내자고 난리였지.
휴
물고를 내야 합니다!

임금께선 사실인지 확인하기 위해 남이신이라는 사람을 파견해서 한산도로 파견해 조사하게 했는데, 그가 도착하자 한산도의 군인과 백성들이 길을 막고
남이신
헉
이순신 장군이 잡혀 간 것은 말도 안 됩니다.
원통하옵니다. 장군님을 풀어 주소서!
하고 매달리는 자가 너무나 많았다고 해.
하지만, 그는 사실과 정반대로 "이순신이 나가 싸웠다면 적장을 잡아올 수 있었을 것을, 그가 머뭇거리는 바람에 일을 다 망쳤습니다."하고 거짓 보고를 했고
음
결국 임금은 이순신에게 죄를 묻게 되었어.
큭큭큭
조정에서는 한 차례 그를 고문 한 후 관직을 빼앗고 백의종군 하게 했어.
그런데, 그보다 더 안타까운 것은 그의 어머니였어. 이순신이 옥에 갇혔다는 말을 듣고는 애태우다 그만 병이 들어 돌아가신 거야.
순신아
이순신은 옥에서 나와 바로 집에 들러 초상을 치른 후 권율의 부대에 들어가 백의종군했고 사람들은 그 소식에 슬퍼했어.
어머니
흑흑
한편, 강화 노력이 실패로 돌아가고 정유년(1597년) 5월에는 명나라 장수 양원이 3천 명의 군사를 거느리고 우리나라로 왔어. 이를 '정유재란'이라고도 하지.
쿠~궁
양원
명
이렇게 지겨운 전쟁이 또다시 계속되었고 그들은 서울에 머물다 전라도로 가 진을 치고 군사를 배치했어.
전라도

이렇게 잇달아 명나라 군사가 오는 가운데, 이순신을 대신해 원균이 한산도의 수군을 맡게 되었어.
히히
수군
그는 이순신이 신임하던 부하들을 전부 몰아내고 갈아치우니 군사들은 그를 원망하고 더욱 분하게 생각했어.
다 나가!
게다가 이순신이 지휘하던 시절에 운주당이라는 집을 지어 병사들과 자유롭게 전투에 대해 이야기하고 의견을 나누었거든.
운주당
아무리 계급이 낮은 병사의 말도 귀담아 들었기에 수군은 항상 좋은 작전을 세울 수가 있었어.
오
오
水
하지만 원균은 부임하자마자 그 집에 자신의 첩을 데리고 와 생활하게 했고 전략에 대해 이야기를 나누는 일이 적었으며
아~
매일 술만 많이 마시고, 상과 벌을 주는 데 기준이 없었지.
딸꾹!
비틀
비틀
그래서 병사들이 생각하길
왜적이 쳐들어오면 도망갈 궁리나 해야겠구나!
퍽 퍽
이때 아니나 다를까 왜적이 쳐들어왔고 또다시 요시라를 김응서에게 보내 거짓 정보를 흘렸어.
매번 고마워.
저번에 정보를 듣고도 출전하지 않아 이순신이 하옥된 걸 알고 있었기에 원균은 군사를 내보내 싸울 수밖에 없었어.
어쩔 수 없지….
원균이 군사를 이끌고 절용도에 이르니 바람이 불고 물결이 이는 데다 날이 저무는데 배를 정박할 마땅한 곳이 없었어.
휘잉
철썩

그런데 갑자기 왜적이 나타났고 우리는 어쩔 수 없이 앞으로 진격을 하는데
진격
군사들이 배고픔과 목마름에 견디지 못해 제대로 배를 움직일 수 없었어.
끼깅 끼깅
왜적은 이를 교묘히 이용해 일부러 우리와 가까워졌다 멀어졌다를 반복하며 우리의 힘을 빼놓았고
메롱!
원균의 배는 밤이 되어서야 겨우 절영도에 배를 세울 수 있었어.
아이고~ 힘들어.
그러자 군사들은 갈증이 나서 너도나도 배에서 내려 물을 마시기 시작했어.
꿀꺽 꿀꺽
그런데 이때 왜적이 기습 공격한 거야.
이야압!
우리 수군은 정신없이 흩어졌고 원균도 달아나기 시작했어.
왜적과 싸우느라 정신이 없어서 사람들은 원균이 어디로 갔는지 아무도 몰랐어.
챙 챙 챙
이렇게 한산도에서 수군이 왜적에게 처음으로 패하고 말았어! 수군이 패하다니…
한산도가 패하자 왜적은 이 여세를 몰아 서쪽으로 계속해서 쳐들어 왔고
Go! Go!
서쪽
남해와 순천이 차례로 무너졌어.
쿵
순천
남해
그리고 남원에 와 성을 포위하게 되었지. 이 모든 일은 왜적의 치밀한 계략이었고 우린 거기에 당한 거였어.
남원
흐흐~ 작전 성공!

왜적은 우리나라를 쳐들어 온 후 오직 해전에서만 패했어. 그 사실이 분했던 도요토미 히데요시는 반드시 수군을 쳐부수라 명했지.
멍청이들
그래서 고니시 유키나가는 치밀하게 계획을 세워 거짓 정보를 흘려 이순신을 곤경에 빠뜨려 죄를 짓게 하고 원균을 바다로 나오게 해 기습공격하게 한 것이지.
수군
이렇게 힘없이 원균이 패하자 조정도 백성도 놀라 어쩔 줄 몰라 했고, 나는 이순신을 다시 써야 한다고 주장했어.
어쩌지?
이순신! 이순신!
결국 조정에서는 이순신을 다시 삼도수군 통제사로 삼았지. 이순신은 말을 달려 경상도에서 전라도로 건너 들어갔고
이랴
진도에 이르러 군사를 모아 왜적을 막으려 준비했지.
나와 같이 싸울 사람!
저요
저요
저요
하지만, 그 뒤로 왜적은 밀고 올라와 결국 황석산성마저 함락시켰고 그곳의 많은 장수와 군사들은 모두 전사하고 말았지.
왜적은 기세를 몰아 남원성을 포위했는데, 이 싸움에서 명나라 장수 양원이 도망갔고 우리 장수들은 모두 전사하고 말았어.
양원
병사 중에 김효의라는 자가 겨우 성에서 도망쳐 내게 왔고 남원이 어찌 함락되었는지 알려주었어.
하악~ 하악~
어찌 된 거냐?
김효의
양원은 남원에 도착해 성을 한 길이나 더 올려 쌓기를 지시했다고 해.
더 높이!
그리고 성문에 대포를 설치하고 깊은 참호를 파놓기도 하는 등 왜적을 막을 준비를 했어.

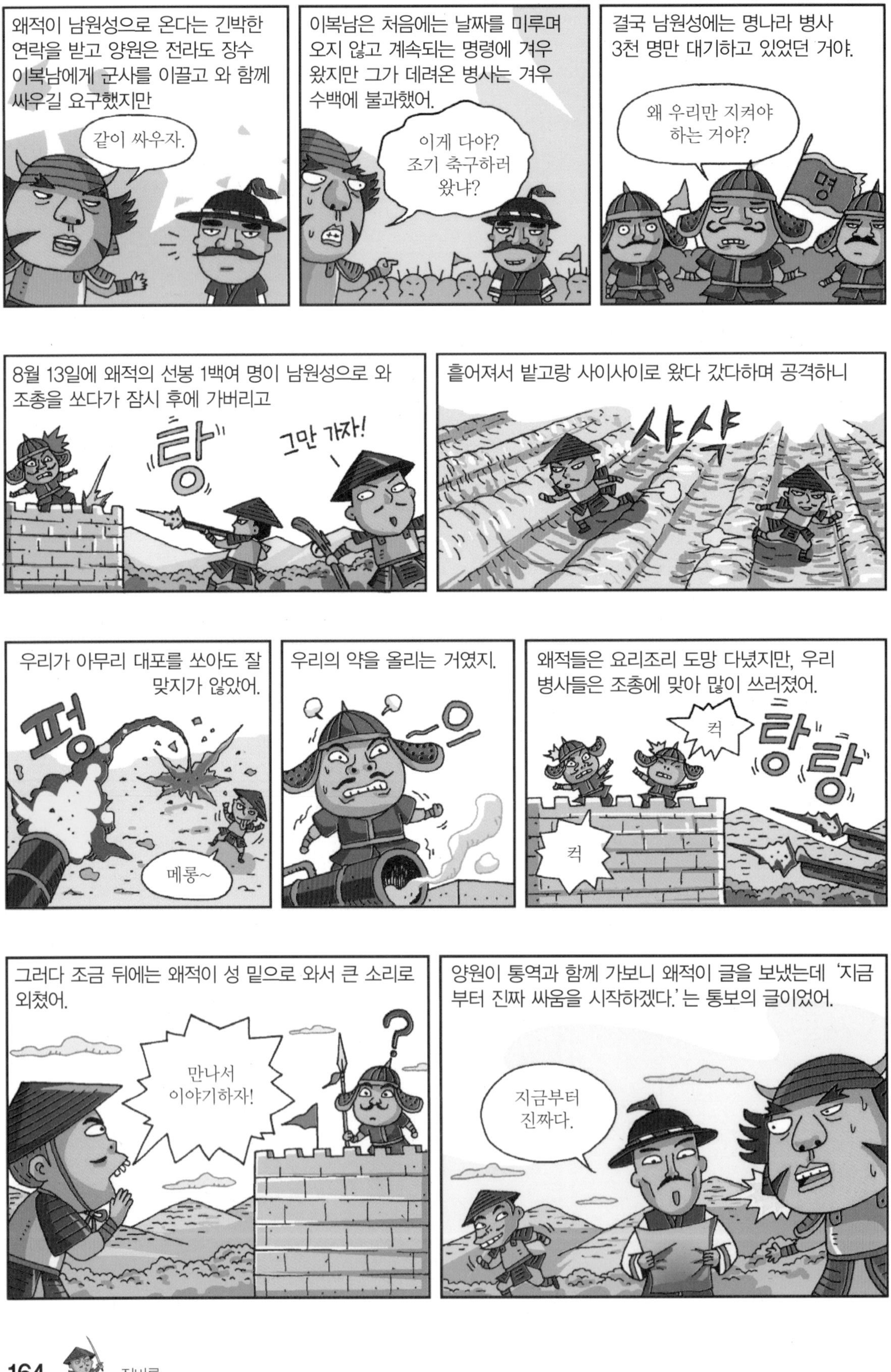

왜적이 남원성으로 온다는 긴박한 연락을 받고 양원은 전라도 장수 이복남에게 군사를 이끌고 와 함께 싸우길 요구했지만
같이 싸우자.
이복남은 처음에는 날짜를 미루며 오지 않고 계속되는 명령에 겨우 왔지만 그가 데려온 병사는 겨우 수백에 불과했어.
이게 다야? 조기 축구하러 왔냐?
결국 남원성에는 명나라 병사 3천 명만 대기하고 있었던 거야.
왜 우리만 지켜야 하는 거야?
명
8월 13일에 왜적의 선봉 1백여 명이 남원성으로 와 조총을 쏘다가 잠시 후에 가버리고
탕
그만 가자!
흩어져서 밭고랑 사이사이로 왔다 갔다하며 공격하니
샤샥
우리가 아무리 대포를 쏘아도 잘 맞지가 않았어.
펑
메롱~
우리의 약을 올리는 거였지.
~으
왜적들은 요리조리 도망 다녔지만, 우리 병사들은 조총에 맞아 많이 쓰러졌어.
컥
탕탕
컥
그러다 조금 뒤에는 왜적이 성 밑으로 와서 큰 소리로 외쳤어.
만나서 이야기하자!
양원이 통역과 함께 가보니 왜적이 글을 보냈는데 '지금부터 진짜 싸움을 시작하겠다.'는 통보의 글이었어.
지금부터 진짜다.

8월 14일에 왜적은 남원성을 삼면으로 둘러싸 진을 치고는 총과 대포를 번갈아 쏘며 전날처럼 공격해 왔고
펑 펑 쾅 쾅 펑
탕 탕
8월 15일에는 왜적들이 성 밖의 잡초와 논의 벼를 베어 큰 다발을 만들어 담벽 사이에 세워 놓았어.
우리는 왜적들이 무슨 일을 꾸미려 저러는지 이유를 몰랐는데, 저녁에 되어서야 알게 되었어.
?
전주에 있는 명나라 지원병도 오지 않아 성 안의 병사들이 모두 두려움에 떨며 도망갈 생각을 하던 바로 그때.
덜덜
?
이 다발들로 참호를 평평하게 메우고 풀 다발을 성 옆에 쌓아 올려 잠깐 사이에 성과 같은 높이로 만들어 버린 거야.
헉
왜적은 어둠속에서 무엇인가를 운반하고 있었는데 그것은 아까 낮에 다발로 묶어둔 잡초와 논의 벼들이었어.

그리고는 잠시 후 모든 포가 성을 향해 있었고 탄환이 날아오기 시작하는데, 탄환이 성 위에 떨어지는 모습이 마치 우박과도 같이 위협적이었다고 해.
슈우우욱
왜적들은 성과 같은 높이로 쌓은 풀 다발을 밟고 성 안으로 들어올 수 있었고
꺄악
붕
이얍!
탁 탁 탁
성안은 금세 어지러워지기 시작했어.
꺅!
으악!
명나라 군사들은 모두 말을 타고 성문을 빠져 나가려고 했지만, 성문은 굳게 닫혀 길은 말들로 꽉 차 발 디딜 틈이 없게 되었지.
히이이잉
그러다 성문이 열리자 서로 앞 다투어 말들을 끌고 나가는데 이때!
두두두두
왜적들이 성 밖에서 이중 삼중으로 둘러싸고 길을 막고 서 있다가 말을 타고 나오는 병사들에게 긴 칼을 정신없이 휘둘러대자

병사들과 말은 사정없이 피를 흘리며 나가 떨어졌어.
촥
이날은 마침 달이 밝아서 왜적은 군사들을 한 사람도 놓치지 않고 죽이려 했고
컥!
헉!
으악!
윽!
양원은 말을 급히 달려 겨우 빠져나가 죽음을 모면할 수 있었다고 해.
으악
좍
윽
악
김효의도 있는 힘을 다해 도망쳐 논으로 뛰어들어 풀 속에 엎드려 있다 왜적이 물러가길 기다렸다 겨우 살아 돌아 왔지.
가자.
두근
두근
이야기를 전해 듣던 내 얼굴은 어느새 눈물로 범벅이 되었어.
흑흑흑…
양원은 오랑캐나 막을 줄 알던 변방의 장수라 왜적을 막긴 힘들어 패했어.
창피해
나는 이렇게 김효의가 말한 것을 자세히 적고 있어. 후세에는 같은 실수를 하지 않길 간절히 바라면서….
게다가 더 큰 문제는 평지에 있던 성이었지. 이번 일로 평지의 성을 지키는 일이 얼마나 힘든 일인지를 다시 한 번 알게 되었고
평
평

최후의 결전
제10장
- 이순신과 수군의 승리
다시 통제사가 된 이순신은 진도로 향했고 병선을 모으니 10여 척이 되었어.
그 많던 배가….
이때 바닷가 지방 백성들은 배를 타고 피난을 가느라 야단이었는데, 이순신이 돌아 왔다는 소식을 듣고 모든 사람이 구름처럼 모여들었어.
어서 오시오.
장군님!
이순신은 이들을 군의 뒤에 있게 해 싸움을 도울 수 있도록 만들었어.
한편, 왜적의 장수 마다시라는 자가 해전에 강하단 소문이 나 있었는데
마다시
나 말야?
그는 전선 3백여 척을 거느리고 서해를 침범하려 했고
어때? 많지?

이순신이 거느린 군사와 진도의 벽파정에서 마주쳤어.
이때 이순신이 가진 것은 12척의 배가 전부였지만,
고작 12척?
크하하하...
왜적은 3백여 척. 이건 누가 봐도 불리했지. 하지만 이순신은 달랐어.
12:300
이 배에 대포를 싣고 조수의 흐름을 이용해 적을 모두 물리치자, 이순신 군대의 명성이 크게 떨치게 되었지.
쾅
펑
펑
펑
쾅
그러자 이순신을 믿고 따르는 사람들이 모여들어 군사가 이미 8천 명이 넘었어.
우르르
우르르
군사가 많으니 또 군량이 문제였지.
밥 주세요.
이순신은 군량이 떨어질 걸 걱정해 방책을 내놓았는데 그것은 '해로통행첩'이었어.
해로 통행첩
해로통행첩은 말하자면 바다를 자유로 통행할 수 있는 통행권이야.
해로 통행첩
이순신은 경상도-전라도-충청도의 3도 연안을 통행하는 선박이라면 누구든 해로통행첩을 갖고 있도록 했고, 만약 그렇게 하지 않으면 간첩선으로 취급해 통행할 수 없게 만들었어.
없으면 못 가!
그렇게 되니 난리를 피해 바다에 있던 배들이 모두 와서 이 통행첩을 받아갔고
통행첩 주세요.
저도
저도
저도

이순신은 통행첩의 대가로 쌀을 내게 했지. 작은 배는 1섬, 중간 배는 2섬, 큰 배는 3섬으로 통일해 쌀을 걷어서
10여 일 동안 무려 1만 섬의 군량을 확보할 수 있게 되었어.
난 사업가 체질인가?
군량도 확보하고, 간첩선을 막고, 백성들은 통행첩을 받아 자유로이 바다를 다닐 수 있으니 일석삼조란 이런 걸 두고 하는 말인 거야.
툭
툭
툭
또 이순신은 백성이 가진 구리와 쇠를 전부 모아 대포를 만들기도 하고
얼마 후 명나라에서 진린이라는 장수가 와서 이순신의 군대와 합류하게 되었어. 그런데 그는 성격이 무척 포악해서 사람들이 두려워하는 인물이었어.
진린
내가 뭐가 무서워?
무서워
나무를 베어 배를 만드는 등 모든 일이 그야말로 일사천리로 진행되었어.
뚝딱
뚝딱
진린의 군사가 마을의 수령을 때리고 욕하는 것을 보고는 내가 통역관을 불러 말리라고 했지만 그는 듣지 않을 정도였거든.
퍽
퍽
그만하시오! 그만!
나는 이것을 보고 함께 있던 대신들에게 말했지.
저러다간 이번에도 이순신이 질 것 같습니다. 진린과 함께 있으면 행동하는 게 그에게 억눌리겠고, 서로 의견이 갈려 맞지 않으면 분명 그는 장수의 권한을 뺏고 군사들을 마음대로 하려 할 텐데 어찌 이번에도 우리가 이길 수 있기를 바란단 말입니까?
음~

그렇지만 내 생각은 괜한 걱정이었어. 이순신은 진린이 온다는 소리에 군사를 시켜 사냥을 해 사슴, 산돼지, 물고기 등을 잡아오게 했어.
꽥
이것들로 잔치를 성대하게 준비해 놓고, 진린의 배가 들어올 때에는 예의를 다해 먼 바다까지 나가서 그를 맞이했어.
어서 오십시오.
그가 도착한 후 모든 군사들을 성대히 대접하자 여러 장수들이 매우 만족해 했던 건 두말할 필요가 없었지.
오
쩝쩝
군사들은 기분 좋게 이야기를 주고받았어. 진린 역시 마음속으로 매우 기뻐했지.
하하 하하
음.
게다가 이것만이 아니었어. 왜적이 침범해 오자 군사를 보내 무찔렀는데 그는 잡아온 왜적을 모두 진린에게 넘겨 그의 공으로 만들어 주니 진린은 감동하지 않을 수 없었지.
가지세요
감동
감동
이런 일이 있은 후부터 진린은 모든 일을 이순신에게 먼저 물어서 처리를 하게 되었고
순신, 이거 어떻게 할까?
가마를 타고 갈 때는 이순신의 가마와 항상 나란히 가지 절대 혼자 앞서 가는 일이 없었다고 해.
하하
또한 진린은 황제에게 글을 올려 "이순신은 천하를 다스릴 만한 인재요, 어려움을 충분히 극복해 낼 수 있을 것입니다." 라고 말하기도 했어.
조선에 이런 인재가….

한편, 그때까지 왜적은 물러가지 않고 여전히 국토를 짓밟고 다녔는데
퍽 퍽
가는 곳마다 불을 지르고 우리나라 사람을 잡기만 하면 코를 베어가 우린 도망가기 바빴어.
코내놔!
왜적은 죽인 사람의 수를 확인하기 위해 코를 베어오게 했는데, 처음엔 군사의 코만 베다가 나중에는 일반 백성의 코도 베어갔어. 정말 큰 문제였지.
내가 모은 코.
한편, 명나라 장수 양호와 마귀는 서울에 주둔해 왜적을 막아내고 있었어.
양호
마귀
쾅
쾅
왜적은 경기도 지경까지 왔다가는 도로 물러갔지.
헉 헉
어디 가?
가토 기요마사는 울산에, 고니시 유키나가는 순천에, 시마쓰 요시히로는 사천에 주둔했는데
울산
순천
사천
이렇게 되니 그들이 움직일 수 있는 범위가 7, 8백 리에 이를 정도로 매우 넓었어.
와~ 넓다.
울산
순천
사천
이때쯤, 왜적이 강성해 한때 서울이 위협받자 대신들은 또 피란할 계획을 임금에게 올렸어. 하지만 일부 대신은
이번 왜적은 걱정할 거리가 못됩니다.
오래 끌면 반드시 저절로 물러가게 될 것입니다.
하고 피란에 반대했지. 이때, 권율이 달아나 서울에 있었으므로 임금이 그를 불러 왜적의 정세를 물었어.
임금께서 너무 서울로 빨리 돌아오셨습니다. 서쪽 지방에 더 계시면서 왜적의 상황을 지켜봐야 했을 줄로 아옵니다.

하지만 곧 왜적이 물러갔다는 소식이 전해졌고 그는 서둘러 경상도로 떠나고 말았지.
후다닥
대신들이 임금께 "권율은 전략이 부족하고 겁이 많으니 도원수로 삼기에는 부족합니다."고 건의했으나 임금께서는 듣지 않으셨지.
그만!
한편, 명나라 장수 양호와 마귀는 군사 수만 명을 거느리고 경상도로 내려가 울산의 왜적을 공격하기 시작했어.
양호
마귀
엄청 많네.
이때 가토 기요마사는 울산 동해안의 험한 곳에 성을 쌓고 있었는데 기회를 틈타 기습하니 왜적은 쓰러지기 시작해 결국 꼼짝을 못하게 됐지.
꼼짝마!
명나라 군사가 바깥 성을 빼앗으니 왜적은 모두 성 안으로 깊숙이 들어갔는데, 문을 굳게 닫고 지키며 13일이 지나도 나오지 않았어.
꼼짝을 않네….
내가 가서 보니 성 안이 매우 고요하고 적막하기까지 했지.
잠잠
명나라 군사가 가까이 다가가면 성 안에서 총을 쏘아대 성 아래에는 명나라와 우리 병사의 시체가 매일 같이 쌓여갔어.
탕
이렇게 싸움이 이어지던 어느 날, 왜적의 다른 배가 들어와 성 안의 왜적을 도와 주고 있는 것을 우리 군사가 발견했어.
빨리 와!
성 안에는 물이 부족했으므로 밤이 되면 이렇게 왜적이 성 밖으로 나왔던 거야. 그런 그들을 다른 왜적이 도와 준 거고.
고마워.
화이팅!

아~ 그래서 13일이나 버틸 수 있는 거였구나!
양호는 곧 날쌘 군사를 시켜 샘물 옆에 숨어 있다가 밖으로 나온 이들을 잡아오게 했지.
깜짝!
밤마다 이렇게 잡아 온 왜적이 백 명 가까이 되었는데
너무 많다.
여러 장수들은 "성안에 양식이 떨어졌으니 오래 포위하고 있으면 왜적은 저절로 무너질 것입니다." 하고 이야기했어.
하하하
승리는 우리 것!
하지만 이때 날씨가 너무 추워서 군사들의 손발이 모두 얼어 터질 정도였고
휘
덜덜덜
잉
육로로 오는 또 다른 왜적이 성 안의 왜적을 도우러 온다는 말에 양호는 왜적이 공격해 올 것을 두려워 갑자기 군사를 돌리고 말았어.
철수!
?
1598년 정월. 명나라 장수들은 서울로 돌아갔고 다시 왜적과 싸울 방법을 논의했어.
어떻게 싸울까?
잘 싸워야죠.
7월에는 양호가 잘못한 일이 20여 가지가 된다고 탄핵을 받아 파면되었고
켁!
새로운 장수로 만세덕이 임명되었지.
만세덕
만세

우리는 양호가 왜적을 무찌르는 데 큰 힘을 썼다고 생각해 도우려 노력했지만 소용없었고, 그가 떠나는 길에 임금께서 눈물로 보내셨어.
잘가
9월에는 여러 장수들을 각지에 배치했지만, 모두 싸움에 불리했고 왜적에 패하여 죽은 사람이 수도 없이 많았어.
10월에는 명나라 장수 유정이 대군을 거느리고 순천으로 가서 고니시 유키나가를 공격하고
유정
우르르
이순신은 진린과 함께 바다에서 쳐들어가자
우르르…
궁지에 몰린 고니시 유키나가는 사천에 있는 시마쓰 요시히로에게 구원을 요청했어.
도와줘
사천
이순신은 구원병을 맞아 바다로 나가 공격하여 왜적의 배 2백여 척을 불태우고 수많은 왜적을 죽였어.
그리고 도망가는 왜적을 남해까지 쫓아가 싸웠는데, 이때 그만!
한 놈도 살려 보내지 마라!
날아오는 총알이 그의 가슴을 관통하고 말았지.
옆에 있던 사람들이 그를 부축하여 안으로 들어갔는데
지금은 싸움이 급하니 내가 죽은 것을 절대 말하지 말라.
이순신은 그렇게 숨을 거두고 말았지.
장군~

이순신의 형의 아들 이완은 평소에 담력이 있고 마음이 넓은 사람이었는데
이완
흑 흑
순신의 명대로 병사들을 격려해 싸우게 하자, 아무도 이순신의 죽음을 알지 못했어.
멈추지 말고 적을 부셔라!
그리고 진린의 배가 왜적에게 포위 당하자 곧장 배를 몰아 그를 구해 주었어.
쾅 쾅
역시 순신이.
왜적이 여기저기 흩어진 후 진린이 이순신에게 고맙다는 말을 전하러 왔는데
순신이 고마워.
그는 그제서야 이순신이 죽었다는 사실을 알았고 털썩 주저 앉으며
털썩
헉
나는 장군이 와서 나를 구해준 줄로만 알았는데, 어쩌다가 돌아가셨단 말입니까!
으아아 아아…
하고 가슴을 치며 큰 소리로 통곡을 했어. 이에 모든 군사들이 그를 따라 통곡을 했고 그 울음소리가 온 바다에 진동했지.
으어어엉
순신아~ 내가 네게 많은 힘이 되어 주지 못했는데, 너는 이렇게 가버리다니!
흑흑흑
이순신
그 후, 고니시 유키나가는 기회를 틈 타 도망을 쳤는데 알고 보니 이보다 먼저 7월에 도요토미가 죽었다고 해.
언제 죽은 거야?
그렇게 장수도 잃고 관백도 잃게 되니 바닷가에 진을 치고 있던 왜적들은 겁에 질려 모두 물러가기 시작했어.
빨리 돌아가자.

이렇게 이순신의 장렬한 죽음이 있던 최후의 결전과 함께 7년을 끌어온 처참한 전쟁은 끝이 났지. 전쟁은 모든 것을 가져갔어. 모든 것이 불타 없어졌고 많은 사람이 피 흘리며 죽어갔고 우리 땅은 완전히 폐허가 되고 말았어.
한편, 우리나라 군사와 명나라 군사는 이순신이 전사했다는 말을 듣고 마치 어버이가 돌아가신 것처럼 큰 소리로 통곡하고 슬퍼했어.
흑흑…
아이고 장군님
엉엉
가는 곳마다 제사를 지내고 울면서 붙잡으니 상여가 지나갈 수 없었고, 지나가는 사람마다 눈물 흘리지 않는 사람이 없을 정도였지.
아이고
장군님
나라에서는 그의 공을 가상히 여겨 의정부 영의정으로 벼슬을 높여 주었어.
살아서 주지….
이순신
임명장
의정부 우의정
그리고 바닷가의 백성들이 모여 사당을 짓고는 '민충사'라 불렀으며 제사를 지내 주었어.
민충사
난 너무나 슬펐고 그와의 옛 일들이 눈앞을 빠르게 스쳐 지나갔어.
이순신과 나는 어릴 적 한 동네에서 자랐는데 그의 형 요신과 내가 친구였어. 난 이순신을 참 예뻐했어.
유성룡
이순신
이요신
이순신은 어릴 적부터 영특하고 매우 활달했지. 아이들과 놀 때에도 활과 화살을 만들어 가지고 놀았단다.
깔 깔 깔

그의 집안은 대대로 문과였지만 활을 잘 쏘던 그는 무과를 거쳐 훈련원에서 벼슬을 시작하게 되었어.
이순신은 심지가 곧고 의지가 강한 사람이라 한 번은 이런 일이 있었지. 병조판서 김귀영이라는 사람에게 딸이 있었는데
내 딸 이쁘지?
그는 딸아이를 순신의 첩으로 보내고 싶어 했지만 이순신은 좋아하지 않았어.
왜 싫어?
얼굴이…
그 까닭을 물으니
내가 내 힘으로 벼슬길에 처음 올라 왔는데 권세가 있는 집안에 기대어 어찌 승진을 도모한단 말이오!
단지?
또 어느 날 병조정랑 서익이라는 자가 자기와 친한 사람이 훈련원에 있는데 그 사람을 봐주기 위해서 원래 있는 추천자의 순서를 무시한 채 그를 추천하려 했어.
걱정 마. 내가 밀어줄게.
순신은 자신이 훈련원 업무를 맡아 보고 있으니 책임자로서 안 된다고 강력히 주장했어.
안돼!
서익은 화가 났고 순신을 불러 뜰 아래 세웠지.
휘잉
하지만 순신은 비록 자신보다 관직이 높은 사람 앞이라 하여 옳다고 생각하는 뜻을 굽히거나 굴하지 않았어. 그렇게 하는 것이 옳은 일이라는 신념만 있었지.
신념
서익이라는 사람의 성격도 만만치 않아 모두 두려워 하였는데, 이순신은 말씨와 얼굴빛도 하나 변하지 않고 바르게 설명하며 뜻을 굽히지 않았지.
어쩌구 저쩌구
결국 날이 저물어서야 서익은 이순신을 돌아가게 했고
졌다! 가봐라~
네.
이 사건으로 많은 뜻있는 선비들에게 이순신의 이름이 차츰 알려지기 시작했어.
이순신 이라~

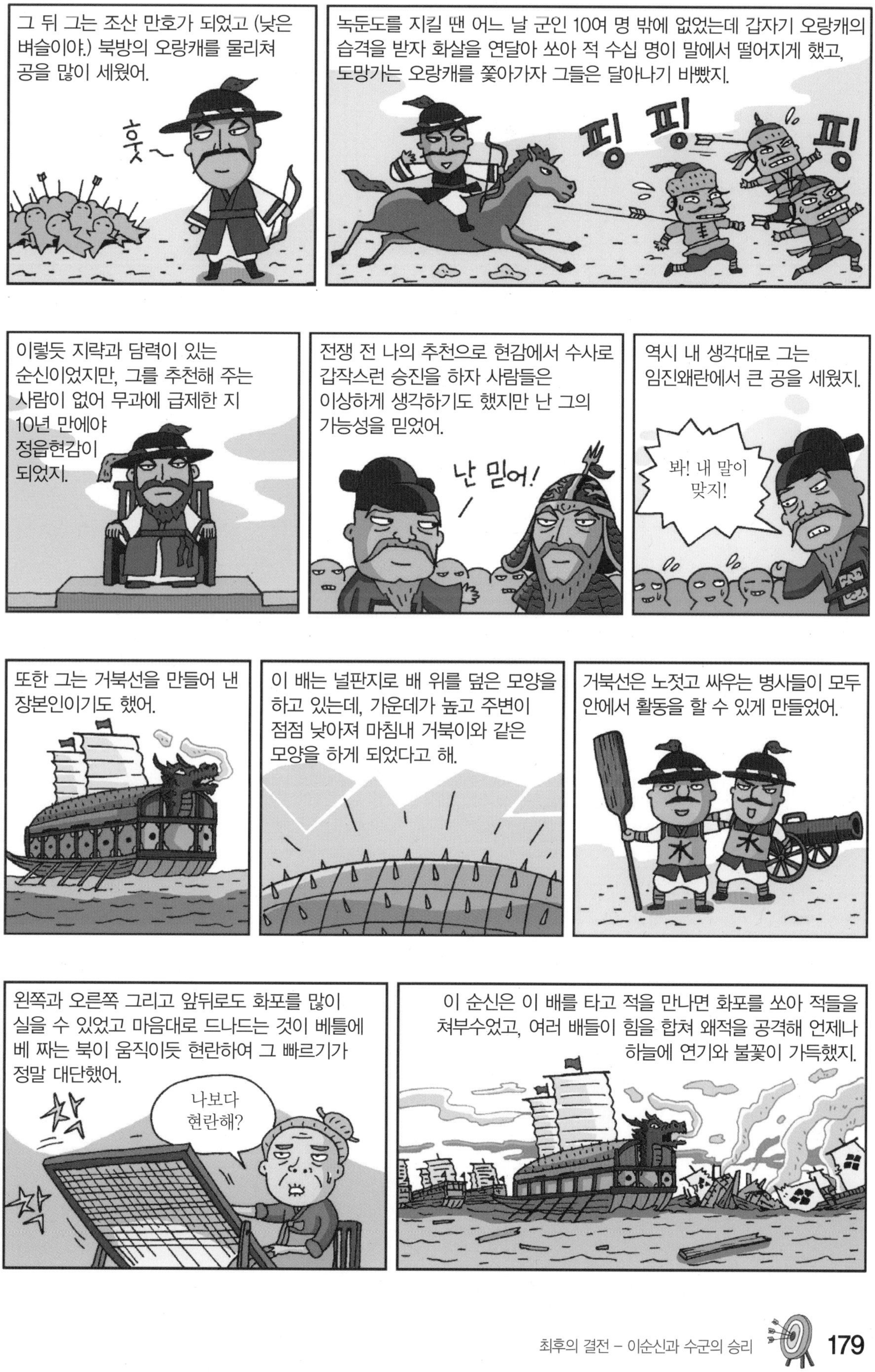

그 뒤 그는 조산 만호가 되었고 (낮은 벼슬이야.) 북방의 오랑캐를 물리쳐 공을 많이 세웠어.
훗~
녹둔도를 지킬 땐 어느 날 군인 10여 명 밖에 없었는데 갑자기 오랑캐의 습격을 받자 화살을 연달아 쏘아 적 수십 명이 말에서 떨어지게 했고, 도망가는 오랑캐를 쫓아가자 그들은 달아나기 바빴지.
핑 핑
핑
이렇듯 지략과 담력이 있는 순신이었지만, 그를 추천해 주는 사람이 없어 무과에 급제한 지 10년 만에야 정읍현감이 되었지.
전쟁 전 나의 추천으로 현감에서 수사로 갑작스런 승진을 하자 사람들은 이상하게 생각하기도 했지만 난 그의 가능성을 믿었어.
난 믿어!
역시 내 생각대로 그는 임진왜란에서 큰 공을 세웠지.
봐! 내 말이 맞지!
또한 그는 거북선을 만들어 낸 장본인이기도 했어.
이 배는 널판지로 배 위를 덮은 모양을 하고 있는데, 가운데가 높고 주변이 점점 낮아져 마침내 거북이와 같은 모양을 하게 되었다고 해.
거북선은 노젓고 싸우는 병사들이 모두 안에서 활동을 할 수 있게 만들었어.
왼쪽과 오른쪽 그리고 앞뒤로도 화포를 많이 실을 수 있었고 마음대로 드나드는 것이 베틀에 베 짜는 북이 움직이듯 현란하여 그 빠르기가 정말 대단했어.
착
나보다 현란해?
착
이 순신은 이 배를 타고 적을 만나면 화포를 쏘아 적들을 쳐부수었고, 여러 배들이 힘을 합쳐 왜적을 공격해 언제나 하늘에 연기와 불꽃이 가득했지.

그가 불태운 왜적선이 헤아릴 수 없을 정도였고, 왜적은 거북선을 가장 두려워했어.
도대체 저게 뭐야?
그는 언제나 군사 일만을 생각하는 아주 성실한 사람이었는데, 한번은 이런 일도 있었지.
수군통제사 시절 이순신은 갑옷을 벗는 일이 거의 없었는데, 하루는 견내량에서 왜적과 대치하고 있던 적이 있었어.
찌릿
밤에 달빛이 무척 밝았는데, 순신은 갑옷을 입은 채 누워 있다 갑자기 벌떡 일어나
벌떡
여러 장수들을 불러 소주를 한 잔씩 마시고는 그들에게 말하기를
오늘 밤에는 달이 밝소. 왜적들은 간사한 꾀가 많은지라
항상 달이 없을 때 우릴 습격했지만, 오늘은 달이 밝아도 습격해 올 것이니 그리 알고 경비를 더 강화하세요.
하며 나팔을 불게 해 망을 보는 병사들을 깨워 왜적이 들이닥칠 것에 대비했지.
뿌우우
그런데 얼마 뒤 한 병사가 와서 보고하길
정말로 지금 왜적이 침입했습니다!
훗
우리 군사들이 기다렸다는 듯 대포를 쏘니 다른 배들도 여기에 호응해 왜적들을 공격하게 되고
펑 쾅 펑 쾅
우리가 경비를 삼엄하게 서는 걸 안 왜적은 바삐 물러가고 말았어.
펑 펑
쟤들은 잠도 안자?
이런 일이 있은 후로는 장수들이 이순신을 귀신과 같은 장군이라 생각하게 되었다고 해.
정말 귀신 아냐?
어찌 알았지?
귀신 장군님.
무서워

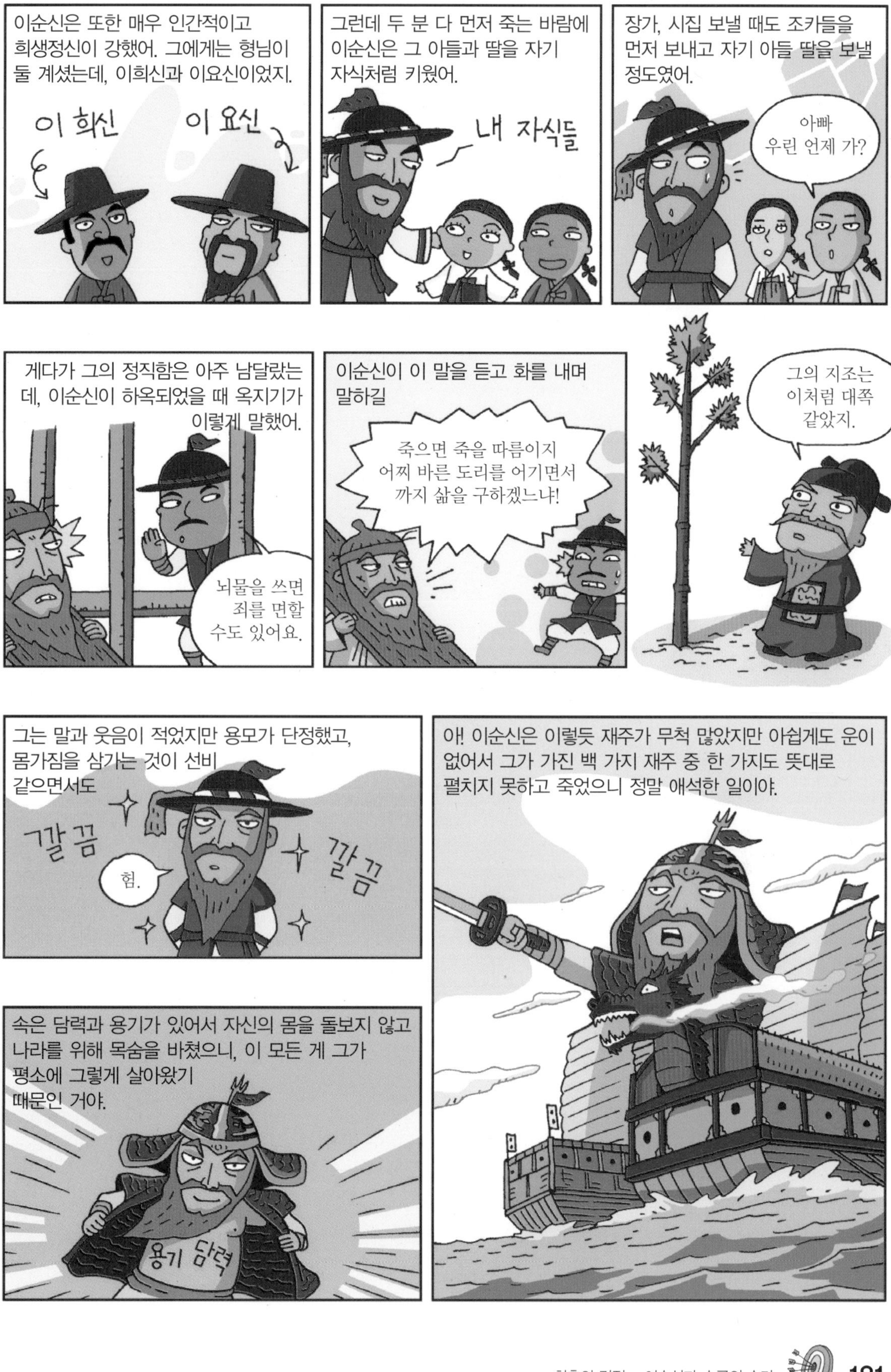
이순신은 또한 매우 인간적이고 희생정신이 강했어. 그에게는 형님이 둘 계셨는데, 이희신과 이요신이었지.
이 희신
이 요신
그런데 두 분 다 먼저 죽는 바람에 이순신은 그 아들과 딸을 자기 자식처럼 키웠어.
내 자식들
장가, 시집 보낼 때도 조카들을 먼저 보내고 자기 아들 딸을 보낼 정도였어.
아빠 우린 언제 가?
게다가 그의 정직함은 아주 남달랐는데, 이순신이 하옥되었을 때 옥지기가 이렇게 말했어.
뇌물을 쓰면 죄를 면할 수도 있어요.
이순신이 이 말을 듣고 화를 내며 말하길
죽으면 죽을 따름이지 어찌 바른 도리를 어기면서까지 삶을 구하겠느냐!
그의 지조는 이처럼 대쪽 같았지.
그는 말과 웃음이 적었지만 용모가 단정했고, 몸가짐을 삼가는 것이 선비 같으면서도
깔끔
흠.
깔끔
아! 이순신은 이렇듯 재주가 무척 많았지만 아쉽게도 운이 없어서 그가 가진 백 가지 재주 중 한 가지도 뜻대로 펼치지 못하고 죽었으니 정말 애석한 일이야.
속은 담력과 용기가 있어서 자신의 몸을 돌보지 않고 나라를 위해 목숨을 바쳤으니, 이 모든 게 그가 평소에 그렇게 살아왔기 때문인 거야.
용기 담력

환란은 예고하고 찾아오는 법!
제11장
- 불길했던 이상한 조짐들

이렇게 전쟁은 많은 상처를 남기고 끝났는데… 여기서부터는 내가 전쟁을 겪으며 보고 느낀 일들을 자유롭게 이야기해 볼게.

전쟁은 예고 없이 어느 날 일어났지만 돌이켜 생각해 보면 전쟁이 일어나기 몇 해 전부터 이상한 일들이 마치 전쟁의 예고처럼 일어났었어.

단지 우리가 못 알아봤을 뿐. 불길했던 일은 한두 가지가 아니었는데 몇 가지 대표적인 것만 이야기해 줄게.

우선 무인년 (1578년) 가을. 하늘에 난데없이 혜성이 길게 뻗쳤는데
슈우우

그 모양이 흰 비단을 길게 편 것처럼 서쪽에서 동쪽으로 향하여 돌아다니다가 몇 달 만에야 사라졌어. 사람들은 이상한 일이라고 수근거렸지. 왜냐하면 혜성이 나타나면 나라에 큰 변란이 일어난다고 믿었기 때문이야.
뭔일이 나려나?
불안하네.

또 무자년(1588년) 쯤에는 한강의 물이 3일 동안 붉어지기도 했어.
그 맑고 푸른 한강물이 3일이나 붉게 흘렀다는 게 확실히 뭔가 이상했지.
어허.
이어 신묘년(1591년)에는 죽산의 태평원이라는 곳 뒤에 있는 큰 돌 하나가 어느 날 저 혼자 저절로 일어섰어.
벌떡
그리고 통진현에서는 쓰러져 있던 버드나무가 다시 일어섰는데 사람들이 이를 보고 뭐라고 했냐면
장차 서울이 옮겨질 것인가?
벌떡
당시에는 헛소문이라 생각했지만, 결국 그런 일이 일어나고야 말았지.
또 원래는 해주에서 많이 잡히던 청어라는 물고기가 있었는데
나 청어.
10년 동안 해주에서는 전혀 잡히지 않았다가 어느 날부턴가는 요동 지방에서 잡히기 시작한 거야.
웬 청어?
이때 요동에 사는 사람들은 이상한 일이 갑자기 일어나니 모두 놀라며 말했어.
도적들이 조선에서 몰려오고, 왕자가 탄 가마가 압록강에 온대~
그래서 늙은이들이 산으로 대피하는 등 한바탕 소란이 있기도 했지.
산으로 갈겨.
아버지~
또, 이런 일도 있었어. 우리 사신이 북경에서 돌아오던 길에 금석산 입구의 하씨 성을 가진 사람의 집에서 묵게 된 일이 있었는데
신세 좀….

그때 집주인이 이렇게 말했다고 해.
어떤 통역관이 저한테 말하길 "너희 집에 담근 지 3년, 5년 된 술이 있다고 하던데, 아껴두지 말고 얼른 마시며 놀아라. 얼마 있으면 군사가 쳐들어 올 것인데, 그때가 되면 마실 수 없을 것 아니냐. 아껴뒀다 뭐 할래?"라고요.
그래서 우리 요동 사람은 조선 사람들이 혹시 이상한 마음을 먹고 있는 게 아닌지 의심하기도 했습니다.
그럴 리가요?
이 말을 들은 사신은 조정에 보고했고
뭐라?
조정에서는 그런 근거 없는 말을 퍼뜨린 통역관이 누군지 잡겠다며 통역관 몇 명을 불러 고문하기 시작했어.
어느 놈이냐? 사실대로 자백하라!
저희들은 모르는 일입니다.
그들은 무릎에 깨진 사기 그릇 조각을 깔고 그 위에 널빤지나 무거운 돌을 올려놓고 고문하는 압슬형을 당하면서도 어느 누구 하나 자백하지 않고 죽어갔어.
으아악!
이게 신묘년 (1591년)의 일이었고, 다음 해인 임진년 (1592년)에 왜적이 쳐들어오게 된 거지.
이런 일을 겪고 나니 큰 일이 있기 전 비록 그땐 모르더라도 이상한 조짐들이 반드시 나타난다는 걸 나는 깨닫게 되었어.
흰 무지개가 해를 뚫고
금성이 하늘에 뻗치는 일이 매년 나타났음에도 아무도 이상하게 여기는 사람이 없었어.
금성 재 또 나타났네.

도성 안에 항상 어두운 기운이 깔려 있었고
연기도 안개도 아닌 것이 항상 땅에서 피어올라 하늘에 닿는 일이 10일이나 계속 되었는데도 말이야.
이렇게 하늘은 계속 신호를 보내 왔지만, 미천한 사람만이 깨닫지 못하고 있던 것이지.
답답한 인간.
한편, 임진년 (1592년) 4월 왜적이 침입했을 때 이상한 일이 벌어졌어. 갑자기 이상한 새 한 마리가 어디선가 나타나 궁궐 뒷마당에서 울며 공중에서 왔다 갔다 하는 거야.
꺄오오오
그런데 딱 한 마리의 새가 울었음에도 그 소리를 못 들은 사람이 한 사람도 없었어.
이게 무슨 소리야?
이 일이 있은 지 10일 후에 임금께선 피란길에 오르셨고 적들이 성 안으로 들어오자 궁궐이며 종묘사직, 관청, 민가 할 거 없이 모두 텅 비게 되었으니, 문득 중국 두보의 시가 생각이 나네.
휘~잉
장안성 위로 머리 흰 까마귀 밤이면 연추문 위에 날아와 울고 인가를 찾아 큰집을 쪼아대니 그 집의 고관들은 달아나 오랑캐를 피하네.
푸드득
어쩐지, 일어난 일들의 내용이 비슷하지?
그 후 5월에는 내가 임금을 모시고 평양의 김내진이라는 사람의 집에 머물러 있을 때가 있었어.
전하~ 어서 오십시오.

그 사람도 그 동안 벌어졌던 이상한 일들을 나에게 알려줬는데 그 내용은 이랬지. "얼마 전에 승냥이가 여러 번 성 안으로 들어오고 대동강 물이 붉었는데요,
어우우우
동쪽 가는 몹시 흐리고 서쪽 가는 맑아서 이상하다 생각했는데 아, 그러고 나니 이런 변란이 일어나지 뭡니까.
나는 이 말을 듣고 기분이 아주 좋지 않았는데, 과연 얼마 후 평양성은 왜적의 손에 넘어가고 말았지.
평양성
이 무렵 왜적이 점차 다가오고 있어서 민심은 흉흉해지고 백성들은 모두 두려움에 떨고 있었는데
덜덜덜덜
스르륵
마침 하늘에 목성이 비추고 있었어. 목성은 복성(福星)의 의미가 있었기에 임금이 말하길
복성이 우리나라를 비추고 있으니 왜적을 두려워 할 것 없다. 걱정 마라.
이 말씀은 두려움에 떨고 있는 백성을 안정시키시려는 의도에서 나온 것이었고
휴~
그 뒤에 비록 성을 빼앗기고 왜적에게 계속 당했지만 빼앗긴 걸 다시 찾고 왜적의 우두머리인 도요토미 히데요시도 죽었으니 이것은 모두 우연한 일이 아니었던 거야.
이제 왜적의 이야기를 해볼까?

왜적은 간사하고 교묘해 군사를 움직일 때 남을 속이는 꾀를 쓰지 않는 적이 없었어.
케 케 케
내 생각엔 임진년에 서울을 공격할 때 쓴 꾀는 잘 쓴 것이지만, 평양에서는 실패한 꾀였어.
진작 말해주지
당시 우리나라는 태평한 세월을 보내 백성들은 전혀 전쟁을 모르다 갑자기 왜적이 쳐들어 오자 어찌할 바를 모르고 넋을 잃고 말았지.
전쟁이 뭐야?
엥?
왜적은 매우 빠르게 서울로 들이닥쳐 지혜 있는 사람들이 모여 미처 전략을 짜내지도 못하게 하였고
흩어져!
용감한 사람들이 나아가 싸울 결단을 내리지도 못하게 했어.
싸울까? 말까?
시간적인 여유를 주지 않고 서울을 빠르게 점령해 버렸으니 민심은 더욱 무너져 수습할 수 없게 만든 거야.
빠르지?
서울
꺅
꺅
비록 적이지만, 좋은 방법이며 꾀를 잘 낸 것이라 칭찬할 만해.
고맙스므니다
하지만, 왜적은 항상 이긴다는 거만한 생각에 사로잡혔고
우린 최강!
뒷일을 생각 않고 군사들이 여러 도로 흩어져 나가 자기들 마음대로 미쳐 날뛰게 만들었어.
군사가 사방으로 나누어지면 힘이 약해지는 법인데
기우뚱
군력
기우뚱
덜덜덜
다시 모여~

우리나라 천 리에 가득 왜적의 진영이 연이어 있었음에도 오랜 시간을 끌다보니 궁지에 몰리게 된 거지.
옛말에 "아무리 강한 쇠로 만든 화살을 쏘더라도 멀리 날아가다 보면 끝에 가서는 힘이 다하여, 결국에는 얇은 비단조차 뚫을 수 없게 된다."고 했던 것과 같은 이치야.
핑~
약해
툭
이렇게 되니 명나라 군사 4만 명을 갖고서도 평양성을 되찾아올 수 있었고 여러 도에 퍼져 있던 왜적들 역시 기운이 빠지게 되었어.
평양성
축~
서울에 있던 왜적도 비록 아직 서울을 점거하고 있지만 그 세력이 위축되었고 사방에 퍼져 있던 우리 백성들이 곳곳에서 나와 공격하니 왜적의 허리가 툭! 끊어진 꼴이 되고 말았어.
싹둑
그러다가 이제는 왜적 진영의 끝과 끝, 즉 머리와 꼬리가 서로를 구할 수 없게 되어 모두 도망갈 수밖에 없던 거지.
먼저 간다, 꼬리야.
꿈틀 꿈틀
그래서 평양에서 쓴 왜적의 방법은 완전 실패작이었다고 생각해.
아~하
물론 왜적의 실수는 우리에겐 정말 잘된 일이긴 하지만
안타까운 것은 우리에게 단 한 명의 훌륭한 장수라도 있어서 특별한 전략을 썼더라면… 하는 거야.
우린 아닌가?
난 특별한데!
그랬더라면 왜적의 힘을 끊고 특히 평양에서 패전했을 때 장수를 여럿 잡아 왜적을 힘들이지 않고 물리칠 수 있었을 텐데 말야.
난 훌륭한 장수다.
윽! 졌다!

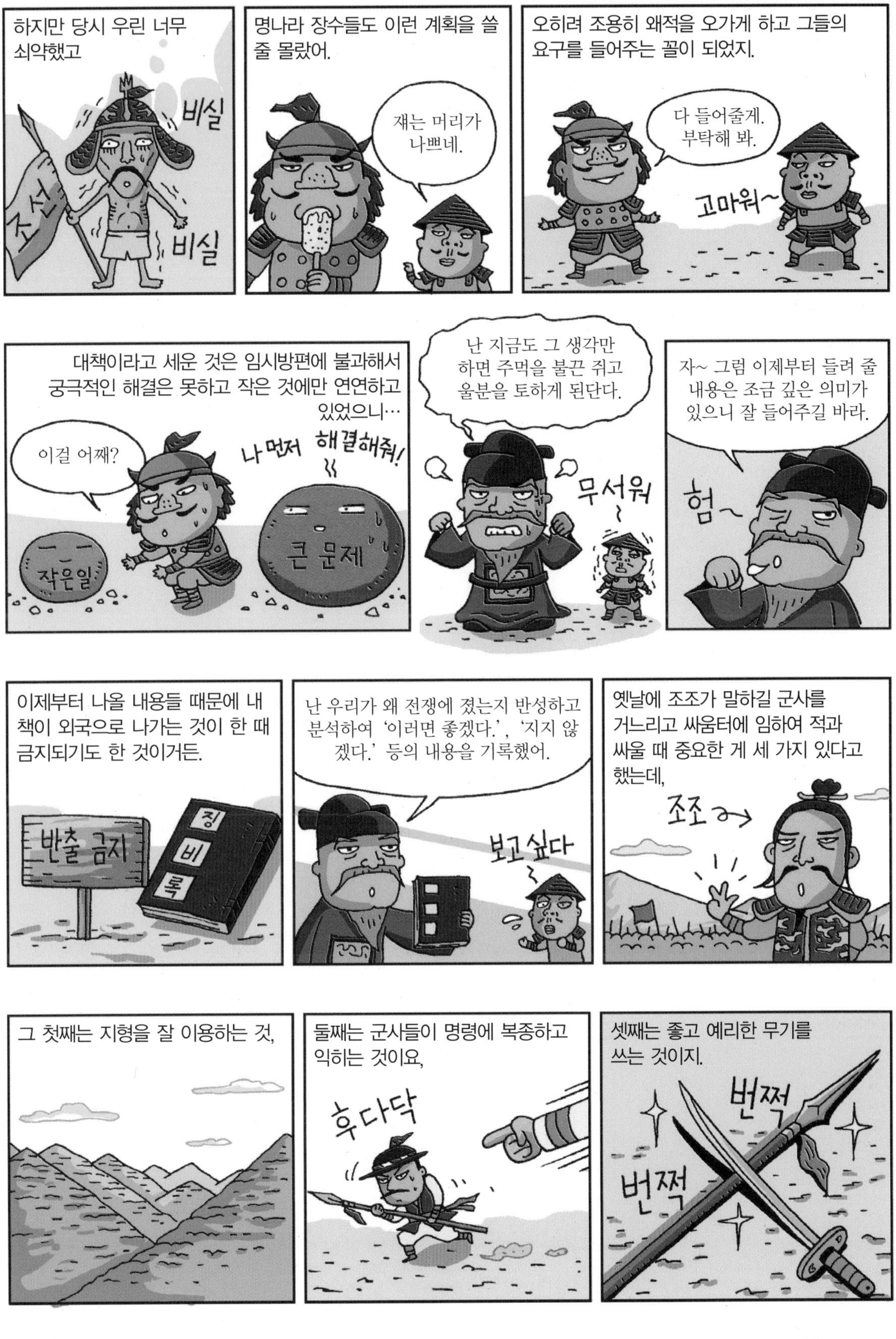

하지만 당시 우린 너무 쇠약했고
비실
비실
조선
명나라 장수들도 이런 계획을 쓸 줄 몰랐어.
쟤는 머리가 나쁘네.
오히려 조용히 왜적을 오가게 하고 그들의 요구를 들어주는 꼴이 되었지.
다 들어줄게. 부탁해 봐.
고마워~
대책이라고 세운 것은 임시방편에 불과해서 궁극적인 해결은 못하고 작은 것에만 연연하고 있었으니…
이걸 어째?
나 먼저 해결해줘!
작은일
큰 문제
난 지금도 그 생각만 하면 주먹을 불끈 쥐고 울분을 토하게 된단다.
무서워~
자~ 그럼 이제부터 들려 줄 내용은 조금 깊은 의미가 있으니 잘 들어주길 바라.
험~
이제부터 나올 내용들 때문에 내 책이 외국으로 나가는 것이 한 때 금지되기도 한 것이거든.
반출 금지
징비록
난 우리가 왜 전쟁에 졌는지 반성하고 분석하여 '이러면 좋겠다.', '지지 않겠다.' 등의 내용을 기록했어.
보고싶다
옛날에 조조가 말하길 군사를 거느리고 싸움터에 임하여 적과 싸울 때 중요한 게 세 가지 있다고 했는데,
조조
그 첫째는 지형을 잘 이용하는 것,
둘째는 군사들이 명령에 복종하고 익히는 것이요,
후다닥
셋째는 좋고 예리한 무기를 쓰는 것이지.
번쩍
번쩍

이 세 가지가 전쟁을 하는 데 가장 요긴한 것이고 여기서 승부가 판가름 나니, 장수가 되는 사람은 반드시 이것을 알아야 한다.
그런데 왜적들은 싸움에도 익숙했고 무기도 아주 예리했어 특히 조총의 위력이 대단했지.
탕
이런 왜적을 평지의 넓은 들판에서 만나 진을 치고 전투를 했다면 우린 매번 크게 지고 말았을 거야.
ㅋㅋㅋ
아이고
하지만 적보다 먼저 지형을 잘 파악해 군사를 매복시켜 적이 나타났을 때 좌우에서 활을 쏘면 조총이 있어도 우리를 당해낼 수 없을 거야.
으악!
실제로 이런 전략을 써서 왜적을 이겨낸 적이 있어. 임진년에 왜적이 서울에서 노략질을 일삼았는데 여러 왕릉도 보전할 수 없었지.
이때 고양에 사는 이로라는 사람이 있었는데 그는 활을 쏠 줄 알고 담력도 좀 있는 편이었어.
이로
어느 날 친구들과 함께 창릉과 경릉에 갔는데, 뜻밖에도 왜적의 무리를 만난 거야. 왜적은 골짜기를 가득 메울 정도로 많았고
앗!
누구냐!
이로와 친구들은 어떻게 할지 몰라 일단 칡덩굴이 빽빽한 숲에 몸을 숨겼지.
왜적들은 쫓아와서 이들을 찾느라 기웃거렸고
두리번 두리번
이때 이들이 한 번 활을 쏘자 왜적은 활에 맞아 그대로 거꾸러졌어.
윽
윽

그들은 화살이 날아온 방향을 찾아 이리 저리 다녔지만 장소를 옮겨 다니며 활을 쏘아대니
도대체 어디서 쏘는 거야?
왜적은 우리 군사의 수가 많은 것으로 착각해 두려워 가까이 다가오지 못했어.
그래서 창릉과 경릉을 지킬 수가 있게 되었던 거야.
이런 점을 보면 지세를 잘 이용하느냐 못 하느냐에 따라 전쟁의 성패가 갈리게 된다는 것을 알겠지?
오~ 중요체크!
자~ 그렇다면 성은 어떻게 지켜야 하는 걸까?
성이라 하는 곳은 포악한 도적을 막고 백성들을 보호해야 하는 곳으로 당연히 그 견고함이 무엇보다 중요하겠지.
탁 탁
좋아!
그런 성에서 중요한 것 중에 성윗담을 빼놓을 수 없는데, 내가 평소 군사에 관한 책을 잘 보지 않아 성윗담이란 게 그냥 성 위에 더 쌓은 낮은 담인 줄 알았거든. 화살을 꽂는 담장 말이야.
이건 '여장' 인데
그런데 전쟁이 일어난 후 척계광이 쓴 《기효신서》라는 책을 자세히 보게 되었고 새로운 사실을 알게 되었어.
기효신
바로 성윗담은 곡성이나 옹성을 말한다는 사실!
곡성이나 옹성은 뭐냐 하면, 성문 앞에 둥글게 담을 더 쌓아 적이 성문으로 바로 들어오지 못하게 하는 성벽을 말하고

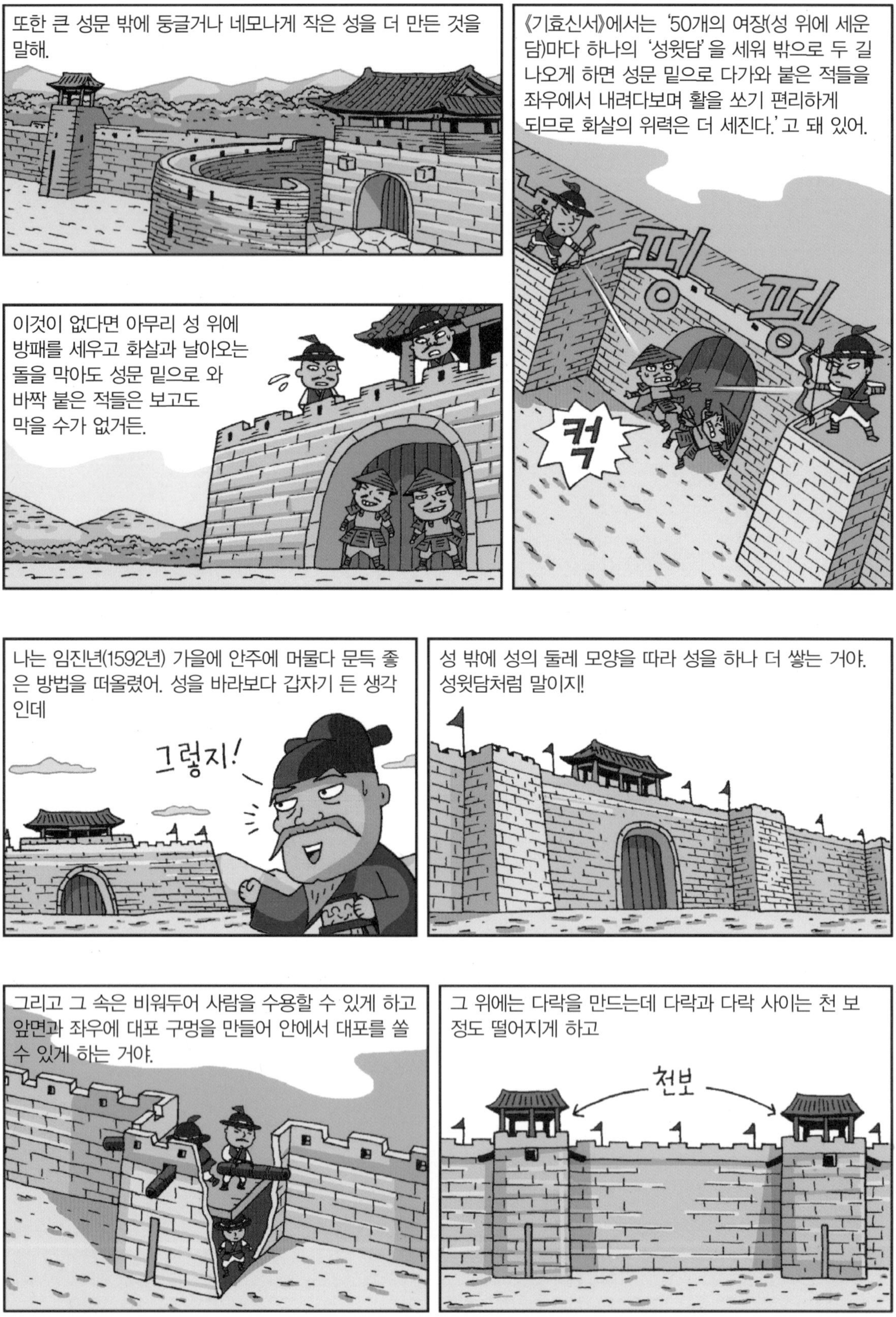
또한 큰 성문 밖에 둥글거나 네모나게 작은 성을 더 만든 것을 말해.
이것이 없다면 아무리 성 위에 방패를 세우고 화살과 날아오는 돌을 막아도 성문 밑으로 와 바짝 붙은 적들은 보고도 막을 수가 없거든.
《기효신서》에서는 ‘50개의 여장(성 위에 세운 담)마다 하나의 ‘성윗담’을 세워 밖으로 두 길 나오게 하면 성문 밑으로 다가와 붙은 적들을 좌우에서 내려다보며 활을 쏘기 편리하게 되므로 화살의 위력은 더 세진다.’고 돼 있어.
피융
피융
컥
나는 임진년(1592년) 가을에 안주에 머물다 문득 좋은 방법을 떠올렸어. 성을 바라보다 갑자기 든 생각인데
그렇지!
성 밖에 성의 둘레 모양을 따라 성을 하나 더 쌓는 거야. 성윗담처럼 말이지!
그리고 그 속은 비워두어 사람을 수용할 수 있게 하고 앞면과 좌우에 대포 구멍을 만들어 안에서 대포를 쏠 수 있게 하는 거야.
그 위에는 다락을 만드는데 다락과 다락 사이는 천 보 정도 떨어지게 하고
천보

대포 안에 탄환을 넣어두었다가 이것을 적이 몰려올 때 양쪽에서 번갈아 쏜다면 그 위력에 사람과 말은 물론 쇠와 돌도 부서질 정도일 거야.
펑 펑
이렇게 견고하게 방어막을 지었으니, 많은 사람도 필요없이 단 수십 명만 성을 지켜도 적은 쉽게 다가오지 못할 거라 확신해.
너무 견고해.
짠~
비록 성윗담을 본떠 만들었지만 그 위력은 더 강해서 운제나 충차 같은 것이 다 소용없게 만들 수 있을 거야.
충차
운제
난 우연히 이것을 생각해 냈고 즉시 여러 대신들에게 알려 회의할 때에도 이것을 여러 번 설명하기도 했어.
어때?
글쎄~
또 이것이 쓸 만하단 걸 보여주려고 병신년(1596년)에 사람을 시켜 서울의 동쪽 수구문 밖의 한 곳에 돌을 모아 만들어 보기도 했는데
안타깝게도 다 완성하지는 못했고, 게다가 내 의견에 반대하는 의견이 있어서 하다가 그만 두어야만 했지.
그만 두시오!
혹시 훗날 큰 생각을 가진 사람이 있다면, 나 같은 옛 사람이 낸 생각이라고 해서 버리지 말고 이런 방법을 한번 사용해 봐. 아마 적을 막는 데 적지 않은 도움이 될 것이니까 말이야.
적은거 다 내놔!

제12장
전쟁이 남긴 것들
- 우리는 무엇을 준비해야 했나.
7년이나 계속된 전쟁으로 조선은 말 그대로 생지옥으로 변해 버렸어.
죽은 사람의 수도 헤아릴 수 없었고, 그 많던 집과 문화재들은 불타버리거나 노략질로 빼앗긴 것이 셀 수도 없었지.
무엇보다 가장 큰 손실은 백성의 몸과 마음이 상처 입었다는 거야.
아퍼~
전 국토와 모든 백성이 그야말로 난도질을 당했다고 해도 될 시간들이었어.
촥
촥
앞서 말했지만, 분명 재난의 예고가 있었는데도, 우리는 그것을 알아 듣지 못했지.
뭐라고?

태평한 세월 속에 잠자던 조선만 빼고 나머지 주변국들은 이 범상치 않은 기운을 느끼고 있었어.
일어나
그만자
zzz…
조선
전쟁이 코앞에 닥쳐서야 부랴부랴 준비를 해 봤지만, 모두 형식적일 뿐 전쟁에 대비해 제대로 준비된 게 없었어.
허술해!
준비
쩌억
우리 속담에 '소 잃고 외양간 고친다.'는 말이 있지. 소가 떠난 후 고쳐 봤자 당장 소용이 없는 것 같아도 반드시 고쳐 놔야 해.
콰
왜냐고? 그래야 새로운 소를 들여 놓았을 때, 다시 소를 잃을 일이 생기지 않을 테니까 말이야.
휴
자, 그럼 이제 우리가 전쟁에 대비해 준비하지 못한 게 뭔지 다음의 이야기를 듣고 한번 생각해 보자.
첫 번째 이야기 – 내가 안주에 있을 때, 김성일이 경상우감사가 되었어.
접니다.
한번은 그가 편지를 보냈는데 거기엔 "진주성을 잘 수리해 죽기를 각오하고 지킬 계략을 마련하려고 합니다."라고 써 있었어.
기특하군
나는 김성일에게 답장을 보내서 이렇게 이야기했어.
슥슥
왜적은 조만간에 반드시 쳐들어 올 것입니다. 왜적이 지난 해의 원한을 갚으려고 쳐들어온다면 틀림없이 많은 군사를 거느리고 올 것이니, 성을 지키는 일이 예전과 달리 어렵게 될 수 있겠습니다. 마땅히 '포루'를 세워 이에 대비해야 근심이 없을 것입니다.
from 성룡
포루는 포를 설치하여 쏠 수 있도록 견고하게 만든 포대를 말하는데

나는 편지에 포루에 대한 상세한 설명을 적어 같이 보냈어.
오~
계사년(1593년) 6월에 왜적이 진주성을 공격했다는 말을 듣고 나는 부하에게
진주가 위태롭다는데, 포루를 설치했다면 성을 지킬 수 있겠지만 그렇지 않다면 어려울 거야.
그런데 얼마 후 합천에 내려가던 길에 진주성이 벌써 함락되었다는 소식을 듣게 되었어.
진주성이 함락 되었답니다.
뭐?
진주성의 함락과 관련된 이야기는 후에 김성일의 친구 조종도라는 사람을 통해 들을 수 있었는데, 사연이 너무 안타까웠어.
어찌된 사연이냐면 요….
조종도가 지난해 김성일과 함께 진주성에 머물 때, 김성일은 내가 보낸 편지를 보며 감탄했어.
야아~ 이건 정말 기가 막힌 계획인데.
하하하
지금 즉시 성을 돌아보고 어디에 포루를 설치할 것인지 정해야겠어.
끄덕
그는 성을 돌아보고 그 형세에 따라 8군데에 포루를 설치하면 되겠다고 생각했고
여기. 여기. 저기….
백성들에게 나무를 베어 강물에 띄워 보내라고 지시를 했어.
나무 좀 베어 주시오.
뭐?
그런데 문제는 백성들이야.
아이고~ 왜 지금 사람을 애써 힘들게 만드시는 겁니까?
전에는 포루가 없어도 오히려 성을 거뜬히 지켰고 적을 물리치기까지 했는데요?
맞어
맞아
맞아
하지만 김성일은 이에 굴하지 않고 포루를 만들 나무 등 재료를 구해다 놓고 포루를 만들기 시작했어.

그런데 그만! 김성일이 병이 들어 자리에 누워버리고 만 거야.
그가 일어나지 못하자 일은 더 이상 진행되지 않았고, 결국 포루를 만드는 일이 모두 중지되고 말았지.
야호!
이렇듯 진주성에 포루는 설치되지 못했고, 과연 내가 걱정했던 것처럼 왜적에게 무참히 지고 말았어.
진주성
콰쾅
이 이야기를 조종도에게 듣고는 우리 둘은 서로 안타까워하며 헤어졌어.
안녕
아아! 김성일이 앓아누운 그 불행은 김성일 한 명의 불행이 아닌 진주성 만백성의 불행이 되었어.
휴~
휴~
이 일은 정말로 불운이라고밖에 할 수 없고 사람의 힘으로 어떻게 할 수 없는 일이었지.
두 번째 이야기 – 임진년(1592년) 4월에 왜적은 무서운 기세로 여러 고을을 무너뜨리니, 우리 군사는 그 모습만 봐도 무너져, 맞서 싸우려는 자가 없었어.
후다닥!
그래서 비변사*의 여러 신하들은 날마다 대궐에 모여 대책을 찾아보았어. 이때 어떤 사람이 건의했어.
저요!
왜적은 창칼을 쓰는데 우리는 강하고 두꺼운 갑옷이 없습니다. 두꺼운 쇠로 온몸을 둘러싼 갑옷을 만들어야 합니다.
갑옷을 입으면 저 멀리까지도 사람의 형체가 보이지 않도록 해야 하며 아무리 왜적의 진중에 들어가도 찌를 틈새가 없게 갑옷을 만든다면 우리는 왜적을 이길 수 있을 것입니다.

*비변사 군사 업무를 맡아보던 기관

그러자 여러 사람들이 "아~ 그럴 수 있겠네요." 하고 끄덕끄덕하는 거야.
그럴싸 한걸?
그래서 갑옷 만드는 기술자들이 밤낮으로 철갑옷을 만들었어.
깡 깡
나는 이래서는 안 되겠다 싶어서 얘기했지.
저기 여보시오. 왜적과 싸울 때에는 아주 빠른 동작이 가장 중요하지요.
그런데 두꺼운 철갑옷을 입는다면 그 무게를 몸이 이겨낼 수도 없고 몸도 둔하여 잘 움직일 수 없을 텐데 어떻게 왜적을 이긴다는 것입니까?
그러게요?
며칠 후 그 갑옷이 쓰기 어렵다는 것을 알고는 다들 그만 두었어.
안 되면 말고.
이~씨
또다른 이야기 – 왜적을 막을 대책을 논의하는 어떤 자리에서 한 사람이 화를 마구 내면서 말했어.
도대체 대신들은 그렇게도 적을 막을 계략이 없단 말입니까?
그러자 좌의정이 물었어.
그럼 그대에게는 무슨 계책이라도 있는가?
아니 한강가에 높은 누각을 많이 만들어서 적이 올라오지 못하게끔 만들고 높은 데서 적을 내려다 보며 활을 쏘도록 만들면 되지 않겠습니까?
여기서 좌중을 웃긴 어떤 사람의 말!
그럼 그 누각에는 왜적의 총알도 올라올 수 없단 말입니까?
하 하 하 하

그 사람은 말없이 물러났고 우리는 한참 동안 웃었지.
갑자기 배가….
하하 하하
이건 진짜 웃겨서 웃는 게 아니야. 눈물을 흘리며 웃을 수밖에 없는 일들이지.
허허허…
웃고 있어도 눈물이 난다
우선, 장수와 관련한 이야기를 짚고 넘어가야겠어. 군사에는 일정한 형태가, 전투에는 정해진 법이라는 게 있어.
?
상황과 때에 따라 알맞은 전술과 전법을 마련해 적에게 나아가거나 물러서야 하고
??
변신!
착
모이고 흩어지는 계교를 적절히 써야 하는 법이야.
모여라!
쾅
그런데 이런 능력을 발휘하느냐 못하느냐는 누구에게 달렸는가 하면 바로 장수 한 사람이라는 사실!
우린?
그렇게 따진다면 천 마디 말도, 만 가지 계교도 다 소용 없고 한 사람의 뛰어난 장수를 얻는 것이 무엇보다 중요한 일이 되는 거야.
바로 나 같은 장수….
여기에 조조가 말한 세 가지 계책 중 한 가지도 없으면 안 되고 그 나머지 복잡한 이야기는 다 쓸데없는 것들이야. 누가 말한 무거운 갑옷이나 높은 누각처럼 말이야.
바보들…
우리구나
그러니 나라에서는 좋은 장수를 전쟁이 없을 때에 미리 뽑아 두었다가 전쟁이 일어나면 임명하는 게 순서고, 그러므로 장수를 뽑는 데 무엇보다 신중해야 해.
어디보자!
그런데 우리의 경우 당시 수군 장수 박홍과 원균, 그리고 육지 장수 이각과 조대곤 등 모두 원래 장수감으로 뽑힌 사람들이 아니야.
원균
박홍
당신도?

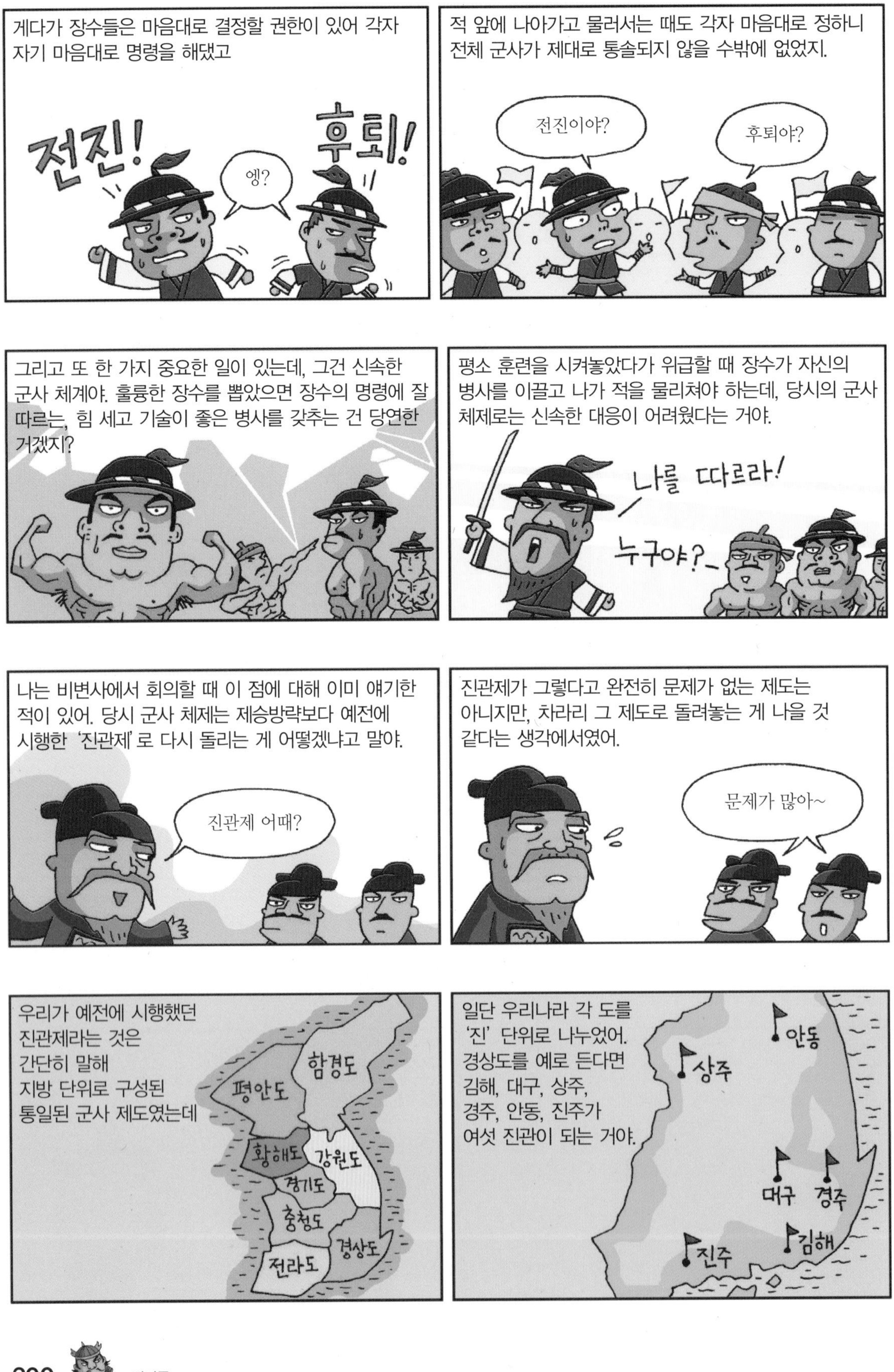

게다가 장수들은 마음대로 결정할 권한이 있어 각자 자기 마음대로 명령을 해댔고
전진!
엥?
후퇴!
적 앞에 나아가고 물러서는 때도 각자 마음대로 정하니 전체 군사가 제대로 통솔되지 않을 수밖에 없었지.
전진이야?
후퇴야?
그리고 또 한 가지 중요한 일이 있는데, 그건 신속한 군사 체계야. 훌륭한 장수를 뽑았으면 장수의 명령에 잘 따르는, 힘 세고 기술이 좋은 병사를 갖추는 건 당연한 거겠지?
평소 훈련을 시켜놓았다가 위급할 때 장수가 자신의 병사를 이끌고 나가 적을 물리쳐야 하는데, 당시의 군사 체제로는 신속한 대응이 어려웠다는 거야.
나를 따르라!
누구야?_
나는 비변사에서 회의할 때 이 점에 대해 이미 얘기한 적이 있어. 당시 군사 체제는 제승방략보다 예전에 시행한 '진관제'로 다시 돌리는 게 어떻겠냐고 말야.
진관제 어때?
진관제가 그렇다고 완전히 문제가 없는 제도는 아니지만, 차라리 그 제도로 돌려놓는 게 나을 것 같다는 생각에서였어.
문제가 많아~
우리가 예전에 시행했던 진관제라는 것은 간단히 말해 지방 단위로 구성된 통일된 군사 제도였는데
함경도
평안도
황해도
강원도
경기도
충청도
경상도
전라도
일단 우리나라 각 도를 '진' 단위로 나누었어. 경상도를 예로 든다면 김해, 대구, 상주, 경주, 안동, 진주가 여섯 진관이 되는 거야.
안동
상주
대구
경주
김해
진주

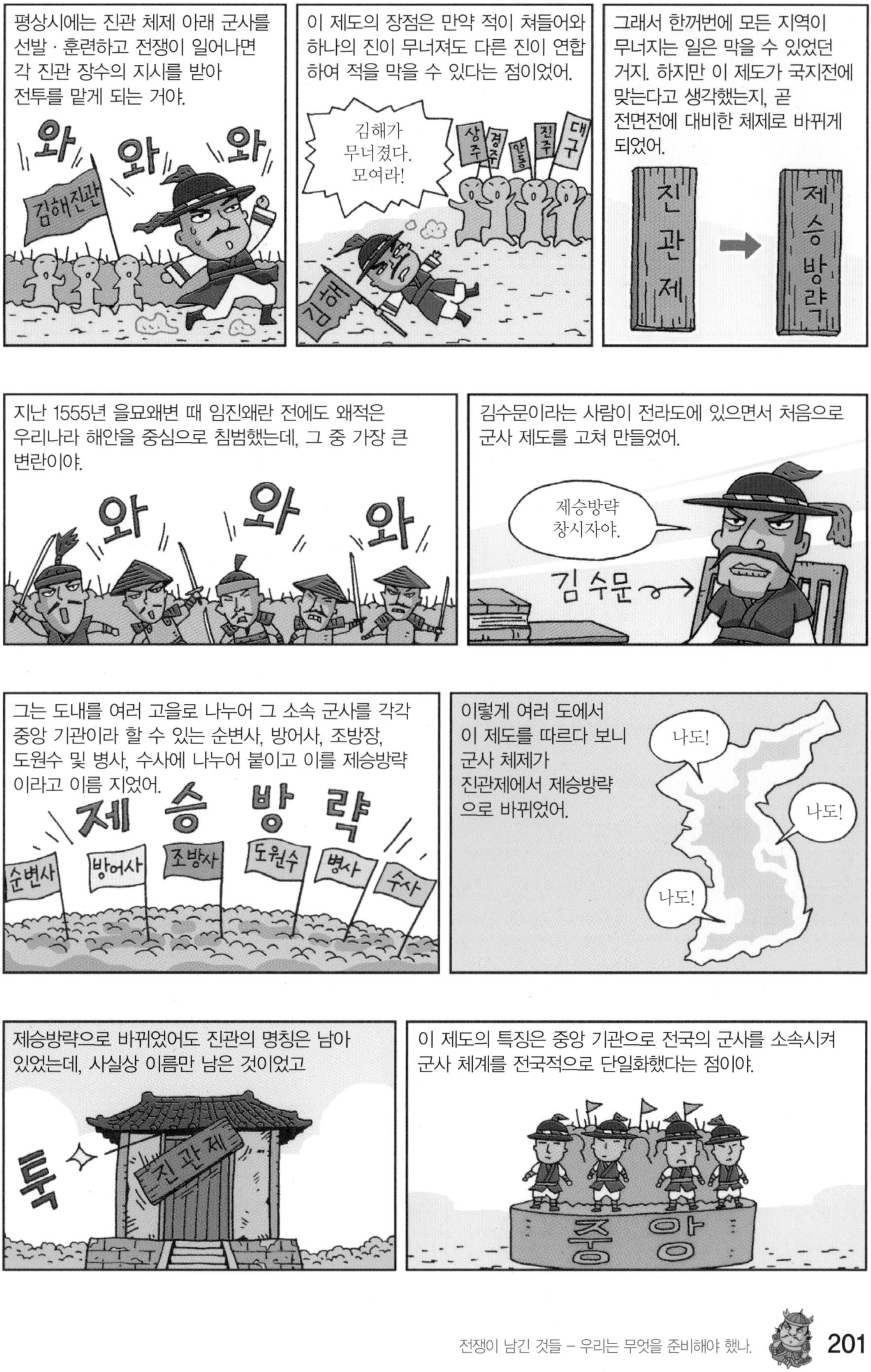
평상시에는 진관 체제 아래 군사를
선발 · 훈련하고 전쟁이 일어나면
각 진관 장수의 지시를 받아
전투를 맡게 되는 거야.
와 와 와
김해진관
이 제도의 장점은 만약 적이 쳐들어와
하나의 진이 무너져도 다른 진이 연합
하여 적을 막을 수 있다는 점이었어.
김해가 무너졌다. 모여라!
상주
경주
안동
진주
대구
김해
그래서 한꺼번에 모든 지역이
무너지는 일은 막을 수 있었던
거지. 하지만 이 제도가 국지전에
맞는다고 생각했는지, 곧
전면전에 대비한 체제로 바뀌게
되었어.
진관제
제승방략
지난 1555년 을묘왜변 때 임진왜란 전에도 왜적은
우리나라 해안을 중심으로 침범했는데, 그 중 가장 큰
변란이야.
와 와 와
김수문이라는 사람이 전라도에 있으면서 처음으로
군사 제도를 고쳐 만들었어.
제승방략 창시자야.
김수문
그는 도내를 여러 고을로 나누어 그 소속 군사를 각각
중앙 기관이라 할 수 있는 순변사, 방어사, 조방장,
도원수 및 병사, 수사에 나누어 붙이고 이를 제승방략
이라고 이름 지었어.
제승방략
순변사
방어사
조방사
도원수
병사
수사
이렇게 여러 도에서
이 제도를 따르다 보니
군사 체제가
진관제에서 제승방략
으로 바뀌었어.
나도!
나도!
나도!
제승방략으로 바뀌었어도 진관의 명칭은 남아
있었는데, 사실상 이름만 남은 것이었고
툭
진관제
이 제도의 특징은 중앙 기관으로 전국의 군사를 소속시켜
군사 체계를 전국적으로 단일화했다는 점이야.
중앙

제승방략은 각 진관이 서로 연결이 되지 않고 전쟁이 터진 경우 해당 진관이 알아서 움직이는 게 아니라, 중앙에서 명령을 내려 군사를 그 지역으로 모이게 했어.
전쟁이다!
명령을 기다려야 해.
그러니까 가까운 진관이든 먼 진관이든 다 같이 함께 움직여 그 지역으로 모이게 되는 것이지.
같이 움직이니 오래 걸리네.
이렇게 되면 군사들은 자신의 지역을 비우고 다른 지역으로 가게 되는 거야.
우리집은 괜찮나!
그러니 군사들끼리도 서로 잘 모르고, 장수도 중앙에서 오니 군사를 전혀 모르게 되는 거지.
어~색
그리고 그 지역에 모이느라 각자 자신의 집을 비우게 되니 비워진 지역 또한 적의 공격에 쉽게 무너지지.
왜 군인이 없지?
텅 텅
진관제 때처럼 한 진이 무너져도 다른 진이 막아낼 수 있는 상황이 전혀 아니라 다같이 무너지게 되는 게 가장 심각한 문제였어.
우르르르
툭
그래서 나는 차라리 다시 진관제로 돌려 놓자고 한 거야. 진관제라면 평소 지역 주민으로 군사를 모아 훈련하기에 좋고 변란이 있으면 순조롭게 군사를 모을 수 있을 테니까.
모여!
후다닥
또 각 진관에 서로 연락이 되어 상황은 신속히 파악하고 모든 진관이 갑자기 와르르 무너지는 일을 막을 수 있고 말이야.
진
적이 쳐들어 온다.
뭐?
진
그래서 오히려 전쟁 때에는 이 제도가 더 대처하기 편한 것 같았어. 하지만 이런 나의 주장에 경상감사 김수는 반대했지.
제승방략은 이미 써온 지 오래되어 갑자기 변경할 수 없잖소.
휴~

자~ 그럼 지금부터 미리 준비 못하고 전쟁 중 실시해 시기가 늦긴 했지만 '훈련도감'을 설치한 이야기를 해 줄게.
훈련도감
나는 계사년 (1593년) 여름 병 때문에 서울 묵사동(지금의 묵정동)에 누워 있을 때 명나라 장수 낙상지라는 사람이 나를 문병하러 왔었지.
낙상지
그의 정성에 난 무척이나 고마워했지. 그런데 그는 이렇게 말했어.
조선은 지금 매우 힘이 약합니다. 그런데 왜적은 아직도 활개치고 있으니 군사를 훈련하여 적을 막는 게 가장 급합니다.
명나라 군사가 지금 조선에 있는 상황이니 이때를 잘 이용해 군사를 훈련시키세요. 훈련하는 법을 배워 한 사람이 열 사람을, 열 사람이 백 사람을 가르친다면 반드시 나라를 지킬 수가 있을 것입니다.
~오
나는 이 말에 감동해 즉시 모두에게 알리고 군사를 훈련시킬 방법을 찾는 데 노력했어. 서울 안 병사를 다 모으니 70여 명이 되었어.
다 모았습니다.
나는 그들을 낙상지가 있는 곳으로 보냈고, 군사 훈련법을 가르쳐 달라고 부탁했어.
부탁해
네ー
낙상지는 고맙게도 10명의 부하를 교사로 삼아 우리 병사들에게 밤낮으로 훈련법을 익히게 했지.
다시!
이얏!
얍!
하지만 얼마 후 내가 남쪽으로 내려갈 일이 생겨 그 일도 그만 둘 수밖에 없었어.
아쉽네
하지만 이때, 임금은 내가 올린 글을 보고 비변사에 시켜 군사 훈련을 맡아보는 기관을 만들라고 명했어.
당장 만들라.
네ー
그게 바로 훈련도감이야. 원래 좌상 윤두수에게 맡겼는데 임금은 다시 나에게 맡으라고 명했지.
자네가 좀 맡아.
훈련도감

이때 서울에 굶는 백성이 너무 많아 나는 용산 창고에 있는 좁쌀 1천 석으로 내줄 것을 부탁드렸고 그것을 매일 군사 한 사람에게 두 되씩 주었어.
그랬더니 사람들이 금세 사방에서 모이기 시작했지.
쌀 준다!
우르르
훈련도감
그런데 사람이 너무 많이 모이다 보니 감당해낼 곡식이 없었고
어쩌지?
그때부터는 법을 만들어 군사가 되려고 온 사람들은 가려 뽑기 시작했단다.
자네 가고 자네 남게.
왜?
그 방법은 큰 돌 들기, 담장 뛰어넘기를 해 보면서 그들의 체력을 시험하는 건데 당시에는 사람들이 굶주리고 허약해 열에 한 명 꼴로 통과했단다.
으
부럽다!
그렇게 해서 어느새 군사 수천 수백 명을 얻을 수 있었고, 나는 그들을 여러 부대로 나누게 했어.
나는 매일 그들에게 여러 가지를 익히게 하고 훈련시켰지만
얍!
조총을 쓰는 법을 가르치는 데 화약이 없어 고민하고 있었어.
총만 있으면 뭐해….
그러던 차에, 군기시*의 장인 대풍손이라는 자가 있었어.
대풍손
그는 많은 화약을 만들어 왜적에게 주는 등 왜적을 도왔지.
고마워~
화약
그 죄로 강화도에 갇혀 있었고 장차 죽을 운명이었어.
잘못했어요.

*군기시 무기를 제조, 관리하는 부서

그래서 내가 제안했지.
내가 너의 죽음을 특별히 면하게 해주는 대신 너는 화약을 많이 만들어 우리 군을 돕도록 하라!
정말요?
그랬더니 그는 감동하여 정말 열심히 일해 줬어. 그가 하루에 만들어 내는 화약만 해도 몇십 근이 되었지.
오~
화약
나는 이것을 각 부서에 주어 밤낮으로 총 쏘는 기술을 익히게 하고
탕
그 실력을 겨뤄 상도 주고 벌도 주니
잘했다.
상
한 달 남짓하여 날아가는 새를 맞힐 수 있을 정도로 다들 실력이 늘었지.
탕
퍽
몇 달 뒤에는 항복한 왜적이나 남쪽 지방의 조총 잘 쏘는 사람과 겨뤄보게 해도 뒤지는 사람이 없었고
탕
탕
오히려 그들을 뛰어넘는 실력을 가진 자가 많아졌지. 아주 기쁜 일이었어. 훈련은 그렇게 잘 진행되었고
연습 열심히 해.
나는 임금에게 글을 올려 이렇게 제안을 해 봤어.
뭐야 또?
군량을 주어 더욱 군사를 모집해 1만 명이 되면 그때 다섯 군영을 설치해 각각 2천 명을 나누어 군영에 소속시키고
2000
2000
2000
2000
2000
해마다 반은 성 안에서 군사훈련을 시키고 나머지 반은 성 밖에서 농사를 지어 곡식을 저장하게 합니다.
얍 얍

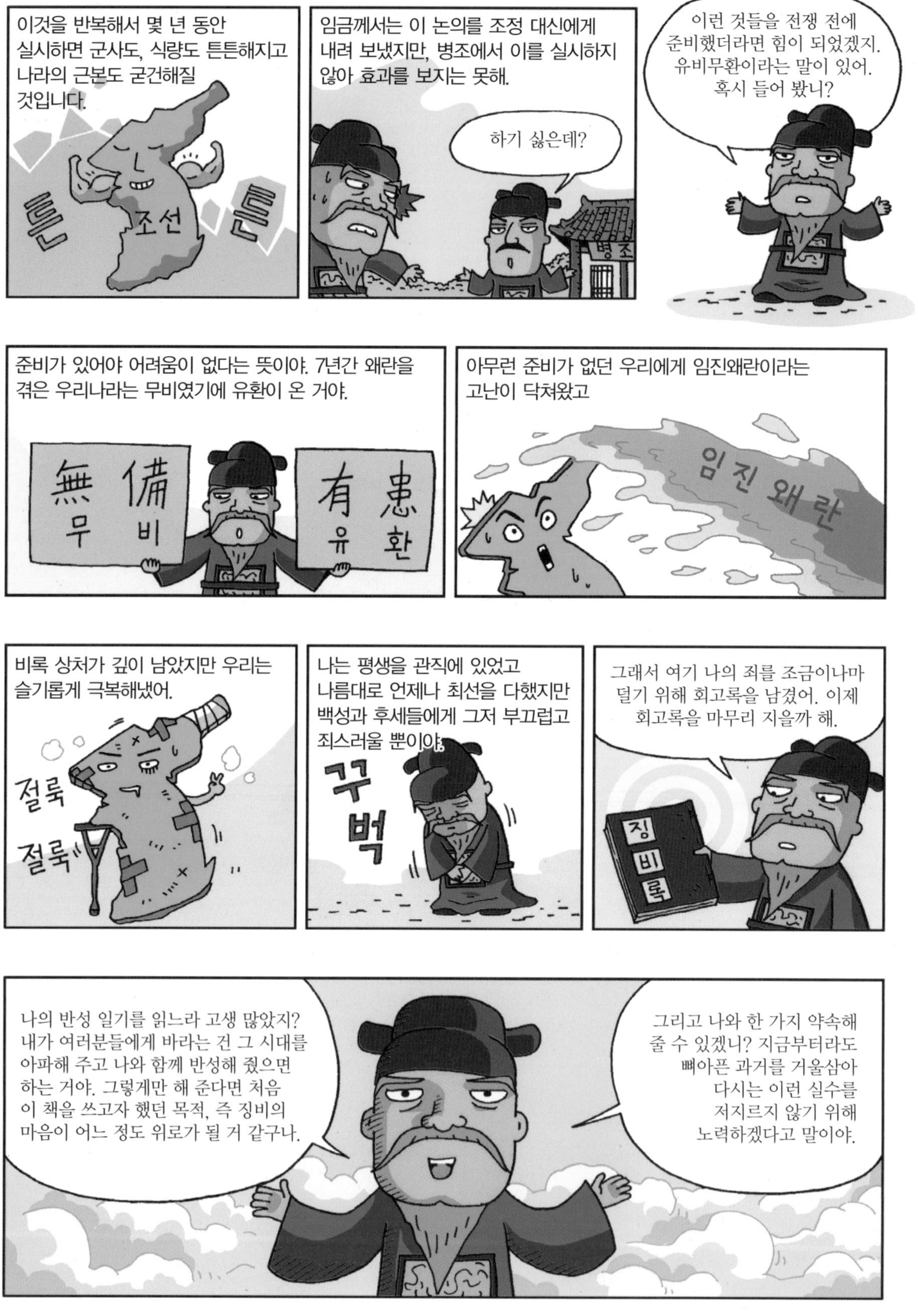
이것을 반복해서 몇 년 동안 실시하면 군사도, 식량도 튼튼해지고 나라의 근본도 굳건해질 것입니다.
튼
조선
튼
임금께서는 이 논의를 조정 대신에게 내려 보냈지만, 병조에서 이를 실시하지 않아 효과를 보지는 못해.
하기 싫은데?
병조
이런 것들을 전쟁 전에 준비했더라면 힘이 되었겠지. 유비무환이라는 말이 있어. 혹시 들어 봤니?
준비가 있어야 어려움이 없다는 뜻이야. 7년간 왜란을 겪은 우리나라는 무비였기에 유환이 온 거야.
無備 무비
有患 유환
아무런 준비가 없던 우리에게 임진왜란이라는 고난이 닥쳐왔고
임진왜란
비록 상처가 깊이 남았지만 우리는 슬기롭게 극복해냈어.
절룩
절룩
나는 평생을 관직에 있었고 나름대로 언제나 최선을 다했지만 백성과 후세들에게 그저 부끄럽고 죄스러울 뿐이야.
꾸벅
그래서 여기 나의 죄를 조금이나마 덜기 위해 회고록을 남겼어. 이제 회고록을 마무리 지을까 해.
징비록
나의 반성 일기를 읽느라 고생 많았지? 내가 여러분들에게 바라는 건 그 시대를 아파해 주고 나와 함께 반성해 줬으면 하는 거야. 그렇게만 해 준다면 처음 이 책을 쓰고자 했던 목적, 즉 징비의 마음이 어느 정도 위로가 될 거 같구나.
그리고 나와 한 가지 약속해 줄 수 있겠니? 지금부터라도 뼈아픈 과거를 거울삼아 다시는 이런 실수를 저지르지 않기 위해 노력하겠다고 말이야.

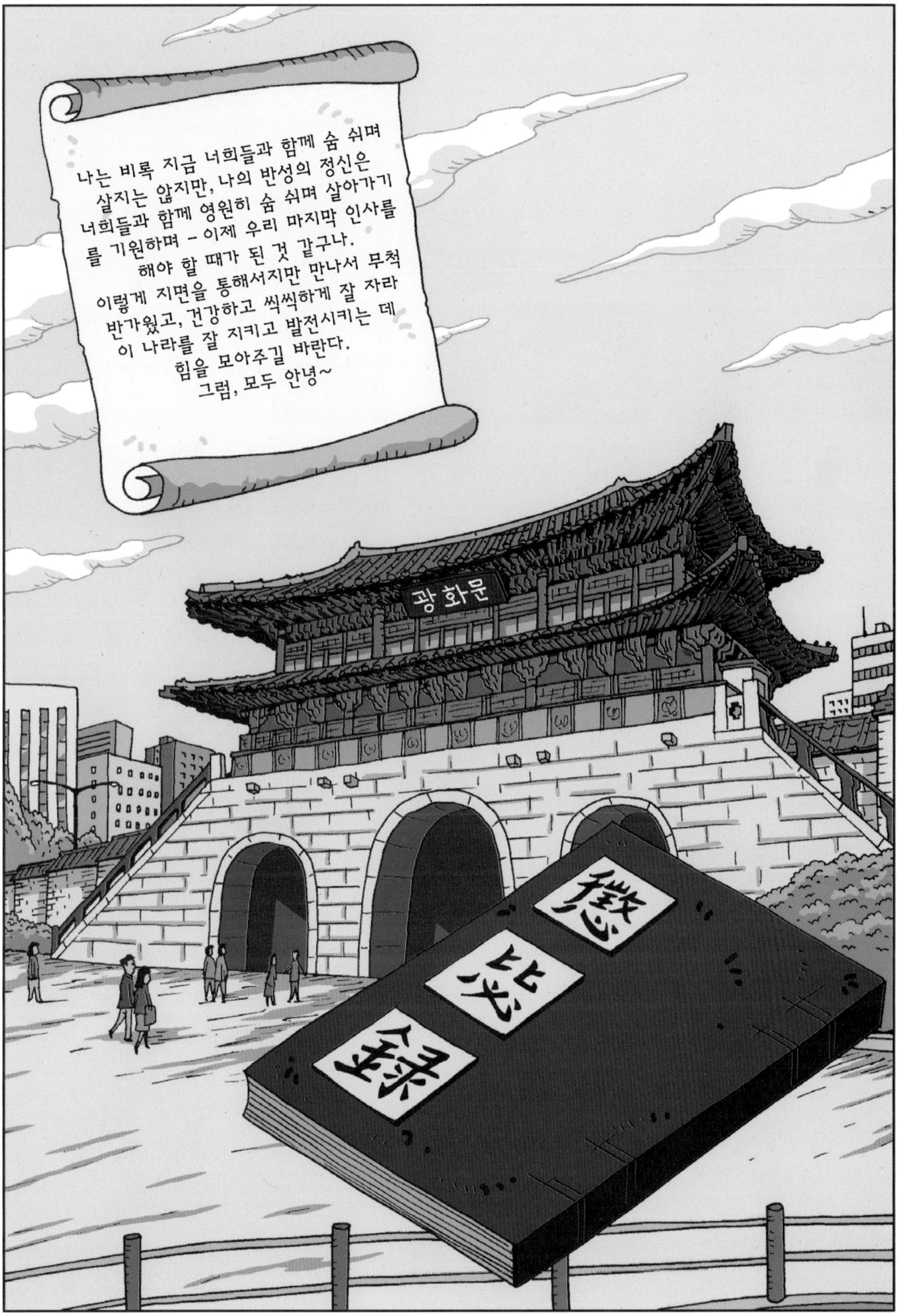
나는 비록 지금 너희들과 함께 숨 쉬며
살지는 않지만, 나의 반성의 정신은
너희들과 함께 영원히 숨 쉬며 살아가기
를 기원하며 - 이제 우리 마지막 인사를
해야 할 때가 된 것 같구나.
이렇게 지면을 통해서지만 만나서 무척
반가웠고, 건강하고 씩씩하게 잘 자라
이 나라를 잘 지키고 발전시키는 데
힘을 모아주길 바란다.
그럼, 모두 안녕~
광화문
懲毖錄

우리가 꼭 알아야 할 임진왜란 깊이 읽기

임진왜란 전 일본의 상황은 어땠을까?

▲
전국시대의 영웅인 오다 노부나가는 현재까지도 많은 이야기들이 만들어지는 전설적인 인물이다. 그는 다이묘 중 최초로 조총부대를 조직하여 이를 바탕으로 강력한 군사력을 보유하게 되었다.

일본은 조몬 시대와 야요이 시대로 알려진 원시 시대를 거쳐 야마토 시대에 이르러 통일 국가가 생겨나 점차 율령체제를 갖춘 국가로서의 면모를 보이기 시작했습니다. 야마토 시대로 시작되는 일본의 고대 시대는 뒤이은 아스카, 나라, 헤이안 시대를 거치며 발전해 나가, 특히 7세기 후반부터는 일본의 군주를 '천황'이라 부르기 시작했습니다. 천황은 매우 막강한 권력을 가지고서 군림했으나 막부 시대(막부는중세 일본 시대의 무인 정권)가 시작되며 쇼군(막부의 우두머리)에게 밀려 힘이 약해졌습니다. 1868년 메이지 유신 이후 다시 강력한 힘을 발휘하게 되었지만, 태평양 전쟁 패전 이후 상징적인 존재로 남아 있게 되었습니다.

1192년에는 쇼군에 의한 군사정권인 가마쿠라 막부가 시작되었으나 두 차례의 원나라 침공으로 무너지고 무로마치 막부 시대가 시작되었습니다. 지방에 파견된 다이묘들의 세력이 점차 커지면서 혼란의 시기를 맞이하게 되었습니다. 특히 1467년 일어난 '오닌의 난'(오닌의 난은 두 명의 유력한 다이묘였던 호소카와 가쓰모토와 야마나 모치토요가 서로 정권을 잡기 위해 벌인 전쟁이다. 전국의 무사들이 교토를 중심으로 호소카와의 동군과 야마나의 서군으로 나뉘어 11년간 치열한 전쟁을 벌였다.)을 계기로 쇼군의 권위는 땅에 떨어지게 되었고, 그 후로는 힘 있는 무사들이

라면 너나 할 거 없이 힘을 겨루는 전국시대 내내 전쟁이 끊이지 않은 가운데, 마침내 이 혼란한 시대를 끝낼 인물이 등장하게 되는데, 그가 바로 오다 노부나가입니다. 그는 일본의 서남부에서 시작하여 전체국토의 절반 정도를 차지하여 통일의 기초를 다졌습니다. 하지만 그가 부하에게 배반당하여 죽고 말자, 그의 사후에 등장한 사람이 바로 임진왜란의 주범 도요토미 히데요시입니다.

도요토미는 노부나가의 부하 중 가장 뛰어난 사람이었다고 합니다. 그는 1590년까지 일본 대부분의 영토를 손에 넣어 일본의 통일을 이루었고, 2년 뒤 조선을 공격하게 됩니다. 일본은 이렇듯 전국시대의 혼란기를 거치며 실전경험을 충분히 쌓은 군대와 군사체제를 잘 갖추고 있었습니다. 특히 포르투갈 인들이 전해준 조총과 탄약의 제조법은 일본의 군사력에 큰 도움을 주었습니다.

'서세동점(서양의 세력이 동쪽으로 몰려온다는 의미)의 시기' 인 16세기 일본은 전국시대의 혼란스러운 와중에도 서양의 문명을 적극적으로 받아들여 근대 사회로 변화해 가고 있었습니다. 인도, 마카오에 이어 1543년에 큐슈의 다네가시마라는 곳에 발을 들여놓은 포르투갈 인들은 일본에 조총과 화약의 제조법을 전수했고 많은 다이묘들은 이를 바탕으로 군사력을 강화시켰습니다.

▲ 도요토미 히데요시 사후 일본 최후의 막부인 도쿠가와 막부를 연 도쿠가와 이에야스.

▲ 조총.

전쟁을 일으킨 도요토미 히데요시는 누구?

▲ 도요토미 히데요시

도요토미 히데요시는 지금의 아이치현愛知縣인 오와리번에서 태어났습니다. 그의 아버지는 본래 낮은 신분의 무사로, 전쟁에서 다리를 다쳐 고향에서 농사를 짓고 살다가 도요토미가 여섯 살 때 세상을 떠났습니다. 그후 어머니는 다른 남자와 재혼을 해 도요토미가 8살이 되는 해 출가시켰지만, 행동이 매우 거칠었기 때문에 절에서 그만 쫓겨났습니다. 게다가 도요토미는 새 아버지와 성격이 잘 맞지가 않았기에 결국 16세 때 집을 나와 무사가 되었습니다. 그 후 18살에는 당시 최고 실력자였던 오다 노부나가의 부하가 되었는데, 본래 그는 미천한 신분이었지만 노부나가의 신발을 품 안에 항상 간직해 노부나가의 발이 시리지 않도록 할 정도로 충성심이 대단했습니다. 노부나가는 실력만 있으면 신분에 상관없이 인재를 쓰는 합리적인 사람이었기에 도요토미는 많은 전투에서 승리한 공과 충성심을 인정받아 노부나가의 1등 심복이 되었습니다.

노부나가는 일본을 통일할 기반을 다지던 중, 자신의 부하인 아케치 미쓰히데에게 습격을 당하여 자살했고, 여기에 분노한 도요토미는 직접 군사를 이끌고 아케치 미쓰히데를 제거한 뒤 100년간의 전국시대를 평정하고 일본을 통일했습

니다. 이때 그의 나이는 57세였습니다.

도요토미는 일본을 통일하면서 신분제도와 토지제도 등에 여러 가지 사회제도의 개혁을 실시하여 전국시대의 혼란했던 법과 제도를 정비하고 하나로 통합하는 데 노력했습니다. 또한 오사카성, 후시미성, 쥬라쿠다이(도요토미 히데요시가 교토 우치노에 지은 대저택) 등 대규모 공사를 통해 자신의 힘을 과시하기도 했습니다.

그가 대륙정벌 계획에 몰두하게 된 데에는 아들의 죽음도 하나의 원인이라고 합니다. 도요토미는 많은 본부인과 첩을 거느렸지만 52살이 되어서야 비로소 자식을 처음 얻었는데 늘그막에 어렵게 얻은 단 하나뿐인 자식이 그만 2살 때 죽게 됩니다. 그는 절망했고, 그 슬픔을 이기기 위해 조선 침략을 서두르게 된 것이라는 얘기도 있습니다.

1592년 임진왜란, 1597년 정유재란을 거치며 쇠약해진 그는 자신의 뜻을 이루지 못하고 1598년 세상을 떠나고 그로 인해 전쟁은 끝이 납니다.

▲
도요토미 히데요시가 사용한 갑옷

▲
도요토미 히데요시가 축성한 오사카성은 현재 훌륭한 관광지가 되고 있다.

조선의 군사력이 약해진 이유는?

▲
서장대야조도(西將臺夜操圖)– 정조대왕이 화성에 올라 야간 군사훈련을 지휘하는 모습. 정조는 부국 강병을 위해 수시로 군사훈련을 하였다.

조선 건국 후 만들어진 법전《경국대전》에는 통치에 필요한 모든 제도에 대한 상세한 설명이 나와 있는데, 여기에 수록된 각종 군사제도를 살펴보면 그 제도의 뛰어남에 놀라울 정도입니다. 그대로만 군사제도를 관리했다면 최소한 다른 나라의 침략은 충분히 막아낼 수 있었을 것입니다. 게다가 당시 조선의 첨단 무기와 화약, 군대 조직은 일본이나 명나라에도 뒤지지 않을 만큼 우수해서 임진왜란 초반에 일본의 공격에 속수무책으로 당한 것이 더 이해할 수 없게 합니다.

조선은 건국 초기만 해도 탄탄한 국방 체제를 갖추었습니다. 군사의 수도 많았고 전국의 무기고는 무기와 화약이 잘 준비되어 있었습니다. 이런 조선의 군사력이 약해진 이유는 '전쟁을 잊으면 위기가 찾아온다.' 는 말처럼 한마디로 전쟁을 잊었기 때문입니다.

조선의 통치이념은 여러분이 이미 아는 것처럼 유교인데 그러다보니 무武를 하찮게 여기게 되었습니다. 유교의 영향으로 조선은 무武보다 문文을 숭상하였고 당시 지배층은 유학을 연구하는 데 많은 노력을 기울였습니다. 유학에 대한 깊은 연구는 사상의 발전을 가져왔고 훌륭한 사상가와 학자들을 만들어냈지

만, 그로 인한 폐해도 많았습니다.

특히, 조선 창업의 주역이었던 훈구파가 사림과의 싸움에서 밀려나고 이후 조선은 정치적 이해관계가 대립하며 붕당에 의한 당쟁이 나타나게 됩니다. 조정은 당쟁을 일삼았고, 몇몇 신하들이 군사를 키우자고 건의하였으나 경제적 사정으로 시행되지 못했습니다. 게다가 이때부터 조선 사회는 서서히 부패하기 시작했는데 군사제도는 물론이고 조세 등 각종 사회제도가 무너지기 시작했습니다. 특히 군역의 폐단과 부패 문제는 매우 심각해졌습니다. 군역은 병역의 의무를 말하는 것으로, 지금처럼 조선 시대에도 '병농일치제'에 따라 16세~60세까지의 농민들은 돌아가면서 군 복무를 해야 했는데, 현역을 상번上番, 대기자를 하번下番이라고 해서 하번은 군복무를 하지 않고 농사를 짓는 동안에는 국가에 군포(베)를 내야 했습니다. 이렇게 거둔 군포로 군 복무 중인 상번을 경제적으로 지원해 주는 게 본래의 원칙인데, 이런 원칙이 점차 무너지기 시작했던 것입니다.

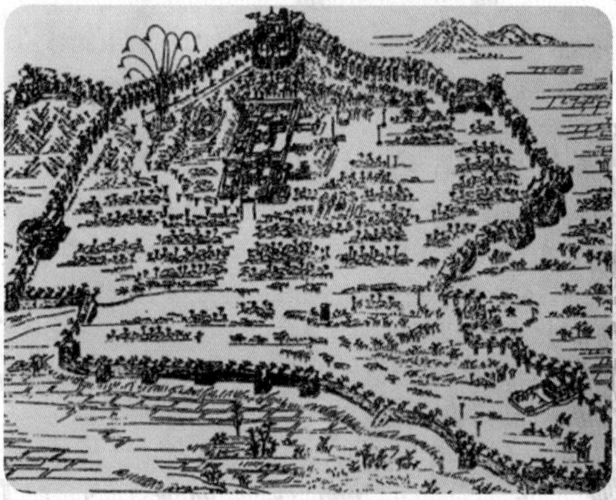

▲
연거도-《화성성역의궤》에 실려 있는 야간군사 훈련 관련 판화그림이다. 좌측 상단에 신기전의 발사 모습이 보인다.

▲
조선 시대 병사의 모습

전쟁이 드물어지고 나라가 태평해지자 상번이 차츰 군 복무 대신 고된 일반 노역에 동원되는 일이 잦아져, 2명의 하번에게서 받은 베로 또 다른 일꾼을 사서

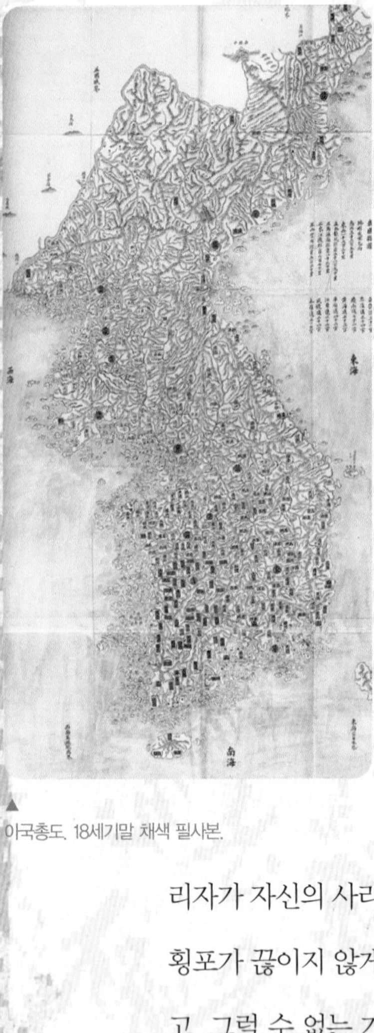

▲ 아국총도, 18세기말 채색 필사본.

자기 대신에 복역시키는 '수포대역收布代役'이 성행하게 됩니다. 또한 군포를 담당하는 관리는 아예 군포를 받고는 자기들 마음대로 군역을 면제시켜 주었는데 이것을 '방군수포放軍收布'라고 합니다. 조정에서는 군역 문제가 심각해지자 이런 폐해를 줄이기 위해 '군적수포제軍籍收布制'를 실시하게 됩니다.

이것은 군역 대신에 군포를 내게 하고 그렇게 거두어진 군포를 군대에 주어 필요한 군사를 돈을 주고 고용하게 하는 것이었습니다. 즉, 방군수포를 공식적으로 인정해 버리는 제도인 것입니다. 하지만 이후에도 군역의 폐해는 나날이 커져만 갔습니다. 웬만하면 군대에 가지 않기 위해 군포를 내는 경우가 많았고, 그나마 군포의 관리마저도 투명하지 않았습니다. 중간에서 관리자가 자신의 사리사욕을 위해 가로채기도 하고 장정들에게 더 많은 군포를 내게 하는 횡포가 끊이지 않게 되었습니다. 군대에 갈 만한 장정들은 군포를 내서 군대를 면제 받고, 그럴 수 없는 가난한 장정들은 군대에 가지 않기 위해 도망을 다니게 되어 결국 힘없는 노인이나 어린 아이만 군대를 가게 되었습니다.

선조 때에 북방의 6진마저 군사가 모자라게 되자, 신분의 구별이 엄격한 조선 사회였지만 자원하여 3년 동안 군복무를 하면 첩의 자식도 과거를 볼 수 있게 해주고 노비도 신분을 풀어주게 할 정도였습니다. 조선의 국방력이 얼마나 약화되었는지

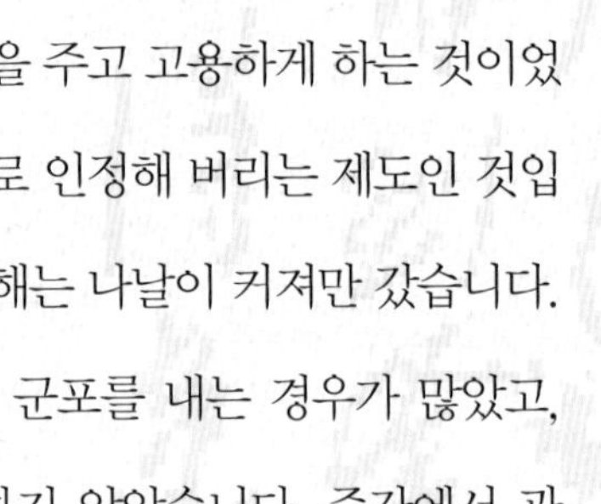

를 보여주는 단적인 사례라 할 것입니다. 그만큼 당시 조선의 군 병력이 부족했다는 얘기입니다. 임진왜란이 일어나기 전 주변의 오랑캐와 왜구의 침략이 간혹 있긴 했었지만 전면전은 아니었기에 사소한 싸움으로 여기고 국방에 대한 관심을 별로 쏟지 않은 것이 임진왜란에서 큰 피해를 입게 된 근본적인 원인일 것입니다.

▲
면피갑(갑옷 안의 비늘을 주목할 것)

조선은 이와 같이 군사 수가 줄어 군사력은 약해졌고, 무기도 제대로 관리되지 않아 조선 초 세종 때에 발명한 뛰어난 무기가 임진왜란 초반에는 제대로 사용조차 되지 못했습니다. 결국 조선이 그토록 쉽게 일본에게 유린당한 것은 제도와 무기의 불리함 때문이 아니라 오랜 동안의 평화가 불러온 나태와 부정부패 때문이었던 것입니다.

외국인의 눈에 비친 임진왜란

▲
평양성 전투도. 조명 연합군이 평양성 탈환을 위해 성을 공격하고 있다.

임진왜란은 과연 일본과 조선 그리고 명나라의 세 나라 사람들만의 전쟁이었을까? 우리의 지원 요청을 받은 명나라에서 보낸 군대에는 명나라 병사 말고도 아시아 각국 병사와 서양인 병사까지 섞여 있었다고 합니다.

명나라는 조선에 지원군을 파견할 때 주변 국가에도 파병을 요청했습니다. 《조선왕조실록》의 기록을 보면 참전한 외국 병사가 수적으로 아주 많은 것은 아니었지만 태국, 티베트, 인도, 미얀마 등 아시아 각지에서 온 병사가 명나라 군대에 섞여 있었다는 사실을 확인할 수 있습니다.

그 가운데 재미있는 것은 포르투갈 병사의 활약입니다. 앞서 말했듯이 16세기에 포르투갈은 이미 동양에 활발히 진출을 하고 있었는데, 임진왜란 때에 포르투갈 병사가 참여했다는 기록이 많이 남아 있습니다. 포르투갈 병사들의 참여는 포르투갈이 마카오에 상주할 수 있도록 허락 받은 1557년 이후 중국과 밀접한 관계를 맺고 있었기에 가능했다고 추측됩니다.

《조선왕조실록》에 명나라의 장수 유격이 '얼굴 모습이 다른 병사'를 데리고 와 선조와 만나게 한 일이 기록되어 있습니다. 장수 유격은 그를 파랑국(포르투갈) 사람으로 소개하며 조총을 잘 쏘고 무예를 가졌다고 소개했습니다. 당시 조선에는 외국 사람이 거의 없어서 서양인이 매우 신기했는지 포르투갈 병사에 대해 자세히 설명해 놓았습니다. '해귀海鬼'라고도 불리는 포르투갈 병사는 노란 눈동자에 얼굴빛과 온 몸이 검다고 묘사되어 있고, 바다 속에 잠수를 잘하여 적의 배에 구멍을 뚫는 공격을 하므로 해귀(바닷귀신)라고 부른다는 설명이 나와 있습니다.

▲
〈천조장사전별도〉의 일부. 1599년 2월 임진왜란 때 원병으로 왔던 명나라 군대가 철수할 때 훈련원에서 베푼 연회의 모습을 담은 그림이다. 왼쪽 중앙의 이목구비가 뚜렷하고 뻗친 머리를 한 병사가 포르투갈 병사다. 화가가 매우 신경 써서 그린 걸 알 수 있다.

사실 포르투갈 인들은 임진왜란이 일어나기 전까지는 일본의 사정만 알았지 조선에 대해서는 전혀 모르고 있었습니다. 그래서 서양의 선교사나 포르투갈의 신부들은 조선을 야만족의 나라라고 생각해 왔다고 합니다. 그런데 1592년 임진왜란을 계기로 조선의 모습이 서양에 바르게 알려지게 되었던 것입니다.

그들이 '예수회 연례 보고서'에 쓴 내용을 보면 이 사실을 확인할 수가 있는데 재미있는 내용이 몇 가지 있습니다.

▲
고니시가 사용한 십자가 문장

'조선 사람들은 온순하며 훌륭한 재능을 지니고 있다.',

'피부가 희고 식사를 많이 하며 힘이 세고 화살을 잘 쏜다.',

'중국인과 같이 훌륭한 이해력과 예리함을 갖추고 있으며 대부분 농민으로 거짓말을 할 줄 모른다.',

'난폭하지 않으면서도 일본인들처럼 용기를 갖고 있기에 하나님의 말씀을 받아들이고 간직하기에 알맞은 사람들이다.'

한편, 포르투갈 인의 활약은 일본에서 활동 중이던 예수회 신부들을 통해서도 활발하게 이루어졌습니다. 일본에는 당시 천주교가 전래되었고 일본 장수중 한 명이었던 고니시 유키나가는 천주교 신자였죠. 그런데 도요토미 히데요시는 천주교를 금지하고 있었고 따라서 전쟁 중 신부가 동행하는 것 역시 금지했습니다. 그럼에도 고니시 유키나가는 한 명의 신부를 데리고 전쟁터에 가게 되는데 그는 예수회 신부 그레고리오 데 세스페데스Gregorio de Cespedes였습니다. 고니시가 그를 데려간 이유는 고니시를 비롯한 천주교 신자들의 고해성사를 받아주고 설교를 해줄 신부가 필요했기 때문입니다. 고니시를 따라 세스페데스 신부는 조선에서 약 1년간 머물었습니다. 그는 도요토미의 눈을 피해 조선에 와 있는 상태였으므로 그의 활동은 아주 은밀하게 이루어졌습니다. 하지만 결국 발각되었고 도요토미 히데요시에게 알려 지면서 그는 일본으로 돌아가야만 했습니다

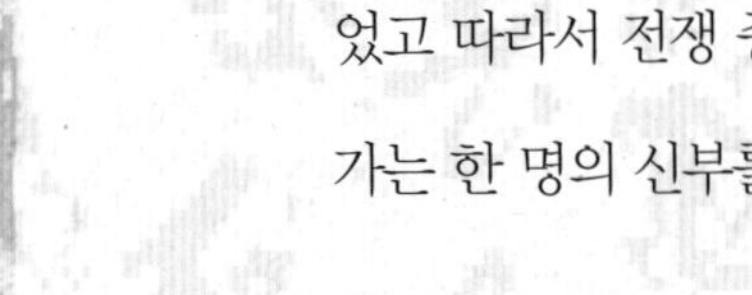
COPIA DELL'ANNVA
DEL GIAPONE,

▲
그레고리오 데 세스페데스(루이스 프로이스) 신부의 일본사 중 조선에 대한 부분.

다. 그는 1년 동안 조선에 머물면서 4통의 서신을 남겼는데 이를 통해 외국인의 눈에 비친 임진왜란과 조선의 모습을 확인할 수가 있습니다. 그는 또한 당시 일본군의 정황을 정확하게 파악하고 있기도 합니다. 특히 가토 기요마사와 고니시 유키나가의 갈등 관계와 도요토미 히데요시에 대한 생각, 전쟁이 하루빨리 해결되기를 바라는 마음 등이 잘 드러나 있습니다.

무엇보다 세스페데스 신부는 조선 땅을 밟은 최초의 서양 신부이자 임진왜란을 직접 경험한 사람이라는 점에서 대단히 의미가 큽니다. 포르투갈 신부들은 조선 사람에 대한 관찰뿐만 아니라 임진왜란 전후의 상황을 상세히 보고하고 있어 역사적으로 중요한 사료가 되고 있습니다.

전쟁

논개의 절의와 희생

▲
진주성과 촉석루 전경. 강가로 삐죽 나온 바위가 논개가 왜장을 껴안고 투신한 바위인 촉석루 의암.

순창기생 의암이는
우리나라 건지려고
왜장 기요마사* 목을 안고
진주 남강 떨어졌네.

– 전라도 곡성 지방의 민요 –

*논개가 끌어안고 투신한 왜장은 게야무라 후미스케[毛谷村文助]라는 것이 정설로 민요의 기요마사는 왜적의 대표적인 장수 중 하나였던 가토 기요마사로 대체한 것이다.

세상의 반은 남성이고 반은 여성인데 임진왜란과 관련된 이야기는 대부분 남성 중심의 이야기입니다. 그도 그럴 것이 전쟁의 성격상 남성이 전면에 나서 전개될 수밖에 없었을 테고, 무엇보다 조선은 여성의 사회적 진출에 제약이 많았던 남성 중심사회였으니까 여성들은 상대적으로 가려질 수밖에 없었을 것입니다. 여성과 관련된 이야기들은 대개 일방적으로 피해를 입거나 수난을 당하는 등 가슴 아픈 이야기인 게 대부분인데, 그중 의녀 논개의 이야기는 이와는 다른 용기를 보여줍니다.

논개는 진주의 촉석루에서 왜장을 끌어안고 남강에 투신하여 나라를 위해 순절한 분

입니다.

논개는 당연히 '열녀'에 포함되지만 기생이라는 신분 때문에, 광해군 때 임진왜란이 끝난 후 전쟁 중 있었던 충신, 효자, 열녀를 뽑아 그들의 이야기를 수록해 발간된《동국신속삼강행실도》라는 책에도 실리지 못했습니다. 하지만 많은 사람들이 논개를 기억하고, 그 죽음의 의미를 되새기기 위해 사당을 짓고 해마다 제를 올리고 있습니다.

논개에 대해서는 기생 신분이 확실한 것인가부터 시작해서, 왜 논개가 왜장을 끌어안고 강물에 몸을 던졌는지, 왜장의 이름은 무엇인지 등등 모든 사실들이 논란거리입니다. 이유는 역시 정확한 사료(역사적 증거)가 너무나 적기 때문입니다.

논개에 대한 가장 오래된 기록인 유몽인의《어우야담》이라는 책에는 이렇게 기록되어 있습니다.

"논개는 진주의 관기였다. 계사년(1593년)에 창의사 김천일이 진주성에 들어가 일본군과 싸우다 마침내 성이 함락되자 군사는 패하고 백성은 모두 죽었다. 논개는 몸단장을 곱게 하고 촉석루 아래 가파른 바위 위에 서 있었는데, 바위 밑은 깊은 강물이었다. 일본군은 이를 보고 침을 삼켰지만 감히 접근하지 못

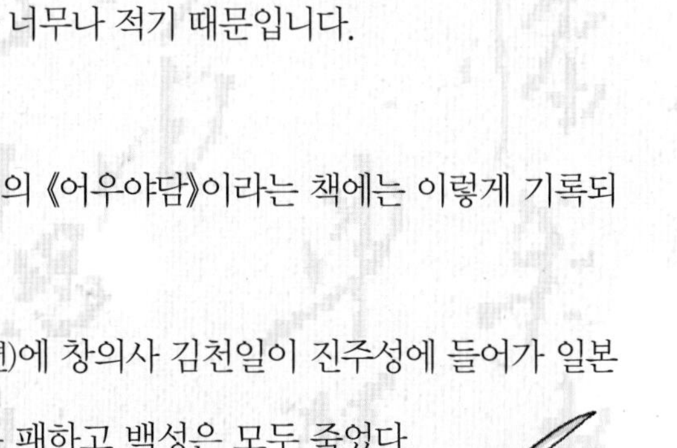

▲
최근에 실시한 '논개 표준영정 현상공모'에서 최우수작에 선정된 윤여환 교수의 논개 영정. 그는 논개의 성이 주씨인 점에 착안, 신안 주씨 여자의 얼굴 특징을 형질 인류학적으로 분석하고 논개의 성장지인 장수 지역(장수읍과 함양군 서상면, 전북지역 등)을 중심으로 문중 40명을 촬영, 신안 주씨가 지닌 동일 형태의 용모 유전인자를 추출, 논개의 얼굴을 찾아내고 복식과 장신구는 조선 시대 복식 전문가에게 의뢰해서 복원하는 등 철저한 고증작업을 거쳤다.

하였다. 오직 왜장 하나가 이를 바라보고 당당하게 앞으로 내달았다. 논개는 미소를 머금고 강물에 뛰어들어 함께 죽었다."

《어우야담》은 '항간에 떠도는 이야기들'을 수록한 책인데, 비교적 역사적 사실에 가깝게 기록했습니다.

하지만 논개에 대한 수많은 논란보다도 중요한 것은 논개에 대한 후세의 평가와 살아 있는 정신인데, 그런 면에서 정약용이 쓴 《진주의기사기》는 논개에 대한 역사적 평가의 전형입니다.

"계사년에 일본군이 진주성을 함락시켰을 때 기생 논개는 왜장을 유인해 강 가운데 바위에 마주서서 춤을 추다가 서로 어우러졌을 때 왜장을 끌어안고 물에 빠져 죽었다. 이 어찌 열렬한 현부인이 아니겠느냐. (중략) 성이 함 락될 무렵 인근 읍에서는 군사를 거느리고 있었으면서도 구원 하지 않았고 조정에서는 전공을 시기하고 패배를 달갑게 여겨 견고한 성곽을 일본군에게 넘어가게 하였으니, 충신지사들의 분개함이 이 싸움보다 더 심한 적이 없었다. 그러나 한 연약하

고 어린 여인이 마침내 왜장을 죽여 나라의 은혜에 보답하여, 군신 간에 의리가 천지 간에 밝혀졌으니, 한 성의 패배쯤은 근심할 것이 없다. 이 어찌 장쾌하지 않은가."

이렇게 임진왜란 때 순절한 논개는 비록 역사 속의 인물이지만, 그녀의 존재는 시간을 뛰어넘어 오늘날까지 우리의 가슴에 살아 숨 쉬고 있습니다.

《동국신속삼강행실도》에 나타난 백성의 수난과 코무덤

▲
《동국신속상감행실도》 광해군 때 간행된 것으로 충신 · 효자 · 열녀의 행적이 기록되어 있음. 그림 도판과 함께 언문으로 간행돼 상민들의 계도에 이용했다.

《삼강행실도》는 조선과 중국의 서적에서 군신君臣 · 부자父子 · 부부夫婦 등 3강三綱의 모범이 될 만한 충신 · 효자 · 열녀를 뽑아 그 행적을 그림과 글로 칭송한 책으로, 쉽게 말해 유교 이념을 바탕으로 한 조선 사회의 일종의 도덕책입니다. 조정에서는 왜란이 끝나자 순절자에게 정문(旌門, 홍살문)을 내려 상을 주었습니다. 《동국신속삼강행실도》는 《삼강행실도》의 임진왜란 버전으로 생각하면 되는데, 임진왜란 중 순절한 사람들의 행적을 뽑아놓은 책입니다. 임진왜란 직후 조선 사회는 피폐해져 많은 책을 발간하기에는 어려움이 따랐지만, 이 책은 백성들의 교화를 위해 특별히 간행되었습니다. 책의 내용은 《삼강행실도》와 마찬가지로 충신 · 효자 · 열녀의 행적을 수록했는데, 열녀의 수가 충신과 효자를 합한 수보다 무려 4배에 달할 만큼 많았다고 합니다. 그만큼 정절을 지키려다 죽음을 맞이한 여성들이 많았다는 이야기겠죠.

모든 전쟁이 그렇지만 임진왜란 당시 조선을 침략한 일본의 만행은 차마 입에 담기

힘든 것들이 대부분입니다. 그중에서도 특히 여성과 아이의 수난은 이루 말할 수 없을 것입니다.

왜적은 특히 여성에 대해서 악랄한 짓을 서슴지 않았는데, 충주에 살던 최소사는 충주 전투 전후에 왜적들에게 잡혔다고 합니다. 최소사는 왜적들에게 치욕을 당하기 싫어 완강하게 거부하자 이에 왜적들은 7살 된 아들을 죽여 그녀를 협박했습니다. 하지만 최소사가 뜻을 꺾지 않자 결국 목을 베어 죽여 버리고 말았습니다.

▲
《동국신속삼강행실도》 최금타적. 정유재란 중 열녀 최금에 관한 이야기로 "양민 여자 최금은 정유란에 그 지아비를 따라 두 아들을 거느리고 산중으로 왜적을 피하였는데, 왜적이 갑자기 이르러 지아비와 두 아들을 죽이거늘 최금이 돌을 가지고 돌진하여 왜적 하나를 죽이고 살해당했다. (그래서) 임금이 정문을 내리셨다."는 내용이 함께 실려 있다.

강원도 원주에 살던 판관 김응복의 아내 변 씨는 세 살배기 손녀를 등에 업은 채 왜적에게 사로잡혔는데 그들은 등에 업은 손녀도 죽이고 이에 슬퍼하는 변 씨도 죽이고 말았습니다.

함경도의 최 씨는 조귀서의 아내였는데 두 딸을 데리고 피란을 가다 왜적에게 잡힐 위기에 처하자 물에 뛰어들어 자결하고 말았다고 합니다.

▲
《동국신속삼강행실도》 이보할지. 효자 이보에 관한 이야기로 "이보가 아버지의 병을 고치기 위해 고생하던 중 꿈에 어떤 중이 말하길 산 사람의 뼈를 먹으면 나을 수 있다고 하자 이보가 즉시 놀라서 깨어 손가락을 베어 약을 만들어 드리니 아버지의 병이 즉시 나았다."는 내용을 담고 있다.

왜적은 정말 잔인하게 사람을 죽였는데, 팔과 다리를 자르는 것은 예사였을 정도입니다. 향리 황응수의 아내 홍소사는 횡성 사람인데, 어머니와 함께 왜적에게 잡히고 말았습니다. 왜적은 홍소사의 옷을 벗기고 어머니의 팔을 잘라 위협했지만 결국 두 모녀는 굴하지

▲ 코무덤

않고 목숨을 빼앗기고 말았습니다. 충주에 살던 안씨, 함경도 고원에 살던 배씨도 모두 칼에 온 몸이 찔려 죽었을 정도입니다. 이렇게 왜적의 손에 죽어간 백성들의 수는 셀 수 없을 정도였습니다.

한편, 정유재란 이후에는 일본의 잔인함이 극에 달하게 되는데 그것을 입증해 주는 것이 바로 '코무덤(귀무덤)' 입니다. 정유재란 때 왜적은 남원과 충주에서 특히 우리 백성들의 코를 마구 베어갔습니다. 산 사람의 코든 죽은 사람이든, 어린아이, 노인 가릴 것 없이 마구 베어갔는데 이런 만행을 저지른 이유는 조선에서도 특히 저항이 거셌던 전라도 백성을 모두 죽이고 그 증거로 사람의 코를 베어오라고 한 도요토미 히데요시의 명령 때문이었다고 합니다. 병사 1인당 3개의 코, 즉 3명씩 죽일 것을 명받았다고 하는데 그들은 잘라낸 코를 모아 소금이나 식초, 석회 등을 넣어 썩지 않게 처리한 후 1,000개씩 나무통에 넣어 군 감찰관에게 보냈고 감찰관은 코를 몇 개 받았다는 수령증을 써주었다고 합니다. 현재 확인된 코 수령증만 해도 계산해 보면 10만개 이상이 되니, 실제로 희생당한 사람의 수는 이보다 훨씬 많을 거라 추정되고 있습니다.

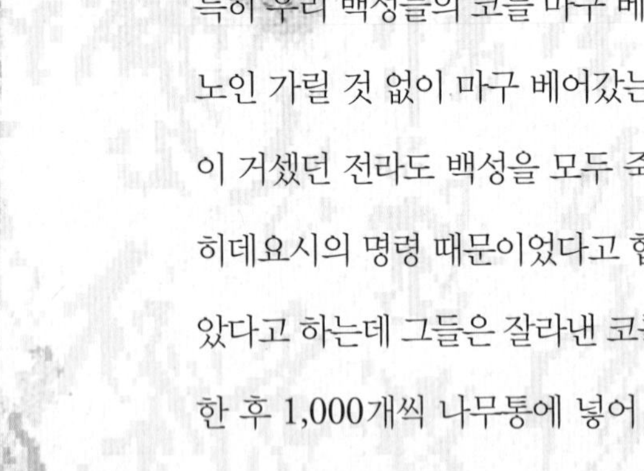
ZZZ…
조선

왜적들은 이 코를 모아 도요토미 히데요시에게 보

냈는데 그는 그것을 일본의 백성들에게 보여주어 전쟁에서 이기고 있다는 증거를 알리는 데 이용하였습니다. 그후 도요토미는 모아진 코를 묻어서 묘를 만들고 승려들에게 공양하도록 했는데, 이것이 바로 코무덤입니다.

지금은 '코무덤鼻塚' 대신 '귀무덤耳塚'이라는 이름으로 남아 있는데, 그 이유는 도요토미 히데요시가 죽은 뒤, 코무덤이라는 이름이 주는 잔인한 인상에 대해 고민하던 하야시 라잔이라는 학자가 이름을 귀무덤으로 바꾼 데서 비롯된 것입니다. 귀무덤이든 코무덤이든 잔인하기는 마찬가지인, 가슴 아픈 역사의 증거입니다.

최강 돌격선 거북선

거북선은 두말할 것도 없이 우리나라 최고의 발명품이자 임진왜란을 승리로 이끄는 데 가장 큰 공헌을 한 최고의 막강 돌격선입니다.

거북선에 대해서는 이미 너무나 잘 알려져 있으니 몇 가지 논란이 되는 점만을 짚고 넘어가고자 합니다.

1) 거북선은 이순신 장군이 발명했다?

▲
현대에 복원된 전라좌수영 거북선.

거북선은 임진왜란 때 이순신이 만들었다고 많이들 알고 있는데, 사실 거북선은 그 이전에 개발되었고 임진왜란 때 이순신이 개량했다고 보는 게 맞습니다. 즉, 임진왜란 전의 기록에 보이는 거북선과 임진왜란 때 이순신이 만든 거북선은 조금 다른 것이죠.

거북선에 관한 기록은 조선 초기의 《태종실록》에 처음 보이기 시작합니다. 1413년(태종 13)에 "왕이 임진강 나루를 지나다가 거북선과 왜선으로 꾸민 배가 해전 연습을 하는 모양을 보았다."는 구절이 그것입니다. 이렇듯 거북선은 고려 말, 또는 조선 초기에 이미 제조되고 실전에서 사용되었으며, 1592년(선조 25) 임진왜란 당시에는

▲
거북선은 여러 번에 걸쳐 개량이 이루어진 것으로 보인다. 현재 우리가 쉽게 떠올리는 거북선의 모습은 전라좌수영의 거북선으로 그 외에도 여러 형태가 보인다.

이순신에 의하여 다시 한번 개량된 철갑선으로서 실용화된 것입니다.

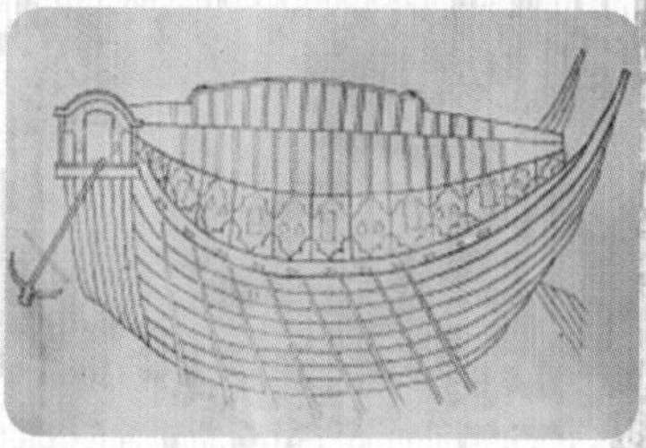

▲
이순신 종가 거북선

2) 거북선은 2층이다?

거북선은 3층으로 만들어졌다고 보는 설이 맞는데, 만약 거북선이 기존에 알려진 바와 같이 2층이라면 노를 젓는 사람과 포를 쏘는 사람이 같은 층에서 일을 해야 하는 복잡한 상황이 됩니다. 따라서 학계에서는 아래층에서 노를 젓고, 위층에서는 포를 쏘는 구조로 되어 있었다고 보고 있습니다. 게다가 3층에서 포를 쏘면 2층에서 쏠 때보다 더 멀리 날아갈 수도 있죠. 거북선의 3층은 통제실과 화포를 중심으로 설계했고 2층은 노를 젓는 사람과 활을 쏘는 사람이 배치되었으며, 1층은 주로 짐이나 무기를 보관할 수 있도록 만들어졌다고 합니다.

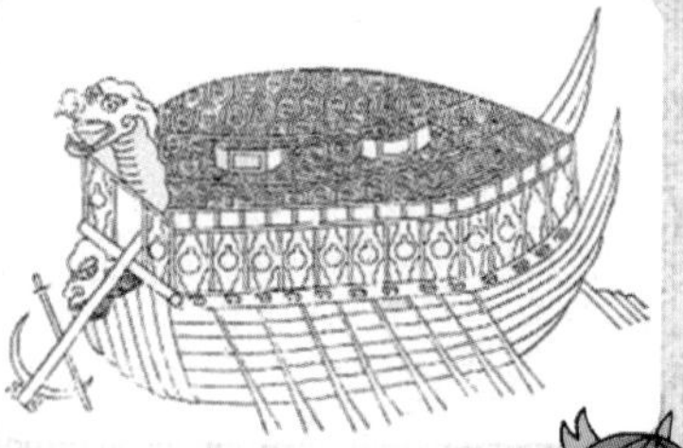

▲
좌수영 거북선

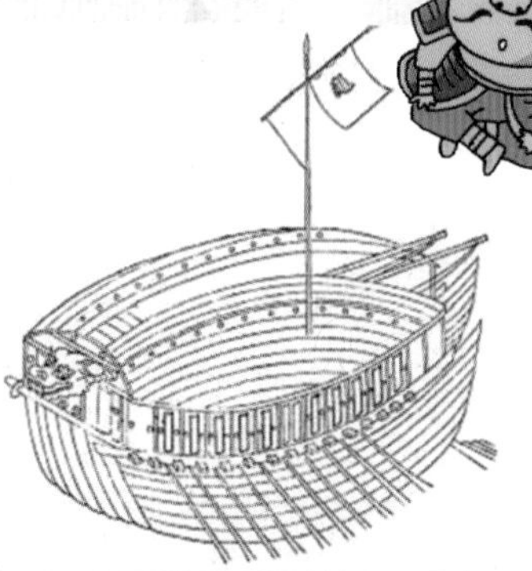

▲
통제영 거북선

3) 거북선은 느리다?

거북선은 매우 튼튼하게 만들어졌는데, 배가 무게가 있으면서

▲
구한말 외국인 선교사가 찍었다고 전해지는 거북선 사진. 후대에 와서 개량되어진 것으로 보여진다.

▲
미국에서 공개된 거북선 실물 그림. 17세기 추정. 3층 구조로 된 거북선의 실체를 확인할 수 있다. 거북선은 여러 가지 형태가 있었는데 가운데 좌측이 우리에게 잘 알려져 있는 이순신 장군의 전라좌수영 거북선.

도 빨리 나아갔기 때문에 아주 유용한 돌격선이었습니다. 튼튼한 소나무를 사용하여 만든 거북선, 판옥선 등 우리나라 배에 비해 일본의 배는 전나무로 만들어 가볍고 빠른 대신에 튼튼하지 못해 화포를 많이 배치할 수 없어서 화포를 배에 매달아 놓고 쏘아 명중률도 현저히 떨어졌습니다. 이에 비해, 거북선은 선체가 튼튼했으므로 많은 화포를 배치해 적을 공격할 수 있을 뿐만 아니라 여러 개의 노를 이용해 방향전환이 자유로워 실제 전투에서 더욱 큰 힘을 발휘할 수 있었습니다. 또, 거북선은 쌍돛을 단 것으로도 유명한데 쌍돛을 달면 역풍이 불어와도 배를 쉽게 움직일 수 있었다고 합니다.

4) 거북선의 모양은 멋내기용이다?

거북선의 등판의 철은 거북선의 특징을 가장 잘 보여주는 부분인데, 거북선은 무게를 줄이기 위해 갑판 위에 판자를 댄 후 얇은 철판으로 덮여 있었습니다. 이곳에 수군이 다닐 수 있는 십자형 통로를 제외하고는 칼을 촘촘히 꽂아 적들이 쉽게 올라오지 못하게 했습니다. 또한 거북이 모양의 머리는 적에게 위협이 되기도 했지만 임진왜란 때에는 입부분에 총통을 끼워 실제로 포를 발사하기도 했습니다. 불을 뿜는 거북의 머리는 왜적으로 하여금 두려움을 갖게 했을 뿐만 아니라 훌륭한 공격무기이기도 했던 것이죠. 또 거북 머리 아래에는 도깨비 형상의 돌출된 머리를 매달아 적의 배에 직접 충돌하여 배를 부수고 침몰시키는 당파공격에 사용했습니다.

5) 거북선은 앞으로만 간다?

거북선의 또 다른 장점으로는 '노'를 들 수가 있습니다. 일반적으로 서양식 노는 끝부분이 넓적하고 거기에 곧은 봉이 달려 있는 형태인데 이런 노는 다른 배가 접근해오면 노가 서로 엉켜 배가 앞으로 나아갈 수 없게 됩니다. 하지만 거북선의 노는 길 뿐 아니라 구부러져 있어서 사람이 서서 젓도록 되어 있는데, 그렇게 하면 제자리에서 노를 저어 배를 360도로 회전시킬 수 있습니다. 거북선이 적진 사이로 자유자재로 다니면서 적선을 공격할 수 있었던 것은 이런 노의 장점 때문이기도 합니다.

당시 최고의 조선 기술이 만들어낸 거북선이라는 장갑돌격선이 있었기에 조선의 수군은 최강의 전투력을 갖출 수가 있었던 것입니다. 하지만 무엇보다 그러한 배를 자유자재로 움직이고 바다 위에서도 일사분란하게 진을 형성하고 공격을 펼칠 수 있던 이순신 장군과 뛰어난 수군 병사들이 있었기에 임진왜란 당시 수군의 빛나는 승리가 있을 수 있었죠.

일본에 전해진 것들(1) – 도자기, 종이, 기술자

통신사

임진왜란은 '도자기 전쟁' 이라고 할 만큼 일본의 도자기 문화가 임진왜란을 계기로 발전한 것은 이미 알려진 사실입니다. 임진왜란 당시 공식적으로는 사람을 잡아가지 못하게 했지만, 사실상 많은 사람들이 붙잡혀 일본으로 끌려갔습니다. 일본이 많은 사람들을 잡아간 이유는 노동력이 필요했기 때문인데, 상당수 사람들은 일본에서 막노동을 해야 했고 일부는 해외 각지에 노예로 팔려가기도 했습니다.

조선 도공 납치 계획 아래 일본으로 끌려간 도공은 그래도 대우가 좋았던 편인데 그것은 그들이 지닌 기술 때문이었습니다. 조선의 도공들은 때로는 다른 일본 사람들보다도 좋은 대우를 받았다고 합니다. 그 이유는 당시 일본의 권력층이 조선 도공의 기술력과 도자기의 우수한 질을 높이 평가했기 때문이었습니다. 당시 일본은 센리큐千利休라는 사람이 완성시킨 다도茶道가 유행이었는데 다도가 사람들에게 많이 보급되면 될수록 도자기의 수요가 늘어났고 일본의 도공만으로는 그 수요를 충족시킬 수가 없었습니다. 조선의 도공이 만든 도자기는 일본 내에 뿐만 아니라 나중에는 유럽에까지 수출되어 일본에 많은 이익을 가져다 주었을 정도로 품질이 매우 뛰어났습니다.

이렇듯 도자기는 당시 일본에 많은 이익을 안겨주는 산업이자 문화였는데 이를 가능하게 해 준 것이 바로 임진왜란 당시 조선에서 끌려간 도공들이었던 것입니다. 도자기는 일본의 다도뿐만 아니라 음식문화에도 많은 영향을 끼쳤습니다.

우리나라에서 끌려간 수많은 도공들은 일본의 규슈九州 지방을 중심으로 여러 곳에 집단을 이루며 생활을 해 나갔는데, 특히 규슈의 아리타有田라는 곳이 유명합니다. 이곳에서 이삼평李參平을 비롯한 조선의 도공들이 백자를 생산한 것으로 알려져 있는데, 조선의 도공들이 이곳에 자리 잡은 이유는 무엇보다 이곳이 도자기 생산에 필요한 거의 모든 조건이 갖추어 있기 때문이라고 합니다. 이삼평 이외에도 많은 조선의 도공들이 일본의 각지에서 독특한 도자기를 만들어냈습니다. 이렇게 일본에 끌려간 도공 중에는 유명한 도공도 있고 현재까지 이름이 전해지며 그의 후손들이 그 맥을 이어나가고 있는 경우도 있지만, 그밖에도 이름 없는 수많은 도공들이 일본의 도자기 문화 발전에 기여했습니다.

조선의 도공들로 인해 규슈의 아리타는 일본 최고의 도자기를 생산하는 중심으로 떠올랐고 지금까지도 그 맥이 이어져 내려오고 있습니다. 이곳에는 현재 도공 이삼평을 모시는 '도산신사'와 '도조陶祖 이삼평의 묘' 기념비도 남아 있습니다.

▲
이삼평이 모셔진 도산신사. 조선의 도공 이삼평은 일본 백자의 원류라 할 수 있다. 일본 다도를 완성하고 보급에 기여한 그의 영향으로 다도가 널리 알려짐에 따라 도자기의 수요가 늘어났고 조선의 도공이 일본에 많이 납치되었다.

도공 말고도 일본에 끌려간 수많은 기술자들이 있었는데, 이렇게 끌려간 수십만 명의 포로는 자신이 가진 기술을 바탕으로 생활해 나갈 수밖에 없었습니다. 특히 두부를 만드는 법을 전수한 박호인朴好仁, 종이 만드는 법을 알려준 정종환鄭宗宦, 제약기술과 비단 만드는 기술을 알려준 구산도청九山道淸, '교큐센인玉泉園' 이라는 일본식 정원을 만들어낸 김여철金如鐵 등은 일본의 산업과 문화에 큰 영향을 미친 기술자들이라 하겠습니다.

▲
센리큐의 초상화.

이렇게 기술을 가진 포로일 경우에 어느 정도 대우를 받으며 일본에서 생활해 나갔고 나중에는 일본에 정착하는 게 가능했겠지만, 별 다른 기술이 없던 그 밖의 조선인들은 일본 여러 곳에서 많은 차별을 받으며 고향에 돌아가지도 못한 채 이름도 없이 죽어갔습니다. 그리고 포로 중에는 어린이도 많았던 것으로 기록되어 있습니다.

이 가운데, 고니시 유키나가 군에 끌려가 일본에서 성장한 후 독실한 신앙인으로 일생을 보낸 '오타 쥬리아' 라는 사람이 있는데, 특히 규슈 지방은 포교의 중심지였고 타국에서의 괴로운 생활을 이겨내기 위해 종교에 기대면서 신앙인들이 많이 생긴 것으로 보고 있습니다. 그래서 일본에 있는 순교자 명단을 보면, 우리나라 사람의 이름이 상당수 들어 있습니다.

이렇듯 고국을 떠나 일본에서 살다 죽어간 많은 조선 사람들이 있었지만, 무엇보다 가장 불쌍한 것은 노예로 머나먼 유럽까지 팔려나간 사람들입니다. 나가사키長崎의 오오무라大村 등지에서 행해진 포르투갈 상인과 일본인과의 노예매매는 그 문제가 매우 심각해서 선교사들이 대책회의를 열어 노예매매 관계자들을 처벌했을 정도였다고 합니다. 정유재란의 막바지에는 전문 노예 상인들이 군대에 합류해 수많은 조선 사람들을 납치해, 타국에 노예로 팔아 넘기기도 했답니다.

▲
일본에서 만들어진 조선 백자.

일본에 전해진 것들(2) -금속 활자, 서책, 유학

▲
갑인자로 인쇄한 《신편음점성리군서구해》. 인쇄된 모양이 선명하고 큰 활자와 작은 활자가 있어 필요에 따라 쓸 수가 있었다.

활자는 인쇄를 하여 책을 만들기 위해 흙이나 나무, 금속 등에 글을 새겨놓은 것을 말합니다. 최초의 인쇄술은 주로 목판이 많이 사용되었는데, 나무를 깎아 하나의 나무판으로 만들다 보니 시간이 오래 걸렸고 사용이 불편했으므로 나중에는 글자를 따로따로 만들고 이를 하나의 판에 모아 찍는 기술이 발전하게 되었습니다. 우리나라에서는 이미 고려 시대에 금속 활자를 이용해 인쇄를 하였고 조선 시대에는 더욱 발전했습니다.

당시 조선의 인쇄기술은 세계적인 수준으로, 특히 '갑인자'(갑인자가 만들어진 1434년의 간지가 '갑인'이어서 갑인자라고 불렀다)는 주목할 만합니다. 갑인자는 활자 모양이 네모 반듯하고 평평하였으며, 우리나라 금속 활자의 백미로 손꼽히고 있습니다. 조판에 있어서는 처음으로 대나무나 나무 조각으로 빈 틈을 메우는 정교하고 튼튼한 조립식 틀을 사용하였으며, 하루에 40여 장을 찍을 수 있어 인쇄 속도 역시 매우 빨랐습니다. '갑인자'에 이르러 우리나라 금속 활자 인쇄술은

고도의 발달을 이루었던 것입니다.

임진왜란 때 일본은 우리나라의 앞선 문물은 모조리 다 가져 갔다고 해도 과언이 아닌데, 이때 금속활자도 일본으로 넘어가게 되었습니다. 임진왜란 당시 서울에 있던 장수인 우키다 히데이에는 서울의 주자소(조선 시대 활자를 만드는 관청)에 있던 금속 활자와 인쇄기계를 빼앗아 일본으로 가져가 도요토미 히데요시에게 바쳤습니다. 이것은 다시 일본의 황실에 바쳐졌는데, 조선의 금속 활자를 이용해 만든 《고문효경古文孝經》이라는 책이 1593년 간행되기도 했습니다. 일본은 당시 조선에서 10만 개 이상의 동활자를 약탈해 갔는데 처음에는 잉크 제조 기술이 없었던 관계로 사용되지 못하고 그것을 본따 목판으로 만들어 쓰기도 했으나, 점차 인쇄 기술이 발전하게 되었습니다. 즉, 일본 인쇄술의 발전은 임진왜란에 힘입은 바가 큰 것입니다.

▲
조선 초기에 주조된 한글 금속 활자인 '을해자'. 실물로 전해지는 조선 시대 활자 중 가장 오랜된 것으로 알려져 있다.

그와는 반대로 금속 활자와 인쇄기계 모두를 빼앗긴 조선은 그 후 수십 년간 제대로 된 활자를 만들지도, 서적을 만들어 내지 못하는 학문적 빈곤의 시대를 살아가야만 했습니다.

일본은 무엇이든 닥치는 대로 물건을 약탈해 갔는데, 그들은 특히 우리의 서적은 보

▲
강항. 포로로 끌려간 일본에 유학을 전해주었다.

이는 대로 가져갔다고 합니다. 당시 일본 장수들은 책장사를 해도 될 정도로 많은 양의 서적을 일본으로 가져갔고 따라서 소중한 문화유산인 조선의 서적 중 상당수가 일본 땅으로 건너가고 말았습니다. 우리나라에서 훔쳐간 서적과 금속 활자를 갖고 일본은 많은 문고(출판사)를 만들기 시작했고, 일본의 학문은 비약적으로 발전했습니다. '스루가문고', '모리문고' 등 일본의 여러 출판사에는 조선의 서책이 상당수 소장되어 있었다고 합니다.

이렇게 일본이 약탈해간 조선의 서적과 활자를 바탕으로 일본의 유학은 한 단계 발전을 하게 되는데, 여기에는 포로로 끌려간 유학자의 도움도 컸습니다. 그 대표적인 인물로 강항姜沆을 들 수 있습니다. 강항은 일본의 학문의 경지를 한 단계 높이는 데 기여한 인물로, 그는 조선 초기 유명한 학자인 강희맹의 후손이자 퇴계학파에 속하는 인물이었는데 일본으로 끌려간 후 그곳에서 당시 중국과 조선의 유학에 관심이 많던 후지와라 세이카藤原惺窩에게 조선의 유학을 전해주었습니다. 후지와라는 임진왜란이 일어나기 전 통신사로 온 서장관 허성(1장 참조)을 만난 적이 있는데, 그 후 그는 유교 연구에 보다 많은 관심을 갖게 되었으며 장차 일본이나 중국으로 가서 유학을 더 공부하고자 했지만 기회를 얻지 못하여 고민하던 차, 마침 일

본에 포로로 끌려온 강항과 만나게 되었던 것입니다. 1600년에 강항은 귀국해 일본에서의 포로생활을 기록한 《간양록看羊錄》을 지었습니다. 그 후 후지와라에게는 많은 문하생이 모여들어 일본 사회에 유학이 뿌리내리는 계기가 되었으니 일본의 유학 발전 과정에 조선의 유학자였던 강항의 공이 컸던 것입니다.

이렇게 조선에서 데려간 포로와 기술자들 그리고 서적과 활자 및 각종 문화재들을 기반으로 일본은 상당한 문화적인 발전을 이룩할 수 있었고, 근대 사회로 한발 더 다가설 수 있게 되었습니다.

한 마디로 임진왜란의 계기로 조선의 문화가 일본의 문화적 발전에 많은 기여를 한 것입니다.

임진왜란의 3대 대첩 – 한산도 대첩, 행주대첩, 진주대첩

▲
이순신 장군은 그가 패퇴시킨 일본군 장수조차 존경할 정도로 위대한 장군이다.

임진왜란에서 조선이 커다란 승리를 거둔 3대 전투를 꼽으라면 일반적으로 한산도 대첩, 행주대첩, 진주대첩을 꼽습니다. 이 3번의 전투에서 대승을 거둠으로써 전쟁의 향방이 갈렸다 할 정도로 큰 전투였던 삼대첩은 어떻게 진행됐을까요?

1) 한산도 대첩

1592년(선조 25년) 5월부터 6월까지 출동한 이순신은 이미 여러 해전에서 승리를 거두고 있었지만, 육지에서는 일본군에 계속해서 패하는 상황이 이어졌습니다. 이렇게 되자 적은 다시 해상을 넘보기 시작하여 이에 이순신은 다시 전라 우수사 이억기와 연계하여 출전할 것을 계획합니다. 한편, 일본의 수군도 전력을 보강하여 해전에서의 패배를 만회하려 벼르고 있었던 참이라, 150여 척이 넘는 함선을 몰고 공격해 왔습니다. 이에 이순신 장군은 이억기와 함께 47척의 함선을 거느리고 노량에 이르렀고 경상우수사 원균의 함선 7척과 합세해 대기했습니다. 우리 수군은 전략적으로 일본 수군을 한산도로 유인하기로

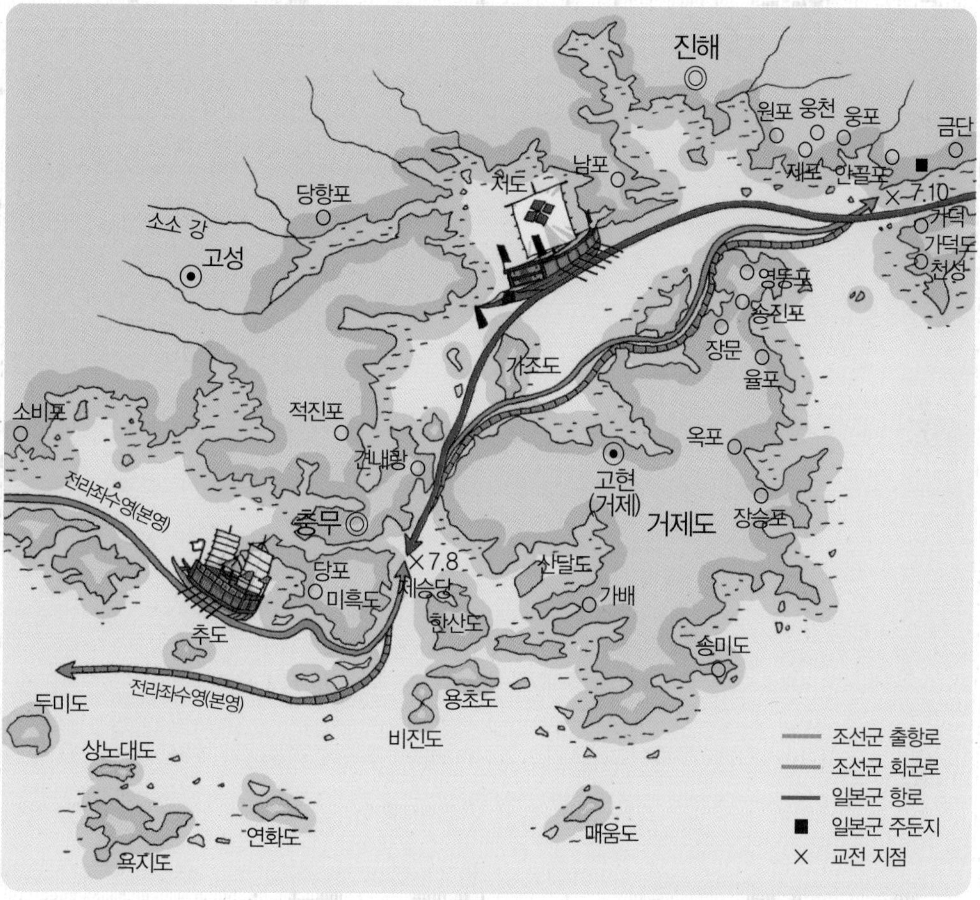
진해
원포
웅천
웅포
금단
제포
안골포
남포
당항포
소소 강
고성
×7.10
가덕
가덕도
천성
영등포
송진포
장문
율포
가조도
소비포
적진포
견내량
옥포
고현
(거제)
거제도
장승포
전라좌수영(본영)
충무
×7.8
당포
미륵도
제승당
산달도
가배
한산도
추도
송미도
전라좌수영(본영)
두미도
용초도
비진도
상노대도
연화도
욕지도
매물도
조선군 출항로
조선군 회군로
일본군 항로
일본군 주둔지
교전 지점

▲
한산도 앞 바다는 물길이 좁아 적이 한 번 들어오면 빠져 나갈 수 없는 지형이다. 조선 수군은 여기로 적을 유인하여 통쾌하게 무찔러 왜군이 다시는 바다를 넘보지 못하도록 하였다.

했는데, 그 이유는 한산도는 거제도와 고성 사이에 위치해 있어서 한번 들어오면 사방이 막혀 헤엄쳐 나갈 길이 없었고, 설령 적군이 한산도에 상륙을 하더라도 굶어 죽기 딱 알맞은 장소였기 때문입니다. 조선 수군이 먼저 판옥선 5, 6척를 동원해 적선을 기습하자 일본의 함선이 일시에 쫓아오기 시작했습니다. 우리의 계획대로 그들은 한산도 앞바다로 들어왔고, 이때 미리 약속한 신호에 따라 우리 수군은 일제히 뱃머리를 돌리고 호

▲
권율 장군 영정

각을 불며 그 유명한 학익진법을 펼쳤습니다. 조선 수군은 동원할 수 있는 모든 공격을 다해 적선 60여 척을 격파했고, 도망치는 적선을 쫓아가 일본수군을 전멸시키는 대승을 거두었습니다. 이것이 임진왜란의 3대 대첩 중 하나인 한산도 대첩입니다. 이순신, 이억기, 원균 세 명의 장군의 협력으로 일궈낸 승리였던 것입니다.

2) 행주대첩

행주대첩은 권율 장군이 행주산성에서 왜적을 크게 이긴 싸움입니다. 권율은 금산군 배재전투에서 승리한 공로를 인정받아 전라도 순찰사로 승진한 뒤, 명나라 군사와 합세하여 수원성에서 대기하고 있다가 서울을 되찾을 계획이었습니다. 1593년 2월에 그는 행주산성에 1만여 군사를 모았고, 조방장, 조경으로 하여금 행주산성을 수축하게 하고 목책을 쌓았습니다. 또한 선거이, 김천일, 허옥이 각각 금주와 강화, 통진에서 권율을 지원하기로 하는 등 만반의 태세를 갖추었습니다. 하지만 서울에서 일시 퇴각한 일본군은 3만이라는 압도적인 병력이 집결된 상태인데다, 벽제관 전투에서 승리한 후라 군의 사기가 하늘을 찌를 듯했습니다. 성을 포위

▲
행주대첩은 화살이 떨어지자 재를 뿌리고 돌을 던져 싸울 만큼 치열했던 전투이다.

하고 3진으로 나누어 9차례나 공격해 오는 일본군에 맞서 우리 군사는 권율 장군의 지휘에 따라 온갖 방법을 동원하여 처절한 전투를 펼쳤습니다. 특히 부녀자들까지 앞치마를 이용해 돌을 날라 왜적에 던지는 석전을 펼치는 등 행주대첩은 관군은 물론 승군과 백성이 사력을 다해 힘을 합쳐 이루어낸 대승이었습니다.

마침 경기수사 이빈이 화살을 가지고 한강을 거슬러 올라와 일본군의 후방을 칠 기세를 보이자, 이미 큰 피해를 입은 일본군은 어쩔 수 없이 도망하기 시작했습니다. 관군은 도망하는 적들을 추적하여 130여 명의 목을 베고 우키타 · 이시다 · 요시가와 등 일본군 장수에게 부상을 입혔으며, 갑옷 · 창 · 칼 등 많은 군수물자를 노획했습니다. 권율은 이 공로로 도원수(육군 총사령관)에 임명되었고, 이후 일본군은 다시 서울 이북에 출병하지 않고 철수를 서둘렀습니다.

임진왜란의 삼대첩 중 하나인 행주대첩의 승리가 더욱 값진 것은 무엇보다 관민이 힘을 합쳐 이뤄낸 값진 승리라는 것입니다.

3) 진주대첩

진주대첩 또한 관민이 힘을 합쳐 싸운 커다란 승리로 기록되

▲ 임진왜란이 남긴 또 한 명의 충무공 김시민.

▲
대표적 공성무기인 운제의 일본식 버전인 대나무 사다리를 동원해 진주성을 공격하는 왜적의 모습.-국립진주박물관 3D애니메이션 '진주대첩'의 장면.

고 있습니다. 특히 진주는 2차례에 걸쳐 일본군의 공격을 받아 엄청난 피해를 입은 곳이기도 합니다.

1차 진주대첩은 1592년 10월에 일어났는데, 진주에 도착한 나가오카 다다오키가 이끈 2만의 왜군에 맞서, 진주 목사 김시민을 중심으로 거센 저항을 했습니다. 진주는 해로가 막힌 왜군이 경상도로부터 호남으로 진출하는 중요한 길목이었기에 이곳이 무너지면 호남의 곡창지대가 왜군의 손에 넘어갈 위기였습니다. 왜군은 대나무로 만든 사다리를 동원해 성을 공격하는 한편 끊임 없이 조총을 쏘아댔습니다. 왜군과 대적한 3천 8백여 명의 우리 군사는 진주성문을 굳게 닫고, 각종 무기를 총동원해 싸웠으며, 끓는 물과 돌을 던지는 등 모두가 죽을 힘을 다해 싸웠습니다. 한편 우리 군은 의병대장 곽재우, 최강, 이달 등이 왜군의 측후방을 끊임없이 공략, 왜군을 혼란시켰습니다. 꼬박 6일 동안 이어진 전투 결과 왜군은 엄청난 손실을 입고 패퇴하고 말지만 안타깝게도 김시민 장군은 전투의 막바지에 적군의 총탄을 맞고 전사하고 맙니다. 이 전투에서의 승리로 인해 호남의 곡창지대를 왜군의 위협으로부터 지켜낼 수 있었고 조선은 호남의 군량을 발판으로 전쟁을 수행해서 이후 전쟁 수행에 대단히 중요한 영향을 끼쳤습니다.

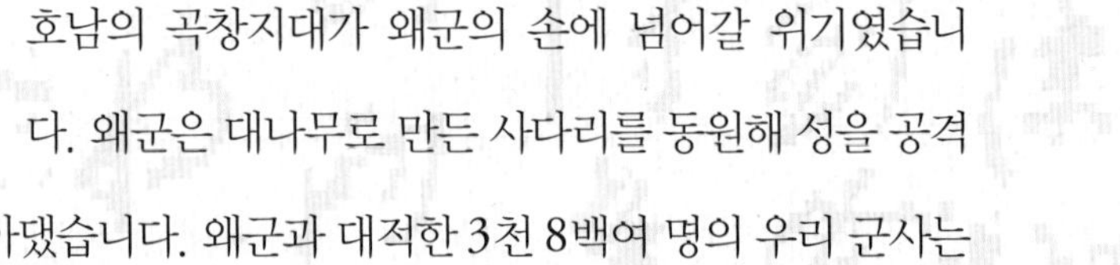

진주에서의 패배에 화가 난 도요토미 히데요시는 가토 기요마사, 고니시 유키나가 등에게 보복할 것을 명했고, 이듬해인 1593년 6월 진주성은 10만의 왜군에게 공격당하게 됩니다. 6월 22일부터 시작된 제2차 진주성 전투는 29일에 끝이 났는데, 엄청난 병력을 동원한 왜적에 진주성은 마침내 함락되고 말았습니다. 성이 함락된 후 성 안에 남아 있던 모든 사람과 가축마저도 왜적은 모두 불태우고 학살했습니다. 이 전투는 임진왜란 중에 벌어진 최대의 격전으로 기억되고 있는데, 비록 싸움에는 패했지만 일본군에 막대한 피해를 입혔고, 논개의 장렬한 죽음이 있었던 것도 이때입니다.

12
133

〈임진왜란 연표〉

· **1585년 (선조 18년, 을유년)**
도요토미 히데요시, 일본 천황을 보좌하는 최고의 자리인 '관백'에 오름.

· **1587년 (선조 20년, 정해년)**
사신 다치바나 야스히로, 수신사 파견을 요청함.

· **1588년 (선조 21년, 무자년)**
사신 소오 요시토시, 겐소 등 통신사 파견을 요청함.

통신사

· **1590년 (선조 23년, 경인년)**
도요토미 히데요시, 일본 전국을 통일함.
일본에 통신사 황윤길, 김성일, 허성 등을 파견함.

· **1591년 (선조 24년, 신묘년)**
통신사 황윤길 일행, 부산포로 귀환함.
이순신, 전라좌도 수군절도사가 됨.

· **1592년 (선조 25년, 임진년) – 전쟁 발발**
4월 13일 왜군이 조선에 상륙하여 임진왜란이 발발.
부산진성, 동래성이 함락됨.
4월 24일 이일, 상주에서 왜적에 패함.
4월 28일 신립, 탄금대에서 왜적에 패함.
4월 30일 선조, 서북 지방으로 피난길에 오름.
곽재우, 조헌 등 의병이 일어남.

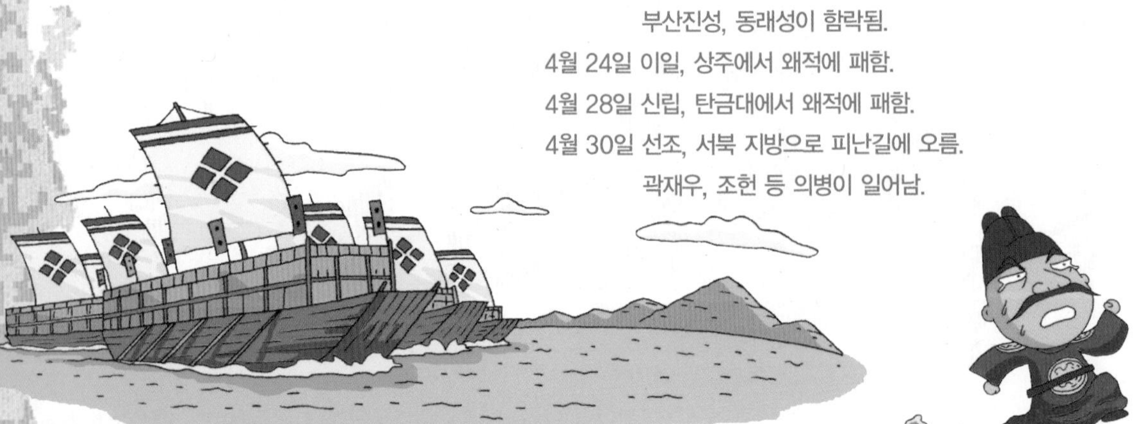

한양
한양

5월 2일 왜적이 한양을 점령함.

5월 7일 이순신, 옥포 해전에서
왜선 20척을 격침시킴.

의주

5월 12일 조선, 명나라에 지원 요청.
6월 11일 선조, 의주로 피란.

평양

6월 14일 왜적에게 평양성이 함락됨.
7월 명나라 요동군, 원군으로 압록강을 건너옴.

7월 8일 이순신, 한산도 해전에서 왜군을 대격파하고 바다를 장악함.
9월 명나라 심유경, 평양에서 왜군과 화친교섭을 시작함.
9월 1일 이순신 부산포 해전에서 왜수군 130여 척 대파함.
9월 8일 박진, 경상도 경주성을 수복함.
10월 5일 김시민, 1차 진주성 전투에서 대승함.

명

12월 이여송 등의 명나라 원병
4만 명 압록강을 건너옴.

평양성

· 1593년 (선조 26년, 계사년)

1월 8일 조 · 명 연합군 평양성 수복함.

1월 25일 명나라 군, 벽제관 전투에서 일본에 패함.

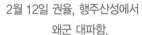

행주산성

2월 12일 권율, 행주산성에서 왜군 대파함.

한양

4월 20일 선조, 한양에 돌아옴.

6월 2차 진주성 전투에서 패해 창의사 김천일, 최경회 등이 전사함.

8월 1일 이순신, 삼도수군통제사가 됨.

· 1594년 (선조 27년, 갑오년) 훈련도감 설치.

· 1597년 (선조 30년, 정유년)

1월 왜군, 다시 조선을 침입하여 정유재란 발발함.

2월 이순신, 무고로 파직, 하옥됨.

7월 16일 칠천량 해전에서 대패하여 조선 수군 궤멸되고 원균 전사함. 이순신 삼도수군통제사에 다시 임명됨.

8월 13일 왜군, 전라도 방면으로 침입하여 남원성이 함락됨.

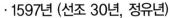

9월 14일 이순신, 명량해전에서 12척으로 왜선 133척과 맞서 31척 격파, 92척 대파.

12
133

· 1598년 (선조 31년, 무술년)
9월 18일 도요토미 히데요시, 62세로 사망.

으아아 아아…

11월 이순신, 노량 해전에서 왜수군 200여 척을 대파하고 전사함.
울산 · 사천 · 순천 등에 주둔하던
왜군 모두 철수함.

전쟁 중의 일을 이유로 영의정 유성룡은
삭탈관직 당함.

· 1599년 (선조 32년, 기해년) 명의 주력부대 본국으로 철수.

· 1600년 (선조 33년, 경자년)
도쿠가와 이에야스, 일본 내의 실권을 장악함.

· 1601년 (선조 34년, 신축년)
대마도주 소오 등 포로 2백 5십 명을 송환하고 강화를 요청.

· 1603년 (선조 36년, 계묘년)
도쿠가와 막부 체제가 시작됨.

· 1604년 (선조37년, 갑진년)
승려 유정을 탐적사로 대마도에 파견하고 교역을 허락함.

· 1605년 (선조 38년, 을사년)
유정, 일본에서 포로 3천여 명을 인솔하고 귀환함.
다음 달 추가로 1천 4백명 귀환.

· 1608년 (광해군 즉위, 무신년)
광해군 즉위.

· 1609년 (광해군 원년, 기유년)
부산에서 겐조 등과 기유약조를 체결하고
일본과의 국교를 완전히 회복함.

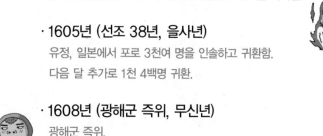

기유약조

유성룡 징비록

박교영 글 | 이동철 그림

01 유성룡이 쓴 책으로, '후환을 경계하기 위해' 임진왜란의 뼈아픈 기록을 전하고 있는 책의 이름은 무엇일까요?

① 장비록 ② 징계록 ③ 징비록
④ 경계록 ⑤ 장계록

02 유성룡은 선조에게 당시 정읍현감이었던 이 사람과, 형조정랑이었던 이 사람을 추천하였습니다. 이 두 사람은 장차 임진왜란에서 큰 공을 세우게 되는데, 여러 해전과 행주산성에서 큰 승리를 거둔 이 두 사람은 각각 누구일까요?

---

03 임진왜란에서 왜적의 공격에 밀리던 조선은 중국에 도움을 청하는데, 당시 중국은 어느 나라였을까요?

① 은나라 ② 송나라 ③ 당나라
④ 명나라 ⑤ 청나라

04 유성룡의 호는 '서애'로, 서쪽 언덕이라는 뜻을 갖고 있습니다. 이것은 그의 스승이었던 이 사람과 매우 관련이 깊은데, 도산서원에서 그에게 학문을 가르쳤던 스승은 누구일까요?

① 퇴계 이황 ② 율곡 이이 ③ 성호 이익
④ 남명 조식 ⑤ 학봉 김성일

05 유성룡은 뛰어난 능력과 리더십을 발휘하여 임진왜란이라는 국난을 슬기롭게 극복해 나갔는데, 그에 대한 설명으로 보기 어려운 것은 무엇일까요?

① 무관 출신으로 크고 작은 전투 경험이 많았다.

② 외교 분야의 오랜 경험으로 업무 처리 및 문장이 뛰어났다.

③ 백성을 위하는 정치를 펴 애민정신을 실천하였고 청렴하였다.

④ 유비무환의 정신을 발휘하여 전투에 대비하는 준비성을 보였다.

⑤ 신분이나 가문이 아닌, 개인의 능력을 바탕으로 인재를 등용하였다.

06 일본을 통일하고 자신의 권력 기반을 강화하기 위해, '중국을 치러 가는 길을 내달라.'는 이유를 내세워 조선을 침략하여 임진왜란을 일으킨 이 사람은 누구일까요?

---

07 다음에 해당하는 것은 무엇일까요?

- 임진왜란 때 화포장 이장손이 발명한 무기이다.
- 완구를 이용해 발사했으며 얇은 철조각 등을 넣어 만들었다.
- 굉장한 폭발력을 자랑했으며 많은 왜적이 이 무기를 두려워했다.

① 조총 ② 화차 ③ 신기전

④ 천자총통 ⑤ 비격진천뢰

06 도요토미 히데요시 / 07 ⑤ / 08 ④ / 09 제승방략
10 군사를 잘 뽑아 장수의 명령에 잘 따르도록 하는 것, 훌륭한 무기를 가지는 것 : 유성룡은 《징비록》에서 전쟁에서 승리하는 중요한 요소를 제시하고 있는데, 지형을 잘 파악하여 그것을 이용해 적을 공격하는 것, 우수한 장수를 뽑아 적재적소에 배치하는 것, 군사를 잘 뽑아 장수의 명령에 잘 따르도록 하는 것, 훌륭한 무기를 갖는 것 등이 그것입니다. 그래서 훈련도감을 설치하여 군사를 기르고, 무기를 개발하는 데 많은 노력을 기울였습니다.

08 임진왜란이 일어난 후 여러 차례의 전투 끝에 양국은 강화 교섭을 시작하는데, 결국 이 협상은 결렬되고 일본은 재차 조선을 침략하게 됩니다. 이 전쟁을 무엇이라 하고, 언제 일어났을까요?

① 1593년, 계사재란 ② 1595년, 을미재란
③ 1596년, 병신재란 ④ 1597년, 정유재란
⑤ 1598년, 무술재란

09 조선의 군사 제도는 원래 '진관제'였는데, 전면전에 대비하기 위한 조치로 군사 제도를 변경하게 됩니다. 이 제도는 전쟁이 발발할 경우 중앙에서 명령을 내려 그 지역에 군사를 모이게 하는 것으로, 류성룡은 임진왜란 때 이 제도에 반대하며 다시 진관제로 돌아가자고 주장하기도 했습니다. 이 제도는 무엇일까요?

정답
01 ③
02 이순신, 권율 : 유성룡은 이순신과 권율을 추천했는데, 이 두 사람은 각각 임진왜란에서 큰 공을 세운 장수로 이름을 떨쳤습니다.
03 ④ / 04 ①
05 ① : 유성룡은 비록 문신 출신이지만, 외교·정치·군사 분야에서 큰 역할을 담당했습니다.

10 유성룡은 《징비록》에서 전쟁에서 이기는 여러 가지 중요한 기본 요소들을 알려 주고 있습니다. 지형을 잘 파악하여 그것을 이용하는 것, 우수한 장수를 뽑아 필요한 곳에 보내는 것 이외에 두 가지를 더 제시해 주세요.

통합교과학습의 기본은 세계사의 이해,

세계대역사 50사건

진시황제와 중국 통일
코페르니쿠스와 과학 혁명
마르크스 레닌주의
제2차 세계 대전

제대로 알차게 만든 교양 세계사 만화!

우리 집 최고의 종합 인문 교양서!

★서양사와 동양사를 21세기의 균형적 시각에서 다룬 최초의 역사 만화
★세계사의 핵심사건과 대표적 인물을 함께 소개해 세계사의 맥락을 짚어 주는 책
★시시각각 이슈가 되는 세계사 정보를 지식이 되게 하는 재미있는 대중 교양서

1. 파라오와 이집트
2. 마야와 잉카 문명
3. 춘추 전국 시대와 제자백가
4. 로마의 탄생과 포에니 전쟁
5.석가모니와 불교의 발전
6. 그리스 철학의 황금시대
7. 페르시아 전쟁과 그리스의 번영
8. 알렉산드로스 대왕과 헬레니즘
9. 실크 로드와 동서 문명의 교류
10. 진시황제와 중국 통일
11. 카이사르와 로마 제국
12. 로마 제국의 황제들
13. 예수와 기독교의 시작
14. 무함마드와 이슬람 제국
15. 십자군 전쟁
16. 칭기즈 칸과 몽골 제국
17. 르네상스와 휴머니즘
18. 잔 다르크와 백년전쟁
19. 루터와 종교개혁
20. 코페르니쿠스와 과학 혁명
21. 동인도회사와 유럽 제국주의
22. 루이 14세와 절대왕정
23. 청교도 혁명과 명예혁명
24. 미국의 독립전쟁
25. 산업 혁명과 유럽의 근대화
26. 프랑스 대혁명
27. 나폴레옹과 프랑스 제1제정
28. 라틴 아메리카의 독립과 민주화
29. 빅토리아 여왕과 대영제국
30. 마르크스_레닌주의
31. 태평천국운동과 신해혁명
32. 비스마르크와 독일 제국의 흥망성쇠
33. 메이지 유신 일본의 근대화
34. 올림픽의 어제와 오늘
35. 양자역학과 현대과학
36. 아인슈타인과 상대성 원리
37. 간디와 사티아그라하
38. 마오쩌둥과 중국 공산당
39. 대공황 이후 세계 자본주의의 발전
40. 제2차 세계 대전
41. 태평양 전쟁과 경제대국 일본
42. 호찌민과 베트남 전쟁
43. 팔레스타인과 이스라엘의 분쟁
44. 넬슨 만델라와 인권운동
45. 카스트로와 쿠바 혁명
46. 아프리카의 독립과 민주화
47. 스푸트니크호와 우주 개발
48. 독일 통일과 소련의 붕괴
49. 유럽 통합의 역사와 미래
50. 신흥대국 중국과 동북공정
★가이드북

김창회 외 글 | 진선규 외 그림 | 232쪽 내외